新潮文庫

新編 銀河鉄道の夜

宮沢賢治著

新潮社版

4192

目 次

北陸古城趾と伝説人物の関係	一三五
軍神の諸相	一四二
十六ムサシ考	一五三
七夕伝說のおこり	一六六
つばめのはなし	一七六
蜻蛉のはなし	一八六
イカの国語	一九四
かなの話	二〇三
本の話	二一六

序…………………………………………………………一

序篇 出雲民族の研究について………………………………三

第一篇 出雲民族の研究

緒論……………………………………………………………四三

第一章 一、大巳貴神……………………………………五三

第二章 大己貴神について………………………………一三〇

關聯雜考………………………………………………………二三一

コロポックルの傳說…………………………………………二六二

松の贄面…………………………………………………………二七二

新編 銀河鉄道の夜

双子《ふたご》の星

双子の星 一

天《あま》の川《がわ》の西の岸にすぎなの胞子《ほうし》ほどの小さな二つの星が見えます。あれはチュンセ童子とポウセ童子*という双子のお星さま*の住んでいる小さな水精《すいしょう》のお宮です。

このすきとおる二つのお宮は、まっすぐに向い合っています。夜は二人とも、きっとお宮に帰って、きちんと座《すわ》り、空の星めぐりの歌*に合せて、一晩銀笛《ぎんてき》を吹《ふ》くのです。それがこの双子のお星様の役目でした。

ある朝、お日様がカツカツカツと厳《おごそ》かにお身体《からだ》をゆすぶって、東から昇《のぼ》っておいでになった時、チュンセ童子は銀笛を下に置いてポウセ童子に申しました。

「ポウセさん。もういいでしょう。お日様もお昇りになったし、雲もまっ白に光っています。今日は西の野原の泉へ行きませんか。」

ポウセ童子が、まだ夢中《むちゅう》で、半分眼《め》をつぶったまま、銀笛を吹いていますので、チュンセ童子はお宮から下りて、沓《くつ》をはいて、ポウセ童子のお宮の段にのぼって、もう一度云《い》いました。

「ポウセさん。もういいでしょう。東の空はまるで白く燃えているようですし、下では小さな鳥なんかもう目をさましている様子です。今日は西の野原の泉へ行きませんか。そして、風車《かざぐるま》で霧《きり》をこしらえて、小さな虹《にじ》を飛ばして遊ぼうではありませんか。」

ポウセ童子はやっと気がついて、びっくりして笛を置いて云いました。

「あ、チュンセさん。失礼いたしました。もうすっかり明るくなったんですね。僕《ぼく》今すぐ沓をはきますから。」

そしてポウセ童子は、白い貝殻《かいがら》の沓をはき、二人は連れだって空の銀の芝原《しばはら》を仲よく歌いながら行きました。

「お日さまの、
お通りみちを　はき浄《きよ》め、
ひかりをちらせ　あまの白雲。
お日さまの、

お通りみちの　石かけを
深くうずめよ、あまの青雲。」

そしてもういつか空の泉に来ました。

この泉は霽《は》れた晩には、下からはっきり見えます。天の川の西の岸から、よほど離《はな》れた処《ところ》に、青い小さな星で円くかこまれてあります。底は青い小さなつぶ石でたいらにうずめられ、石の間から奇麗《きれい》な水が、ころころころころ湧《わ》き出して泉の一方のふちから天の川へ小さな流れになって走って行きます。私共の世界が旱《ひでり》の時、瘠《や》せてしまった夜鷹《よだか》やほととぎすなどが、それをだまって見上げて、残念そうに咽喉《のど》をくびくびさせているのを時々見ることがあるではありませんか。どんな鳥でもとてもあそこまでは行けません。けれども、天《てん》の大烏《おおがらす》*の星や蠍《さそり》の星や兎《うさぎ》の星ならもちろんすぐ行けます。

「ポウセさんまずここへ滝《たき》をこしらえましょうか。」

「ええ、こしらえましょう。僕石を運びますから。」

チュンセ童子が沓をぬいで小流れの中に入り、ポウセ童子は岸から手ごろの石を集めはじめました。

今は、空は、りんごのいい匂《におい》で一杯《いっぱい》です。西の空に消え残った銀色のお月様が吐《は》いたのです。

ふと野原の向うから大きな声で歌うのが聞えます。

「あまのがわの　にしのきしを、
　すこしはなれた　そらの井戸。
　みずはころろ、そこもきらら、
　まわりをかこむ　あおいほし。
　夜鷹ふくろう、ちどり、かけす、
　来よとすれども、できもせぬ。」

「あ、大烏の星だ。」童子たちは一緒《いっしょ》に云いました。

もう空のすすきをざわざわと分けて大烏が向うから肩《かた》をふって、のっしのっしと大《おお》股《また》にやって参りました。まっくろなびろうどのマントを着て、まっくろなびろうどの股引《ももひき》をはいて居《お》ります。

大烏は二人を見て立ちどまって丁寧《ていねい》にお辞儀《じぎ》しました。

「いや、今日は。チュンセ童子とポウセ童子。よく晴れて結構ですな。しかしどうも晴れると咽喉が乾《かわ》いていけません。それに昨夜《ゆうべ》は少し高く歌い過ぎましてな。ご免下さい。」と云いながら大烏は泉に頭をつき込《こ》みました。

「どうか構わないで沢山《たくさんの》呑んで下さい。」とポウセ童子が云いました。

大烏は息もつかずに三分ばかり咽喉を鳴らして呑んでからやっと顔をあげて一寸《ちょっと》眼をパチパチ云わせてそれからブルルッと頭をふって水を払《はら》いました。

その時向うから暴《あら》い声の歌が又《また》聞えて参りました。大烏は見る見る顔色を変えて身体《からだ》を烈《はげ》しくふるわせました。

「みなみのそらの、赤眼のさそり
　毒ある鉤《かぎ》と　大きなはさみを
　知らない者は　阿呆鳥《あほうどり》。」

そこで大烏が怒って云いました。

「蠍星《さそりぼし》です。畜生《ちくしょう》。阿呆鳥だなんて人をあてつけてやがる。見ろ。ここへ来たらその赤眼を抜《ぬ》いてやるぞ。」

チュンセ童子が
「大烏さん。それはいけないでしょう。王様がご存じですよ。」という間もなくもう赤い眼の蠍星が向うから二つの大きな鋏《はさみ》をゆらゆら動かし長い尾をカラカラ引いてやって来るのです。その音はしずかな天の野原中にひびきました。

大烏はもう怒ってぶるぶる顫《ふる》えて今にも飛びかかりそうです。双子の星は一生けん命手まねでそれを押《おさ》えました。

蠍は大烏を尻眼《しりめ》にかけてもう泉のふち迄這《までは》って来て云いました。

「ああ、どうも咽喉《のど》が乾いてしまった。やあ双子さん。今日は。ご免なさい。少し水を呑んでやろうかな。はてな、どうもこの水は変に土臭《つちくさ》いぞ。どこかのまっ黒な馬鹿ァが頭をつっ込んだと見える。えい。仕方ない。我慢《がまん》してやれ。」

そして蠍は十分ばかりごくりごくりと水を呑みました。その間も、いかにも大烏を馬鹿にする様に、毒の鉤のついた尾をそちらにパタパタ動かすのです。

とうとう大烏は、我慢し兼ねて羽をパッと開いて叫《さけ》びました。

「こら蠍。貴様はさっきから阿呆鳥だの何だのと俺《おれ》の悪口を云ったな。早くあやまったらどうだ。」

蠍がやっと水から頭をはなして、赤い眼をまるで火が燃えるように動かしました。

「へん。誰《たれ》か何か云ってるぜ。赤いお方だろうか。鼠色《ねずみいろ》のお方だろうか。一つ鉤をお見舞《みまい》しますかな。」

大烏はかっとして思わず飛びあがって叫びました。

「何を。生意気な。空の向う側へまっさかさまに落してやるぞ。」

蠍も怒って大きなからだをすばやくひねって尾の鉤を空に突《つ》き上げました。大烏は飛びあがってそれを避《さ》け今度はくちばしを槍《やり》のようにしてまっすぐに蠍の頭をめがけて落ちて来ました。

チュンセ童子もポウセ童子もとめるすきがありません。蠍は頭に深い傷を受け、大烏は胸を毒の鉤でさされて、両方ともウンとうなったまま重なり合って気絶してしまいました。

蠍の血がどくどく空に流れて、いやな赤い雲になりました。

チュンセ童子が急いで沓《くつ》をはいて、申しました。

「さあ大変だ。大烏には毒がはいったのだ。早く吸いとってやらないといけない。ポウセさん。大烏をしっかり押えていて下さいませんか。」

ポウセ童子も沓をはいてしまっていそいで大烏のうしろにまわってしっかり押えました。チュンセ童子が大烏の胸の傷口に口をあてました。ポウセ童子が申しました。

「チュンセさん。毒を呑んではいけませんよ。すぐ吐き出してしまわないといけませんよ。」

チュンセ童子が黙《だま》って傷口から六遍《ぺん》ほど毒のある血を吸ってはき出しました。すると大烏がやっと気がついて、うすく目を開いて申しました。

「あ、どうも済みません。私はどうしたのですかな。たしかに野郎をし止めたのだが。」

チュンセ童子が申しました。

「早く流れでその傷口をお洗いなさい。歩けますか。」

大烏はよろよろ立ちあがって蠍《さそり》を見て又身体《からだ》をふるわせて云いました。

「畜生。空の毒虫め。空で死んだのを有り難《がた》いと思え。」

二人は大烏を急いで流れへ連れて行きました。そして奇麗《きれい》に傷口を洗ってやって、その上、傷口へ二三度香《かぐわ》しい息を吹きかけてやって云いました。

「さあ、ゆるゆる歩いて明るいうちに早くおうちへお帰りなさい。これからこんな事をしてはいけません。王様はみんなご存じですよ。」

大烏はすっかり悄気《しょげ》て翼《つばさ》を力なく垂れ、何遍もお辞儀をして
「ありがとうございます。ありがとうございます。これからは気をつけます。」と云いながら脚《あし》を引きずって銀のすすきの野原を向うへ行ってしまいました。

二人は蠍を調べて見ました。頭の傷はかなり深かったのですがもう血がとまっています。二人は泉の水をすくって、傷口にかけて奇麗に洗いました。そして交《かわ》る交《がわ》るふっと息をそこへ吹き込みました。

お日様が丁度空のまん中においでになった頃《ころ》蠍はかすかに目を開きました。

ポウセ童子が汗をふきながら申しました。

「どうですか気分は。」

蠍がゆるく呟《つぶや》きました。

「大烏めは死にましたか。」

チュンセ童子が少し怒って云いました。

「まだそんな事を云うんですか。あなたこそ死ぬ所でした。さあ早くうちへ帰る様に元気をお出しなさい。明るいうちに帰らなかったら大変ですよ。」

蠍が目を変に光らして云いました。

「双子さん。どうか私を送って下さいませんか。お世話の序《ついで》です。」

ポウセ童子が云いました。

「送ってあげましょう。さあおつかまりなさい。」

チュンセ童子も申しました。

「そら、僕にもおつかまりなさい。早くしないと明るいうちに家に行けません。そうすると今夜の星めぐりが出来なくなります。」

蠍は二人につかまってよろよろ歩き出しました。二人の肩《かた》の骨は曲りそうになりました。実に蠍のからだは重いのです。大きさから云っても童子たちの十倍位はあるのです。

　けれども二人は顔をまっ赤にしてこらえて一足ずつ歩きました。

　蠍は尾をギーギーと石ころの上に引きずっていやな息をはあはあ吐いてよろりよろりとあるくのです。一時間に十町*とも進みません。

　もう童子たちは余り重い上に蠍の手がひどく食い込《こ》んで痛いので、肩や胸が自分のものかどうかもわからなくなりました。

　空の野原はきらきら白く光っています。七つの小流れと十の芝原《しばはら》とを過ぎました。

　童子たちは頭がぐるぐるしてもう自分が歩いているのか立っているのかわかりませんでした。それでも二人は黙ってやはり一足ずつ進みました。

　さっきから六時間もたっています。蠍の家まではまだ一時間半はかかりましょう。もうお日様が西の山にお入りになる所です。

「もう少し急げませんか。私らも、もう一時間半のうちにはおうちへ帰らないといけないんだから。けれども苦しいんですか。大変痛みますか。」とポウセ童子が申しました。

「へい。も少しでございます。どうかお慈悲《じひ》でございます。」と蠍が泣きました。

「ええ。も少しです。傷は痛みますか。」とチュンセ童子が肩の骨の砕《くだ》けそうなのをじっとこらえて申しました。

お日様がもうサッサッサッと三遍厳《おごそ》かにゆらいで西の山にお沈《しず》みになりました。

「もう僕《ぼく》らは帰らないといけない。困ったな。ここらの人は誰《たれ》か居ませんか。」ポウセ童子が叫びました。天の野原はしんとして返事もありません。

西の雲はまっかにかがやき蠍の眼《め》も赤く悲しく光りました。光の強い星たちはもう銀の鎧《よろい》を着て歌いながら遠くの空へ現われた様子です。

「一つ星めつけた。長者になあれ。」下で一人の子供がそっちを見上げて叫んでいます。

チュンセ童子が

「蠍さん。も少しです。急げませんか。疲《つか》れましたか。」と云いました。

蠍が哀《あわ》れな声で、

「どうもすっかり疲れてしまいました。どうかも少しですからお許し下さい。」と云います。

「星さん星さん一つの星で出ぬもんだ。

千も万もでるもんだ。」

下で別の子供が叫んでいます。もう西の山はまっ黒です。あちこち星がちらちら現われました。

チュンセ童子は背中がまがってまるで潰《つぶ》れそうになりながら云いました。

「蠍さん。もう私らは今夜は時間に遅《おく》れました。きっと王様に叱《しか》られます。事によったら流されるかも知れません。けれどもあなたがふだんの所に居なかったらそれこそ大変です。」

ポウセ童子が

「私はもう疲れて死にそうです。蠍さん。もっと元気を出して早く帰って行って下さい。」と云いながらとうとうバッタリ倒《たお》れてしまいました。蠍は泣いて云いました。

「どうか許して下さい。私は馬鹿です。あなた方の髪《かみ》の毛一本にも及《およ》びません。きっと心を改めてこのおわびは致《いた》します。きっといたします。」

この時水色の烈《はげ》しい光の外套《がいとう》を着た稲妻《いなずま》が、向うからギラッとひらめいて飛んで来ました。そして童子たちに手をついて申しました。

「王様のご命でお迎《むか》いに参りました。さあご一緒《いっしょ》に私のマントへおつかまり下さい。もうすぐお宮へお連れ申します。王様はどう云う訳かさっきからひどくお悦《よろこ》びでございます。それから、蠍。お前は今まで憎《にく》まれ者だったな。さあこの薬を王様から下すったんだ。飲め。」

童子たちは叫《さけ》びました。

「それでは蠍さん。さよなら。早く薬をのんで下さい。それからさっきの約束《やくそく》ですよ。きっとですよ。さよなら。」

そして二人は一緒に稲妻のマントにつかまりました。蠍が沢山《たくさん》の手をついて平伏《へいふく》して薬をのみそれから丁寧《ていねい》にお辞儀《じぎ》をします。

稲妻がぎらぎらっと光ったと思うともういつかさっきの泉のそばに立って居《お》りました。そして申しました。

「さあ、すっかりおからだをお洗いなさい。王様から新らしい着物と沓《くつ》を下さいました。まだ十五分間《ま》があります。」

双子のお星様たちは悦んでつめたい水晶《すいしょう》のような流れを浴び、匂《におい》のいい青光りのうすものの衣《ころも》を着け新らしい白光りの沓をはきました。するともう身体《からだ》の痛みもつかれも一遍にとれてすがすがしてしまいました。

「さあ、参りましょう。」と稲妻が申しました。そして二人が又《また》そのマントに取りつきますと紫色《むらさきいろ》の光が一遍ぱっとひらめいて童子たちはもう自分のお宮の前に居ました。稲妻はもう見えません。

「チュンセ童子、それでは支度《したく》をしましょう。」

「ポウセ童子、それでは支度をしましょう。」
二人はお宮にのぼり、向き合ってきちんと座《すわ》り銀笛《ぎんてき》をとりあげました。
丁度あちこちで星めぐりの歌がはじまりました。
「あかいめだまの　さそり
ひろげた鷲《わし》の　つばさ
あおいめだまの　小いぬ、
ひかりのへびの　とぐろ。
オリオンは高く　うたい
つゆとしもとを　おとす、
アンドロメダの　くもは
さかなのくちの　かたち。
大ぐまのあしを　きたに
五つのばした　ところ。
小熊《こぐま》のひたいの　うえは

そらのめぐりの　めあて。」
双子のお星様たちは笛を吹《ふ》きはじめました。

双子《ふたご》の星　二

（天《あま》の川《がわ》の西の岸に小さな小さな二つの青い星が見えます。あれはチュンセ童子とポウセ童子という双子のお星様でめいめい水精《すいしょう》でできた小さなお宮に住んでいます。二つのお宮はまっすぐに向い合っています。夜は二人ともきっとお宮に帰ってきちんと座ってそらの星めぐりの歌に合せて一晩銀笛を吹くのです。それがこの双子のお星様たちの役目でした。）

ある晩空の下の方が黒い雲で一杯《いっぱい》に埋《う》まり雲の下では雨がザアッザアッと降って居《お》りました。それでも二人はいつものようにめいめいのお宮にきちんと座って向いあって笛を吹いていますと突然《とつぜん》大きな乱暴ものの彗星《ほうきぼし》がやって来て二人のお宮にフッフッと青白い光の霧《きり》をふきかけて云《い》いました。

「おい、双子の青星。すこし旅に出て見ないか。今夜なんかそんなにしなくてもいいんだ。いくら難船の船乗りが星で方角を定《さだ》めようたって雲で見えはしない。天文台の星の係りも今日は休みであくびをしてる。いつも星を見ているあの生意気な小学生も雨ですっかりへこたれてうちの中で絵なんか書いてるんだ。お前たちが笛なんか吹かなくたって星はみんなくるくるまわるさ。どうだ。一寸旅《ちょっと》へ出よう。あしたの晩方までにはここに連れて来てやるぜ。」

チュンセ童子が一寸笛をやめて云いました。

「それは曇《くも》った日は笛をやめてもいいと王様からお許しはあるとも。私らはただ面白《おもしろ》くて吹いていたんだ。」

ポウセ童子も一寸笛をやめて云いました。

「けれども旅に出るなんてそんな事はお許しがないはずだ。雲がいつはれるかもわからないんだから。」

彗星《ほうきぼし》が云いました。

「心配するなよ。王様がこの前俺《おれ》にそう云ったぜ。いつか曇った晩あの双子を少し旅させてやって呉《く》れってな。行こう。行こう。俺なんか面白いぞ。俺のあだ名は空の鯨《くじら》と云うんだ。知ってるか。俺は鰯《いわし》のようなヒョロヒョロの星やめだかのような黒い隕《い》石《し》はみんなパクパク呑《の》んでしまうんだ。それから一番痛快なのはまっすぐに行ってそのまままっすぐに戻《もど》る位ひどくカーブを切って廻《まわ》るときだ。まるで身体《からだ》が壊《こわ》れそうになってミシミシ云うんだ。光の骨までがカチカチ云うぜ。」

　ポウセ童子が云いました。

「チュンセさん。行きましょうか。王様がいいっておっしゃったそうですから。」

　チュンセ童子が云いました。

「けれども王様がお許しになったなんて一体本当でしょうか。」

　彗星が云いました。

「へん。偽《うそ》なら俺の頭が裂《さ》けてしまうがいいさ。頭と胴と尾とばらばらになって海へ落ちて海鼠《なまこ》にでもなるだろうよ。偽なんか云うもんか。」

　ポウセ童子が云いました。

「そんなら王様に誓《ちか》えるかい。」

　彗星はわけもなく云いました。

「うん、誓うとも。そら、王様ご照覧。ええ今日、王様のご命令で双子の青星は旅に出ます。ね。いいだろう。」

　二人は一緒《いっしょ》に云いました。

「うん。いい。そんなら行こう。」

　そこで彗星がいやに真面目《まじめ》くさって云いました。

「それじゃ早く俺のしっぽにつかまれ。しっかりとつかまるんだ。さ。いいか。」

二人は彗星のしっぽにしっかりつかまりました。彗星は青白い光を一つフウとはいて云いました。

「さあ、発《た》つぞ。ギイギイギイフウ。ギイギイフウ。」

実に彗星は空のくじらです。弱い星はあちこち逃《に》げまわりました。もう大分来たのです。二人のお宮もはるかに遠く遠くなってしまい今は小さな青白い点にしか見えません。

チュンセ童子が申しました。

「もう余程《よほど》来たな。天の川の落ち口はまだだろうか。」

すると彗星の態度がガラリと変ってしまいました。

「へん。天の川の落ち口よりお前らの落ち口を見ろ。それ一《ひ》い二《ふ》の三《み》。」

彗星は尾を強く二三遍《べん》動かしおまけにうしろをふり向いて青白い霧を烈《はげ》しくかけて二人を吹き落してしまいました。

二人は青ぐろい虚空《こくう》をまっしぐらに落ちました。

彗星は、

「あっはっは、あっはっは。さっきの誓いも何もかもみんな取り消しだ。ギイギイギイ、フウ。ギイギイフウ。」と云いながら向うへ走って行ってしまいました。二人は落ちながらしっかりお互《たがい》の肱《ひじ》をつかみました。この双子のお星様はどこ迄《まで》でも一緒に落ちようとしたのです。

二人のからだが空気の中にはいってからは雷《かみなり》のように鳴り赤い火花がパチパチあがり見ていてさえめまいがする位でした。そして二人はまっ黒な雲の中を通り暗い波の吼《ほ》えていた海の中に矢のように落ち込みました。

二人はずんずん沈《しず》みました。けれども不思議なことには水の中でも自由に息ができたのです。

海の底はやわらかな泥《どろ》で大きな黒いものが寝《ね》ていたりもやもやの藻《も》がゆれたりしました。

チュンセ童子が申しました。

「ポウセさん。ここは海の底でしょうね。もう僕《ぼく》たちは空に昇《のぼ》れません。これからどんな目に遭《あ》うでしょう。」

ポウセ童子が云いました。

「僕らは彗星に欺《だま》されたのです。彗星は王さまへさえ偽《うそ》をついたのです。本当に憎《にく》いやつではありませんか。」

するとすぐ足もとで星の形で赤い光の小さなひとでが申しました。

「お前さんたちはどこの海の人たちですか。お前さんたちは青いひとでのしるしをつけていますね。」

ポウセ童子が云いました。

「私らはひとでではありません。星ですよ。」

するとひとでが怒《おこ》って云いました。

「何だと。星だって。ひとではもとはみんな星さ。お前たちはそれじゃ今やっとここへ来たんだろう。何だ。それじゃ新米のひとでだ。ほやほやの悪党だ。悪いことをしてここへ来ながら星だなんて鼻にかけるのは海の底でははやらないさ。おいらだって空に居た時は第一等の軍人だぜ。」

ポウセ童子が悲しそうに上を見ました。

もう雨がやんで雲がすっかりなくなり海の水もまるで硝子《ガラス》のように静まってそらがはっきり見えます。天の川もそらの井戸も鷲《わし》の星や琴弾《ことひ》きの星やみんなはっきり見えます。小さく小さく二人のお宮も見えます。

「チュンセさん。すっかり空が見えます。私らのお宮も見えます。それだのに私らはとうとうひとでになってしまいました。」

「ポウセさん。もう仕方ありません。ここから空のみなさんにお別れしましょう。またおすがたは見えませんが王様におわびをしましょう。」

「王様さよなら。私共は今日からひとでになるのでございます。」

「王様さよなら。ばかな私共は彗星《ほうきぼし》に欺《だま》されました。今日からはくらい海の底の泥を私共は這《は》いまわります。」

「さよなら王様。又《また》天上の皆さま。おさかえを祈《いの》ります。」

「さよならみな様。又すべての上の尊い王さま、いつまでもそうしておいで下さい。」

赤いひとでが沢山《たくさん》集って来て二人を囲んでがやがや云って居りました。

「こら着物をよこせ。」「こら。剣を出せ。」「税金を出せ。」「もっと小さくなれ。」「俺《おれ》の靴《くつ》をふけ。」

その時みんなの頭の上をまっ黒な大きな大きなものがゴーゴーと哮《ほ》えて通りかかりました。ひとではあわててみんなお辞儀《じぎ》をしました。黒いものは行き過ぎようとしてふと立ちどまってよく二人をすかして見て云いました。

「ははあ、新兵だな。まだお辞儀のしかたも習わないのだな。こらくじら様を知らんのか。俺のあだなは海の彗星《ほうきぼし》と云うんだ。知ってるか。俺は鰯《いわし》のようなひょろひょろの魚やめだかの様なめくらの魚はみんなパクパク呑《の》んでしまうんだ。それから一番痛快なのはまっすぐに行ってぐるっと円を描いてまっすぐにかえる位ゆっくりカーブを切るときだ。まるでからだの油がねとねとするぞ。さて、お前は天からの追放の書き付けを持って来たろうな。早く出せ。」

二人は顔を見合せました。

「僕らはそんなもの持たない。」と申しました。チュンセ童子が
すると鯨《くじら》が怒って水を一つぐうっと口から吐《は》きました。ひとではみんな顔色を変えてよろよろしましたが二人はこらえてしゃんと立っていました。

鯨が怖《こわ》い顔をして云いました。

「書き付けを持たないのか。悪党め。ここに居るのはどんな悪いことを天上でして来たやつでも書き付けを持たなかったものはないぞ。貴様らは実にけしからん。さあ。呑んでしまうからそう思え。いいか。」鯨は口を大きくあけて身構えしました。ひとでや近所の魚は巻き添《ぞ》えを食っては大変だと泥の中にもぐり込んだり一もくさんに逃げたりしました。

その時向うから銀色の光がパッと射《さ》して小さな海蛇《うみへび》がやって来ます。くじらは非常に愕《おど》ろいたらしく急いで口を閉めました。

海蛇は不思議そうに二人の頭の上をじっと見て云いました。

「あなた方はどうしたのですか。悪いことをなさって天から落とされたお方ではないように思われますが。」

鯨が横から口を出しました。

「こいつらは追放の書き付けも持ってませんよ。」

海蛇が凄《すご》い目をして鯨をにらみつけて云いました。

「黙《だま》っておいで。生意気な。このお方がたをこいつらなんてお前がどうして云えるんだ。お前には善《よ》い事をしていた人の頭の上の後光が見えないのだ。悪い事をしたものなら頭の上に黒い影法師《かげぼうし》が口をあいているからすぐわかる。お星さま方。こちらへお出《い》で下さい。王の所へご案内申しあげましょう。おい、ひとで。あかりをともせ。こら、くじら。あんまり暴れてはいかんぞ。」

くじらが頭をかいて平伏《へいふく》しました。

愕ろいた事には赤い光のひとでが幅《はば》のひろい二列にぞろっとならんで丁度街道のあかりのようです。

「さあ、参りましょう。」海蛇は白髪《はくはつ》を振《ふ》って恭々《うやうや》しく申しました。二人はそれに続いてひとでの間を通りました。まもなく蒼《あお》ぐろい水あかりの中に大きな白い城の門があってその扉《と》がひとりでに開いて中から沢山の立派な海蛇が出て参りました。そして双子のお星さまだちは海蛇の王さまの前に導かれました。王様は白い長い髯《ひげ》の生えた老人でにこにこわらって云いました。

「あなた方はチュンセ童子にポウセ童子。よく存じて居ります。あなた方が前にあの空の蠍《さそり》の悪い心を命がけでお直しになった話はここへも伝わって居ります。私はそれをこちらの小学校の読本《とくほん》にも入れさせました。さて今度はとんだ災難で定めしびっくりなさったでしょう。」

チュンセ童子が申しました。

「これはお語《ことば》誠《まこと》に恐《おそ》れ入ります。私共はもう天上にも帰れませんしできます事ならこちらで何なりみなさまのお役に立ちたいと存じます。」

王が云いました。

「いやいや、そのご謙遜《けんそん》は恐れ入ります。早速竜巻《たつまき》に云いつけて天上にお送りいたしましょう。お帰りになりましたらあなたの王様に海蛇めが宜《よろ》しく申し上げたと仰《お》っしゃって下さい。」

ポウセ童子が悦《よろこ》んで申しました。

「それでは王様は私共の王様をご存じでいらっしゃいますか。」

王はあわてて椅子《いす》を下って申しました。

「いいえ、それどころではございません。王様はこの私の唯一人《ただ》の王でございます。遠いむかしから私めの先生でございます。私はあのお方の愚《おろ》かなしもべでございます。いや、まだおわかりになりますまい。けれどもやがておわかりでございましょう。それでは夜の明けないうちに竜巻にお伴致《ともいた》させます。これ、これ。支度《したく》はいいか。」

一疋《ぴき》のけらいの海蛇が

「はい、ご門の前にお待ちいたして居ります。」と答えました。

二人は丁寧《ていねい》に王にお辞儀をいたしました。

「それでは王様、ごきげんよろしゅう。いずれ改めて空からお礼を申しあげます。このお宮のいつまでも栄えますよう。」

王は立って云いました。

「あなた方もどうかますます立派にお光り下さいますよう。それではごきげんよろしゅう。」

けらいたちが一度に恭々しくお辞儀をしました。

童子たちは門の外に出ました。

竜巻が銀のとぐろを巻いてねています。

一人の海蛇が二人をその頭に載《の》せました。

二人はその角《つの》に取りつきました。

その時赤い光のひとでが沢山出て来て叫《さけ》びました。

「さよなら、どうか空の王様によろしく。私どももいつか許されますようおねがいいたします。」

二人は一緒《いっしょ》に云いました。

「きっとそう申しあげます。やがて空でまたお目にかかりましょう。」

竜巻がそろりそろりと立ちあがりました。

「さよなら、さよなら。」

竜巻はもう頭をまっくろな海の上に出しました。と思うと急にバリバリバリッと烈《はげ》しい音がして竜巻は水と一所に矢のように高く高くはせのぼりました。

まだ夜があけるのに余程《よほど》間があります。天の川がずんずん近くなります。二人のお宮がもうはっきり見えます。

「一寸《ちょっと》あれをご覧なさい。」と闇《やみ》の中で竜巻が申しました。

見るとあの大きな青白い光りのほうきぼしはばらばらにわかれてしまって頭も尾も胴も別々にきちがいのような凄《すご》い声をあげガリガリ光ってまっ黒な海の中に落ちて行きます。

「あいつはなまこになりますよ。」と竜巻がしずかに云いました。

もう空の星めぐりの歌が聞えます。

そして童子たちはお宮につきました。

竜巻は二人をおろして
「さよなら、ごきげんよろしゅう」と云いながら風のように海に帰って行きました。

双子のお星さまはめいめいのお宮に昇りました。そしてきちんと座《すわ》って見えない空の王様に申しました。

「私どもの不注意からしばらく役目を欠かしましてお申し訳けございません。それにもかかわらず今晩はおめぐみによりまして不思議に助かりました。海の王様が沢山の尊敬をお伝えして呉《く》れと申されました。それから海の底のひとでがお慈悲《じひ》をねがいました。又私どもから申しあげますがなまこももしできますならお許しを願いとう存じます。」

そして二人は銀笛《ぎんてき》をとりあげました。

東の空が黄金色《きんいろ》になり、もう夜明けに間もありません。

よだかの星

よだかは、実にみにくい鳥です。

顔は、ところどころ、味噌《みそ》をつけたようにまだらで、くちばしは、ひらたくて、耳までさけています。

足は、まるでよぼよぼで、一間《いっけん》とも歩けません。

ほかの鳥は、もう、よだかの顔を見ただけでも、いやになってしまうという工合《ぐあい》でした。

たとえば、ひばりも、あまり美しい鳥ではありませんが、よだかよりは、ずっと上だと思っていましたので、夕方など、よだかにあうと、さもさもいやそうに、しんねりと目をつぶりながら、首をそっ方《ぽ》へ向けるのでした。もっとちいさなおしゃべりの鳥などは、いつでもよだかのまっこうから悪口をしました。

「ヘン。又《また》出て来たね。まあ、あのざまをごらん。ほんとうに、鳥の仲間のつらよごしだよ。」

「ね、まあ、あのくちの大きいことさ。きっと、かえるの親類か何かなんだよ。」

こんな調子です。おお、よだかでないただのたかならば、こんな生《なま》はんかのちいさい鳥は、もう名前を聞いただけでも、ぶるぶるふるえて、顔色を変えて、からだをちぢめて、木の葉のかげにでもかくれたでしょう。ところが夜だかは、ほんとうは鷹《たか》の兄弟でも親類でもありませんでした。かえって、よだかは、あの美しいかわせみや、鳥の中の宝石のような蜂《はち》すずめの兄さんでした。蜂すずめは花の蜜《みつ》をたべ、かわせみはお魚を食べ、夜だかは羽虫をとってたべるのでした。それによだかには、するどい爪《つめ》もするどいくちばしもありませんでしたから、どんなに弱い鳥でも、よだかをこわがる筈《はず》はなかったのです。

それなら、たかという名のついたことは不思議なようですが、これは、一つはよだかのはねが無暗《むやみ》に強くて、風を切って翔《か》けるときなどは、まるで鷹のように見えたことと、も一つはなきごえがするどくて、やはりどこか鷹に似ていた為《ため》です。もちろん、鷹は、これをひじょうに気にかけて、いやがっていました。それですから、よだかの顔さえ見ると、肩《かた》をいからせて、早く名前をあらためろ、名前をあらためろと、いうのでした。

ある夕方、とうとう、鷹がよだかのうちへやって参りました。

「おい。居るかい。まだお前は名前をかえないのか。ずいぶんお前も恥知《はじし》らずだな。お前とおれでは、よっぽど人格がちがうんだよ。たとえばおれは、青いそらをどこまででも飛んで行く。おまえは、曇《くも》ってうすぐらい日か、夜でなくちゃ、出て来ない。それから、おれのくちばしやつめを見ろ。そして、よくお前のとくらべて見るがい い。」

「鷹さん。それはあんまり無理です。私の名前は私が勝手につけたのではありません。神さまから下さったのです。」

「いいや。おれの名なら、神さまから貰《もら》ったのだと云《い》ってもよかろうが、お前のは、云わば、おれと夜と、両方から借りてあるんだ。さあ返せ。」

「鷹さん。それは無理です。」

「無理じゃない。おれがいい名を教えてやろう。市蔵《いちぞう》というんだ。市蔵とな。いい名だろう。そこで、名前を変えるには、改名の披露《ひろう》というものをしないといけない。いいか。それはな、首へ市蔵と書いたふだをぶらさげて、私は以来市蔵と申しますと、口上《こうじょう》を云って、みんなの所をおじぎしてまわるのだ。」

「そんなことはとても出来ません。」

「いいや。出来る。そうしろ。もしあさっての朝までに、お前がそうしなかったら、もうすぐ、つかみ殺すぞ。つかみ殺してしまうから、そう思え。おれはあさっての朝早く、鳥のうちを一軒《けん》ずつまわって、お前が来たかどうかを聞いてあるく。一軒でも来なかったという家があったら、もう貴様もその時がおしまいだぞ。」

「だってそれはあんまり無理じゃありませんか。そんなことをする位なら、私はもう死んだ方がましです。今すぐ殺して下さい。」

「まあ、よく、あとで考えてごらん。市蔵なんてそんなにわるい名じゃないよ。」鷹は大きなはねを一杯《いっぱい》にひろげて、自分の巣《す》の方へ飛んで帰って行きました。

よだかは、じっと目をつぶって考えました。

（一たい僕《ぼく》は、なぜこうみんなにいやがられるのだろう。僕の顔は、味噌をつけたようで、口は裂《さ》けてるからなあ。それだって、僕は今まで、なんにも悪いことをしたことがない。赤ん坊《ぼう》のめじろが巣から落ちていたときは、助けて巣へ連れて行ってやった。そしたらめじろは、赤ん坊をまるでぬす人からでもとりかえすように僕からひきはなしたんだなあ。それからひどく僕を笑ったっけ。それにああ、今度は市蔵だなんて、首へふだをかけるなんて、つらいはなしだなあ。）

あたりは、もううすくらくなっていました。夜だかは巣から飛び出しました。雲が意地悪く光って、低くたれています。夜だかはまるで雲とすれすれになって、音なく空を飛びまわりました。

　それからにわかによだかは口を大きくひらいて、はねをまっすぐに張って、まるで矢のようにそらをよこぎりました。小さな羽虫が幾匹《いくひき》も幾匹もその咽喉《のど》にはいりました。

　からだがつちにつくかつかないうちに、よだかはひらりとまたそらへはねあがりました。もう雲は鼠色《ねずみいろ》になり、向うの山には山焼けの火がまっ赤です。

　夜だかが思い切って飛ぶときは、そらがまるで二つに切れたように思われます。一疋《ぴき》の甲虫《かぶとむし》が、夜だかの咽喉にはいって、ひどくもがきました。よだかはすぐそれを呑《の》みこみましたが、その時何だかせなかがぞっとしたように思いました。

　雲はもうまっくろく、東の方だけ山やけの火が赤くうつって、恐《おそ》ろしいようです。よだかはむねがつかえたように思いながら、又そらへのぼりました。

　また一疋の甲虫が、夜だかののどに、はいりました。そしてまるでよだかの咽喉をひっかいてばたばたしました。よだかはそれを無理にのみこんでしまいましたが、その時、急に胸がどきっとして、夜だかは大声をあげて泣き出しました。泣きながらぐるぐるぐるぐる空をめぐったのです。

（ああ、かぶとむしや、たくさんの羽虫が、毎晩僕に殺される。そしてそのただ一つの僕がこんどは鷹に殺される。それがこんなにつらいのだ。ああ、つらい、つらい。僕はもう虫をたべないで餓《う》えて死のう。いやその前にもう鷹が僕を殺すだろう。いや、その前に、僕は遠くの遠くの空の向うに行ってしまおう。）*

山焼けの火は、だんだん水のように流れてひろがり、雲も赤く燃えているようです。よだかはまっすぐに、弟の川せみの所へ飛んで行きました。きれいな川せみも、丁度起きて遠くの山火事を見ていた所でした。そしてよだかの降りて来たのを見て云いました。

「兄さん。今晩は。何か急のご用ですか。」

「いいや、僕は今度遠い所へ行くからね、その前一寸《ちょっと》お前に遭《あ》いに来たよ。」

「兄さん。行っちゃいけませんよ。蜂雀《はちすずめ》もあんな遠くにいるんですし、僕ひとりぼっちになってしまうじゃありませんか。」

「それはね。どうも仕方ないのだ。もう今日は何も云わないで呉《く》れ。そしてお前もね、どうしてもとらなければならない時のほかはいたずらにお魚を取ったりしないようにして呉れ。ね、さよなら。」

「兄さん。どうしたんです。まあもう一寸お待ちなさい。」

「いや、いつまで居てもおんなじだ。はちすずめへ、あとでよろしく云ってやって呉れ。さよなら。もうあわないよ。さよなら。」

よだかは泣きながら自分のお家《うち》へ帰って参りました。みじかい夏の夜はもうあけかかっていました。

羊歯《しだ》の葉は、よあけの霧《きり》を吸って、青くつめたくゆれました。よだかは高くきしきしきしと鳴きました。そして巣の中をきちんとかたづけ、きれいにからだ中のはねや毛をそろえて、また巣から飛び出しました。

霧がはれて、お日さまが丁度東からのぼりました。夜だかはぐらぐらするほどまぶしいのをこらえて、矢のように、そっちへ飛んで行きました。

「お日さん、お日さん。どうぞ私をあなたの所へ連れてって下さい。灼《や》けて死んでもかまいません。私のようなみにくいからだでも灼けるときには小さなひかりを出すでしょう。どうか私を連れてって下さい。」

行っても行っても、お日さまは近くなりませんでした。かえってだんだん小さく遠くなりながらお日さまが云いました。

「お前はよだかだな。なるほど、ずいぶんつらかろう。今夜そらを飛んで、星にそうたのんでごらん。お前はひるの鳥ではないのだからな。」

夜だかはおじぎを一つしたと思いましたが、急にぐらぐらしてとうとう野原の草の上に落ちてしまいました。そしてまるで夢《ゆめ》を見ているようでした。からだがずうっと赤や黄の星のあいだをのぼって行ったり、どこまでも風に飛ばされたり、又鷹が来てからだをつかんだりしたようでした。

つめたいものがにわかに顔に落ちました。よだかは眼《め》をひらきました。一本の若いすすきの葉から露《つゆ》がしたたったのでした。もうすっかり夜になって、空は青ぐろく、一面の星がまたたいていました。よだかはそらへ飛びあがりました。今夜も山やけの火はまっかです。よだかはその火のかすかな照りと、つめたいほしあかりの中をとびめぐりました。それからもう一ぺん飛びめぐりました。そして思い切って西のそらのあの美しいオリオンの星の方に、まっすぐに飛びながら叫《さけ》びました。

「お星さん。西の青じろいお星さん。どうか私をあなたのところへ連れてって下さい。灼けて死んでもかまいません。」

オリオンは勇ましい歌をつづけながらよだかなどはてんで相手にしませんでした。よだかは泣きそうになって、よろよろと落ちて、それからやっとふみとまって、もう一ぺんとびめぐりました。それから、南の大犬座の方へまっすぐに飛びながら叫びました。

「お星さん。南の青いお星さん。どうか私をあなたの所へつれてって下さい。やけて死んでもかまいません。」

大犬は青や紫《むらさき》や黄やうつくしくせわしくまたたきながら云いました。

「馬鹿を云うな。おまえなんか一体どんなものだい。たかが鳥じゃないか。おまえのはねでここまで来るには、億年兆年億兆年だ。」そしてまた別の方を向きました。

よだかはがっかりして、よろよろ落ちて、それから又二へん飛びめぐりました。それから又思い切って北の大熊星《おおぐまぼし》の方へまっすぐに飛びながら叫びました。

「北の青いお星さま、あなたの所へどうか私を連れてって下さい。」

大熊星はしずかに云いました。

「余計なことを考えるものではない。少し頭をひやして来なさい。そう云うときは、氷山の浮《う》いている海の中へ飛び込《こ》むか、近くに海がなかったら、氷をうかべたコップの水の中へ飛び込むのが一等だ。」

よだかはがっかりして、よろよろ落ちて、それから又、四へんそらをめぐりました。そしてもう一度、東から今のぼった天《あま》の川《がわ》の向う岸の鷲《わし》の星に叫びました。

「東の白いお星さま、どうか私をあなたの所へ連れてって下さい。やけて死んでもかまいません。」

鷲は大風《おおふう》に云いました。

「いいや、とてもとても、話にも何にもならん。星になるには、それ相応の身分でなくちゃいかん。又よほど金もいるのだ。」

よだかはもうすっかり力を落してしまって、はねを閉じて、地に落ちて行きました。そしてもう一尺で地面にその弱い足がつくというとき、よだかは俄《にわ》かにのろしのようにそらへとびあがりました。そらのなかほどへ来て、よだかはまるで鷲が熊を襲《おそ》うときするように、ぶるっとからだをゆすって毛をさかだてました。

それからキシキシキシキシキシッと高く高く叫びました。その声はまるで鷹でした。野原や林にねむっていたほかのとりは、みんな目をさまして、ぶるぶるふるえながら、いぶかしそうにほしぞらを見あげました。

夜だかは、どこまでも、どこまでも、まっすぐに空へのぼって行きました。もう山焼けの火はたばこの吸殻《すいがら》のくらいにしか見えません。よだかはのぼってのぼって行きました。

寒さにいきはむねに白く凍《こお》りました。空気がうすくなった為に、はねをそれはそれはせわしくうごかさなければなりませんでした。

それだのに、ほしの大きさは、さっきと少しも変りません。つくいきはふいごのようです。寒さや霜《しも》がまるで剣のようによだかを刺《さ》しました。よだかははねがすっかりしびれてしまいました。そしてなみだぐんだ目をあげてもう一ぺんそらを見ました。そうです。これがよだかの最後でした。もうよだかは落ちているのか、のぼっているのか、さかさになっているのか、上を向いているのかも、わかりませんでした。ただこころもちはやすらかに、その血のついた大きなくちばしは、横にまがっては居《お》りましたが、たしかに少しわらって居りました。

それからしばらくたってよだかははっきりまなこをひらきました。そして自分のからだがいま燐《りん》の火のような青い美しい光になって、しずかに燃えているのを見ました。すぐとなりは、カシオピア座*でした。天の川の青じろいひかりが、すぐうしろになっていました。

そしてよだかの星は燃えつづけました。いつまでもいつまでも燃えつづけました。

今でもまだ燃えています。

カイロ団長

あるとき、三十疋《ぴき》のあまがえるが、一緒《いっしょ》に面白《おもしろ》く仕事をやって居《お》りました。*

これは主に虫仲間からたのまれて、紫蘇《しそ》の実やけしの実をひろって来て花ばたけをこしらえたり、かたちのいい石や苔《こけ》を集めて来て立派なお庭をつくったりする職業《しょうばい》でした。

こんなようにして出来たきれいなお庭を、私どもはたびたび、あちこちで見ます。それは畑の豆《まめ》の木の下や、林の楢《なら》の木の根もとや、又雨垂《またあまだ》れの石のかげなどに、それはそれは上手に可愛《かあい》らしくつくってあるのです。

さて三十疋は、毎日大へん面白くやっていました。朝は、黄金色《きんいろ》のお日さまの光が、とうもろこしの影法師《かげぼうし》を二千六百寸も遠くへ投げ出すころからさっぱりした空気をすぱすぱ吸って働き出し、夕方は、お日さまの光が木や草の緑を飴色《あめいろ》にうきうきさせるまで歌ったり笑ったり叫《さけ》んだりして仕事をしました。殊《こと》にあらしの次の日などは、あっちからもこっちからもどうか早く来てお庭をかくしてしまった板を起して下さいとか、うちのすぎごけの木が倒《たお》れましたから大いそぎで五六人来てみて下さいとか、それはそれはいそがしいのでした。いそがしければいそがしいほど、みんなは自分たちが立派な人になったような気がして、もう大よろこびでした。さあ、それ、しっかりひっぱれ、いいか、よいとこしょ、おい、ブチュコ、縄《なわ》がたるむよ、いいとも、そらひっぱれ、おい、おい、ビキコ、そこをはなせ、縄を結んで呉《く》れ、よういやさ、そらもう一いき、よおいやしゃ、なんてまあこんな工合《ぐあい》です。

ところがある日三十疋のあまがえるが、蟻《あり》の公園地をすっかり仕上げて、みんなよろこんで一まず本部へ引きあげる途中《とちゅう》で、一本の桃《もも》の木の下を通りますと、そこへ新らしい店が一軒《けん》出ていました。そして看板がかかって、

「舶来《はくらい》ウェスキイ　一杯《ぱい》、二厘《りん》半。*」と書いてありました。

あまがえるは珍《めず》らしいものですから、ぞろぞろ店の中へはいって行きました。すると店にはうすぐろいとのさまがえるが*、のっそりとすわって退くつそうにひとりでべろべろ舌を出して遊んでいましたが、みんなの来たのを見て途方もないいい声で云《い》いました。

「へい、いらっしゃい。みなさん。一寸《ちょっと》おやすみなさい。」

「なんですか。舶来のウェクーというものがあるそうですね。どんなもんですか。た

めしに一杯呑《の》ませて下さいませんか。」

「へい、舶来のウェスキイですか。一杯二厘半ですよ。ようござんすか。」

「ええ、よござんす。」

とのさまがえるは粟《あわ》つぶをくり抜《ぬ》いたコップにその強いお酒を汲《く》んで出しました。

「ウーイ。これはどうもひどいもんだ。腹がやけるようだ。ウーイ。おい、みんな、これはきたいなもんだよ。咽喉《のど》へはいると急に熱くなるんだ。ああ、いい気分だ。もう一杯下さいませんか。」

「はいはい。こちらが一ぺんすんでからさしあげます。」

「こっちへも早く下さい。」

「はいはい。お声の順にさしあげます。さあ、これはあなた。」

「いやありがとう。ウーイ。ウフッ、ウウ、どうもうまいもんだ。」

「こっちへも早く下さい。」

「はい、これはあなたです。」

「ウウイ。」

「おいもう一杯お呉れ。」

「こっちへ早くよ。」

「へい、へい。どうぞお急《せ》きにならないで下さい。折角《せっかく》、はかったのがこぼれますから。へいと、これはあなた。」

「いや、ありがとう、ウーイ、ケホン、ケホン、ウーイうまいね。どうも。」

さてこんな工合で、あまがえるはお代りお代りで、沢山《たくさん》お酒を呑みましたが、呑めば呑むほどもっと呑みたくなります。

もっとも、とのさまがえるのウィスキーは、石油缶《かん》に一ぱいありましたから、粟つぶをくりぬいたコップで一万べんはかっても、一分もへりはしませんでした。

「おいもう一杯おくれ。」

「も一杯お呉れったらよう。早くよう。」

「さあ、早くお呉れよう。」

「へいへい。あなたさまはもう三百二杯目でございますがよろしゅうございますか。」

「いいよう。お呉れったらお呉れよう。」

「へいへい。よければさし上げます。さあ、」

「ウーイ、うまい。」

「おい、早くこっちへもお呉れ。」

「もう一杯早く。」

そのうちにあまがえるは、だんだん酔《よい》がまわって来て、あっちでもこっちでも、キーイキーイといびきをかいて寝《ね》てしまいました。

とのさまがえるはそこでにやりと笑って、いそいですっかり店をしめて、お酒の石油缶にはきちんと蓋《ふた》をしてしまいました。それから戸棚《とだな》からくさりかたびらを出して、頭から顔から足のさきまでちゃんと着込《きこ》んでしまいました。

それからテーブルと椅子《いす》をもって来て、きちんとすわり込みました。あまがえるはみんな、キーイキーイといびきをかいています。とのさまがえるはそこで小さなこしかけを一つ持って来て、自分の椅子の向う側に置きました。

それから棚から鉄の棒をおろして来て椅子へどっかり座《すわ》って一ばんはじのあまがえるの緑色のあたまをこつんとたたきました。

「おい。起きな。勘定《かんじょう》を払《はら》うんだよ。さあ。」

「キーイ、キーイ、クヮア、あ、痛い、誰《たれ》だい。ひとの頭を撲《なぐ》るやつは。」

「勘定を払いな。」

「あっ、そうそう。勘定はいくらになっていますか。」

「お前のは三百四十二杯で、八十五銭五厘だ。どうだ。払えるか。」

あまがえるは財布《さいふ》を出して見ましたが、三銭二厘しかありません。

「何だい。おまえは三銭二厘しかないのか。呆《あき》れたやつだ。さあどうするんだ。警察へ届けるよ。」

「許して下さい。許して下さい。」

「いいや、いかん。さあ払え。」

「ないんですよ。許して下さい。そのかわりあなたのけらいになりますから。」

「そうか。よかろう。それじゃお前はおれのけらいだぞ。」

「へい。仕方ありません。」

「よし、この中にはいれ。」

とのさまがえるは次の室《へや》の戸を開いてその閉口したあまがえるを押《お》し込んで、戸をぴたんとしめました。そしてにやりと笑って、又どっしりと椅子へ座りました。それから例の鉄の棒を持ち直して、二番目のあま蛙《がえる》の緑青《ろくしょう》いろの頭をこつんとたたいて云いました。

「おいおい。起きるんだよ。勘定だ勘定だ。」

「キーイ、キーイ、クヮァ、ううい。もう一杯お呉れ。」

「何をねぼけてんだよ。起きるんだよ。目をさますんだよ。勘定だよ。」

「ううい、ああああっ。ううい。何だい。なぜひとの頭をたたくんだい。」

「いつまでねぼけてんだよ。勘定を払え。勘定を。」

「あっ、そうそう。そうでしたね。いくらになりますか。」

「お前のは六百杯で、一円五十銭だよ。どうだい、それ位あるかい。」

あまがえるはすきとおる位青くなって、財布をひっくりかえして見ましたが、たった一銭二厘しかありませんでした。

「ある位みんな出しますからどうかこれだけに負けて下さい。」

「うん、一円二十銭もあるかい。おや、これはたった一銭二厘じゃないか。あんまり人をばかにするんじゃないぞ。勘定の百分の一に負けろとはよくも云えたもんだ。外国のことばで云えば、一パーセントに負けて呉れと云うんだろう。人を馬鹿にするなよ。さあ払え。早く払え。」

「だって無いんだもの。」

「なきゃおれのけらいになれ。」

「仕方ない。そいじゃそうして下さい。」

「さあ、こっちへ来い。」とのさまがえるはあまがえるを又次の室《へや》に追い込みました。

それから又どっかりと椅子へかけようとしましたが何か考えついたらしく、いきなりキーキーいびきをかいているあまがえるの方へ進んで行って、かたっぱしからみんなの財布を引っぱり出して中を改めました。どの財布もみんな三銭より下でした。ただ一つ、いかにも大きくふくれたのがありましたが、開いて見ると、お金が一つぶも入っていないで、椿《つばき》の葉が小さく折って入れてあるだけでした。とのさまがえるは、よろこんで、にこにここにこ笑って、棒を取り直し、片っぱしからあまがえるの緑色の頭をポンポンポンポンたたきつけました。さあ、大へん、みんな、

「あ痛っ、あ痛っ。誰だい。」なんて云いながら目をさまして、しばらくきょろきょろきょろきょろしていましたが、いよいよそれが酒屋のおやじのとのさまがえるの仕《し》業《わざ》だとわかると、もうみな一ぺんに、

「何だい。おやじ。よくもひとをなぐったな。」と云いながら、四方八方から、飛びかかりましたが、何分とのさまがえるは三十がえる力《りき》あるのですし、くさりかたびらは着ていますし、それにあまがえるはみんな舶来ウェスキーでひょろひょろしてますから、片っぱしからストンストンと投げつけられました。おしまいにはとのさまがえるは、十一疋のあまがえるを、もじゃもじゃ堅《かた》めて、ぺちゃんと投げつけました。あまがえるはすっかり恐《おそ》れ入って、ふるえて、すきとおる位青くなって、その辺に平伏《へいふく》いたしました。そこでとのさまがえるがおごそかに云《い》いました。

「お前たちはわしの酒を呑《の》んだ。どの勘定も八十銭より下のはない。ところがお前ら

は五銭より多く持っているやつは一人もない。どうじゃ。誰かあるか。無かろう。うん。」

あまがえるは一同ふうふうと息をついて顔を見合せるばかりです。とのさまがえるは得意になって又はじめました。

「どうじゃ。無かろう。あるか。無かろう。そこでお前たちの仲間は、前に二人お金を払うかわりに、おれのけらいになるという約束《やくそく》をしたがお前たちはどうじゃ。」この時です、みなさんもご存じの通り向うの室の中の二疋《ひき》が戸のすきまから目だけ出してキーと低く鳴いたのは。

みんなは顔を見合せました。

「どうも仕方ない。そうしようか。」

「そうお願いしよう。」

「どうかそうお願いいたします。」

どうです。あまがえるなんというものは人のいいものですからすぐとのさまがえるのけらいになりました。そこでとのさまがえるは、うしろの戸をあけて、前の二人を引っぱり出しました。そして一同へおごそかに云いました。

「いいか。この団体はカイロ団ということにしよう。わしはカイロ団長じゃ。あしたからはみんな、おれの命令にしたがうんだぞ。いいか。」

「仕方ありません。」とみんなは答えました。すると、とのさまがえるは立ちあがって、家をぐるっと一まわしまわしました。すると酒屋はたちまちカイロ団長の本宅にかわりました。つまり前には四角だったのが今度は六角形の家になったのですな。

さて、その日は暮《く》れて、次の日になりました。お日さまの黄金色《きんいろ》の光は、うしろの桃の木の影法師《かげぼうし》を三千寸も遠くまで投げ出し、空はまっ青にひかりましたが、誰もカイロ団に仕事を頼《たの》みに来ませんでした。そこでとのさまがえるはみんなを集めて云いました。

「さっぱり誰も仕事を頼みに来んな。どうもこう仕事がなくちゃ、お前たちを養っておいても仕方ない。俺《おれ》もとうとう飛んだことになったよ。それにつけても仕事のない時に、いそがしい時の仕度《したく》をして置くことが、最必要だ。つまりその仕事の材料を、こんな時に集めて置かないといかんな。ついてはまず第一が木だがな。今日はみんな出て行って立派な木を十本だけ、十本じゃすくない、ええと、百本、百本でもすくないな、千本だけ集めて来い。もし千本集まらなかったらすぐ警察へ訴《うった》えるぞ。貴様らはみんな死刑《しけい》になるぞ。その太い首をスポンと切られるぞ。首が太いからスポンとはいかない、シュッポォンと切られるぞ。」

あまがえるどもは緑色の手足をぶるぶるぶるっとけいれんさせました。そしてこそこそこそ、逃《に》げるようにおもてに出てひとりが三十三本三分三厘強ずつという見当で、一生けん命いい木をさがしましたが、大体もう前々からさがす位さがしてしまっていたのですから、いくらそこらをみんながひょいひょいかけまわっても、夕方までにたった九本しか見つかりませんでした。さあ、あまがえるはみんな泣き顔になって、うろうろうろうろうろやりましたがますますどうもいけません。そこへ丁度一ぴきの蟻《あり》が通りかかりました。そしてみんなが飴色《あめいろ》の夕日にまっ青にすきとおって泣いているのを見て驚《おどろ》いてたずねました。

「あまがえるさん。昨日はどうもありがとう。一体どうしたのですか。」

「今日は木を千本、とのさまがえるに持っていかないといけないのです。まだ九本しか見つかりません。」

蟻はこれを聞いて「ケッケッケッケ」と大笑いに笑いはじめました。それから申しました。

「千本持って来いというのなら、千本持って行ったらいいじゃありませんか。そら、そこにあるそのけむりのようなかびの木などは、一つかみ五百本にもなるじゃありませんか。」

なるほどとみんなはよろこんでそのけむりのようなかびの木を一人が三十三本三分三厘ずつ取って、蟻にお礼を云って、カイロ団長のところへ帰って来ました。すると団長は大機嫌《だいきげん》です。

「ふんふん。よし、よし。さあ、みんな舶来《はくらい》ウィスキーを一杯《いっぱい》ずつ飲んでやすむんだよ。」

そこでみんなは粟《あわ》つぶのコップで舶来ウィスキーを一杯ずつ呑んで、くらくら、キーイキーイと、ねむってしまいました。

次の朝またお日さまがおのぼりになりますと、とのさまがえるは云いました。

「おい、みんな。集れ。今日もどこからも仕事をたのみに来ない。いいか、今日はな、あちこち花畑へ出て行って花の種をひろって来るんだ。一人が百つぶずつ、いや百つぶではすくない。千つぶずつ、いや、千つぶもこんな日の長い時にあんまり少い。万粒《つぶ》ずつがいいかな。万粒ずつひろって来い。いいか、もし、来なかったらすぐお前らを巡査《じゅんさ》に渡《わた》すぞ。巡査は首をシュッポンと切るぞ。」

あまがえるどもはみんな、お日さまにまっさおにすきとおりながら、花畑の方へ参りました。ところが丁度幸《さいわい》に花のたねは雨のようにこぼれていましたし蜂《はち》もぶんぶん鳴いていましたのであまがえるはみんなしゃがんで一生けん命ひろいました。ひろいながらこんなことを云っていました。

「おい、ビチュコ。一万つぶひろえそうかい。」

「いそがないとだめそうだよ、まだ三百つぶにしかならないんだもの。」

「さっき団長が百粒ってはじめに云ったねい。百つぶならよかったねい。」

「うん。その次に千つぶって云ったねい。千つぶでもよかったねい。」

「ほんとうにねい。おいら、お酒をなぜあんなにのんだろうなあ。」

「おいらもそいつを考えているんだよ。どうも一ぱい目と二杯目、二杯目と三杯目、みんな順ぐりに糸か何かついていたよ。三百五十杯つながって居たとおいら今考えてるんだ。」

「全くだよ。おっと、急がないと大へんだ。」

「そうそう。」

さて、みんなはひろってひろってひろって、夕方までにやっと一万つぶずつあつめて、カイロ団長のところへ帰って来ました。

するとのさまがえるのカイロ団長はよろこんで、

「うん。よし。さあ、みんな船来ウェスキーを一杯ずつのんで寝《ね》るんだよ。」と云いました。

あまがえるどもも大よろこびでみんな粟《あわ》のこっぷで舶来ウィスキイを一杯ずつ呑んで、キーイキーイと寝てしまいました。

次の朝あまがえるどもは眼《め》をさまして見ますと、もう一ぴきのとのさまがえるが来ていて、団長とこんなはなしをしていました。

「とにかく大いに盛《さか》んにやらないといかんね。そうでないと笑いものになってしまうだけだ。」

「全くだよ。どうだろう、一人前九十円ずつということにしたら。」

「うん。それ位ならまあよかろうかな。」

「よかろうよ。おや、みんな起きたね、今日は何の仕事をさせようかな。どうも毎日仕事がなくて困るんだよ。」

「うん。それは大いに同情するね。」

「今日は石を運ばせてやろうか。おい。みんな今日は石を一人で九十匁《もんめ》ずつ運んで来い。いや、九十匁じゃあまり少いかな。」

「うん。九百貫*という方が口調がいいね。」

「そうだ、そうだ。どれだけいいか知れないね。おい、みんな。今日は石を一人につき九百貫ずつ運んで来い。もし来なかったら早速警察へ貴様らを引き渡すぞ。ここには裁判の方のお方もお出《い》でになるのだ。首をシュッポオンと切ってしまう位、実にわけないはなしだ。」

あまがえるはみなすきとおってまっ青になってしまいました。それはその筈《はず》です。一人九百貫の石なんて、人間でさえ出来るもんじゃありません。ところがあまがえるの目方が何匁あるかと云ったら、たかが八匁か九匁でしょう。それが一日に一人で九百貫の石を運ぶなどはもうみんな考えただけでめまいを起してクゥウ、クゥウと鳴ってばたりばたり倒《たお》れてしまったことは全く無理もありません。

とのさまがえるは早速例の鉄の棒を持ち出してあまがえるの頭をコッツンコッツンと叩《たた》いてまわりました。あまがえるはまわりが青くくるくるするように思いながら仕事に出て行きました。お日さまさえ、ずうっと遠くの天の隅《すみ》のあたりで、三角になってくるりくるりとうごいているように見えたのです。

みんなは石のある所に来ました。そしててんでに百匁ばかりの石につなをつけて、エンヤラヤア、ホイ、エンヤラヤアホイ。とひっぱりはじめました。みんなあんまり一生けん命だったので、汗《あせ》がからだ中チクチクチクチク出て、からだはまるでへたへた風のようになり、世界はほとんどまっくらに見えました。とにかくそれでも三十疋が首尾よくめいめいの石をカイロ団長の家まで運んだときはもうおひるになっていました。それにみんなはつかれてふらふらして、目をあいていることも立っていることもできませんでした。あーあ、ところが、これから晩までにもう八百九十九貫九百匁運ばないと首をシュッポオンと切られるのです。

カイロ団長は丁度この時うちの中でいびきをかいて寝て居《お》りましたがやっと目をさましてゆっくりと外へ出て見ました。あまがえるどもは、はこんで来た石にこしかけてため息をついたり、土の上に大の字になって寝たりしています。その影法師は青く日がすきとおって地面に美しく落ちていました。団長は怒《おこ》って急いで鉄の棒を取りに家の中にはいりますと、その間に、目をさましていたあまがえるは、寝ていたものをゆり起して、団長が又出て来たときは、もうみんなちゃんと立っていました。カイロ団長が申しました。

「何だ。のろまども。今までかかってたったこれだけしか運ばないのか。何という貴様らは意気地《いくじ》なしだ。おれなどは石の九百貫やそこら、三十分で運んで見せるぞ。」

「とても私らにはできません。私らはもう死にそうなんです。」

「えい、意気地なしめ。早く運べ。晩までに出来なかったら、みんな警察へやってしまうぞ。警察ではシュッポンと首を切るぞ。ばかめ。」

あまがえるはみんなやけ糞《くそ》になって叫《さけ》びました。

「どうか早く警察へやって下さい。シュッポン、シュッポンと聞いていると何だか面《おも》白《しろ》いような気がします。」

カイロ団長は怒って叫び出しました。

「えい、馬鹿者め意気地なしめ。

えい、ガーアアアアアア。」カイロ団長は何だか変な顔をして口をパタンと閉じました。ところが「ガーアアアアアア」と云う音はまだつづいています。それは全くカイロ団長の咽喉《のど》から出たのではありませんでした。かの青空高くひびきわたるかたつむりのメガホーンの声でした。王さまの新らしい命令のさきぶれでした。

「そら、あたらしいご命令だ。」と、あまがえるもとのさまがえるも、急いでしゃんと立ちました。かたつむりの吹くメガホーンの声はいともほがらかにひびきわたりました。

「王さまの新らしいご命令。王さまの新らしいご命令。一個条。ひとに物を云いつける方法。ひとに物を云いつける方法。第一、ひとにものを云いつけるときはそのいいつけられるものの目方で自分のからだの目方を割って答を見つける。第二、云いつける仕事にその答をかける。第三、その仕事を一ぺん自分で二日間やって見る。以上。その通りやらないものは鳥の国へ引き渡す。」

さああまがえるどもはよろこんだのなんのって、チェッコという算術のうまいかえるなどは、もうすぐ暗算をはじめました。云いつけられるわれわれの目方は拾《じゅう》匁、云いつける団長のめがたは百匁、百匁割る十匁、答十。仕事は九百貫目、九百貫目掛る十、答九千貫目。

「九千貫だよ。おい。みんな。」

「団長さん。さあこれから晩までに四千五百貫目、石をひっぱって下さい。」

「さあ王様の命令です。引っぱって下さい。」

今度は、とのさまがえるは、だんだん色がさめて、飴色《あめいろ》にすきとおって、そしてブルブルふるえて参りました。

あまがえるはみんなでとのさまがえるを囲んで、石のある処《ところ》へ連れて行きました。そして一貫目ばかりある石へ、綱《つな》を結びつけて

「さあ、これを晩までに四千五百運べばいいのです。」と云いながらカイロ団長の肩に綱のさきを引っかけてやりました。団長もやっと覚悟《かくご》がきまったと見えて、持っていた鉄の棒を投げすてて、眼をちゃんときめて、石を運んで行く方角を見定めましたがまだどうも本当に引っぱる気にはなりませんでした。そこであまがえるは声をそろえてはやしてやりました。

「ヨウイト、ヨウイト、ヨウイト、ヨウイトショ。」カイロ団長は、はやしにつりこまれて、五へんばかり足をテクテクふんばってつなを引っ張りましたが、石はびくとも動きません。とのさまがえるはチクチク汗を流して、口をあらんかぎりあけて、フウフウといきをしました。全くあたりがみんなくらくらして、茶色に見えてしまったのです。

「ヨウイト、ヨウイト、ヨウイト、ヨウイトショ。」とのさまがえるは又四へんばかり足をふんばりましたが、おしまいの時は足がキクッと鳴ってくにゃりと曲ってしまいました。あまがえるは思わずどっと笑い出しました。がどう云うわけかそれから急にしいんとなってしまいました。それはそれはしいんとしてしまいました。みなさん、この時のさびしいことと云ったら私はとても口で云えません。みなさんはおわかりですか。ドッと一緒《いっしょ》に人をあざけり笑ってそれから俄《にわ》かにしいんとなった時のこのさびしいことです。

ところが丁度その時、又もや青ぞら高く、かたつむりのメガホーンの声がひびきわたりました。

「王様の新らしいご命令。王様の新らしいご命令。すべてあらゆるいきものはみんな気のいい、かあいそうなものである。けっして憎《にく》んではならん。以上。」それから声が又向うの方へ行って「王様の新らしいご命令。」とひびきわたって居ります。

そこであまがえるは、みんな走り寄って、とのさまがえるに水をやったり、曲った足をなおしてやったり、とんとんせなかをたたいたりいたしました。

とのさまがえるはホロホロ悔悟《かいご》のなみだをこぼして、

「ああ、みなさん、私がわるかったのです。私はもうあなた方の団長でもなんでもありません。私はやっぱりただの蛙《かえる》です。あしたから仕立屋をやります。」

あまがえるは、みんなよろこんで、手をパチパチたたきました。

次の日から、あまがえるはもとのように愉快《ゆかい》にやりはじめました。

みなさん。あまあがりや、風の次の日、そうでなくてもお天気のいい日に、畑の中や花壇《かだん》のかげでこんなようなさらさらさらさら云う声を聞きませんか。

「おい。ベッコ。そこん処《とこ》をも少しよくならして呉《く》れ。いいともさ。おいおい。ここへ植えるのはすずめのかたびら*じゃない、すずめのてっぽう*だよ。そうそう。どっちもすずめなもんだからつい間違《まちが》えてね。ハッハッハ。よう。ビチュコ。おい。ビチュコ、そこの穴うめて呉れ。いいかい。そら、投げるよ。ようし来た。ああ、しまった。さあひっぱって呉れ。よいしょ。」

黄いろのトマト

博物局十六等官*
キュステ*誌

私の町の博物館の、大きなガラスの戸棚《とだな》には、剝製《はくせい》ですが、四疋《ひき》の蜂雀《はちすずめ》*がいます。

生きてたときはミィミィとなき蝶《ちょう》のように花の蜜《みつ》をたべるあの小さなかあいらしい蜂雀です。わたくしはその四疋の中でいちばん上の枝《えだ》にとまって、羽を両方ひろげかけ、まっ青なそらにいまにもとび立ちそうなのを、ことにすきでした。それは眼《め》が赤くてつるつるした緑青《ろくしょう》いろの胸をもち、そのりんと張った胸には波形のうつくしい紋《もん》もありました。

小さいときのことですが、ある朝早く、私は学校に行く前にこっそり一寸《ちょっと》ガラスの前に立ちましたら、その蜂雀が、銀の針の様なほそいきれいな声で、にわかに私に言いました。

「お早う。ペムペルという子はほんとうにいい子だったのにかあいそうなことをした。」

その時窓にはまだ厚い茶いろのカーテンが引いてありましたので室《へや》の中はちょうどビール瓶《びん》のかけらをのぞいたようでした。ですから私も挨拶《あいさつ》しました。

「お早う。蜂雀。ペムペルという人がどうしたっての。」

蜂雀がガラスの向うで又《また》云いました。

「ええお早うよ。妹のネリという子もほんとうにかあいらしいいい子だったのにかあいそうだなあ。」

「どうしたていうの話しておくれ。」

すると蜂雀はちょっと口あいてわらうようにしてまた云いました。

「話してあげるからおまえは鞄《かばん》を床《ゆか》におろしてその上にお座《すわ》り。」

私は本の入ったかばんの上に座るのは一寸困りましたけれどもどうしてもそのお話を聞きたかったのでとうとうその通りしました。

すると蜂雀は話しました。

「ペムペルとネリは毎日お父さんやお母さんたちの働くそばで遊んでいたよ〔以下原稿一枚?なし〕

その時僕《ぼく》も

『さようなら。さようなら。』と云ってペムペルのうちのきれいな木や花の間からまっすぐにおうちにかえった。

それから勿論《もちろん》小麦も搗《つ》いた。

二人で小麦を粉にするときは僕はいつでも見に行った。小麦を粉にする日ならペムペルはちぢれた髪《かみ》からみじかい浅黄《あさぎ》*のチョッキから木綿《もめん》のだぶだぶずぼんまで粉ですっかり白くなりながら赤いガラスの水車場でことことやっているだろう。ネリはその粉を四百グレン*ぐらいずつ木綿の袋《ふくろ》につめ込《こ》んだりつかれてぼんやり戸口によりかかりはたけをながめていたりする。

そのときぼくはネリちゃん。あなたはむぐらはすきですかとからかったりして飛んだのだ。それからもちろんキャベジも植えた。

二人がキャベジを穫《と》るときは僕はいつでも見に行った。

ペムペルがキャベジの太い根を截《き》ってそれをはたけにころがすと、ネリは両手でそれをもって水いろに塗《ぬ》られた一輪車に入れるのだ。そして二人は車を押《お》して黄色のガラスの納屋《なや》にキャベジを運んだのだ。青いキャベジがころがってるのはそれはずいぶん立派だよ。

そして二人はたった二人だけずいぶんたのしくくらしていた。」

「おとなはそこらに居なかったの。」わたしはふと思い付いてそうたずねました。

「おとなはすこしもそこらあたりに居なかった。*なぜならペムペルとネリの兄妹《きょうだい》の二人はたった二人だけずいぶん愉快《ゆかい》にくらしてたから。

けれどほんとうにかあいそうだ。

ペムペルという子は全くいい子だったのにかあいそうなことをした。

ネリという子は全くかあいらしい女の子だったのにかあいそうなことをした。」

蜂雀は俄《にわ》かにだまってしまいました。

私はもう全く気が気でありませんでした。

蜂雀はいよいよだまってガラスの向うでしんとしています。

私もしばらくは耐《こら》えて膝《ひざ》を両手で抱《かか》えてじっとしていましたけれどもあんまり蜂雀がいつまでもだまっているもんですからそれにそのだまりようと云ったらたとえ一ぺん死んだ人が二度とお墓から出て来ようたって口なんか聞くもんかと云うように見えましたのでとうとう私は居たたまらなくなりました。私は立ってガラスの前に歩いて行って両手をガラスにかけて中の蜂雀に云いました。

「ね、蜂雀、そのペムペルとネリちゃんとがそれから一体どうなったの、どうしたって云うの、ね、蜂雀、話してお呉《く》れ。」

けれども蜂雀はやっぱりじっとその細いくちばしを尖《とが》らしたまま向うの四十雀《しじゅうから》の方を見たっきり二度と私に答えようともしませんでした。

「ね、蜂雀、談《はな》してお呉れ。だめだい半分ぐらい云っておいていけないったら蜂雀ね。談してお呉れ。そら、さっきの続きをさ。どうして話して呉れないの。」

ガラスは私の息ですっかり曇《くも》りました。

四羽の美しい蜂雀さえまるでぼんやり見えたのです。私はとうとう泣きだしました。

なぜって第一あの美しい蜂雀がたった今まできれいな銀の糸のような声で私と話をしていたのに俄かに硬《かた》く死んだようになってその眼もすっかり黒い硝子玉《ガラスだま》か何かになってしまいいつまでたっても四十雀ばかり見ているのです。おまけに一体それさえほんとうに見ているのかただ眼がそっちへ向いてるように見えるのか少しもわからないのでしょう。それにまたあんなかあいらしい日に焼けたペムペルとネリの兄妹が何か大へんかあいそうな目になったというのですものどうして泣かないでいられましょう。もう私はその為《ため》ならば一週間でも泣けたのです。

すると俄かに私の右の肩《かた》が重くなりました。そして何だか暖いのです。びっくりして振《ふ》りかえって見ましたらあの番人のおじいさんが心配そうに白い眉《まゆ》を寄せて私の肩に手を置いて立っているのです。その番人のおじいさんが云いました。

「どうしてそんなに泣いて居るの。おなかでも痛いのかい。朝早くから鳥のガラスの前に来てそんなにひどく泣くもんでない。」

けれども私はどうしてもまだ泣きやむことができませんでした。おじいさんは又云いました。

「そんなに高く泣いちゃいけない。まだ入口を開けるに一時間半も間があるのにおまえだけそっと入れてやったのだ。それにそんなに高く泣いて表の方へ聞えたらみんな私に故障を云って来るんでないか。そんなに泣いていけないよ。どうしてそんなに泣いてんだ。」

私はやっと云いました。

「だって蜂雀がもう私に話さないんだもの。」

するとじいさんは高く笑いました。

「ああ、蜂雀が又おまえに何か話したね。そして俄かに黙《だま》り込んだね。そいつはいけない。この蜂雀はよくその術をやって人をからかうんだ。よろしい。私が叱《しか》ってやろう。」

番人のおじいさんはガラスの前に進みました。

「おい。蜂雀。今日で何度目だと思う。手帳へつけるよ。つけるよ。あんまりいけなけあ仕方ないから館長様へ申し上げてアイスランドへ送っちまうよ。

ええおい。さあ坊《ぼっ》ちゃん。きっとこいつは談《はな》します。早く涙《なみだ》をおふきなさい。まるで顔中ぐじゃぐじゃだ。そらええああすっかりさっぱりした。

お話がすんだら早く学校へ入らっしゃい。

あんまり長くなって厭《あ》きっちまうとこいつは又いろいろいやなことを云いますから。ではようがすか。」

番人のおじいさんは私の涙を拭《ふ》いて呉れてそれから両手をせなかで組んでことりことり向うへ見まわって行きました。

おじいさんのあし音がそのうすくらい茶色の室《へや》の中から隣《とな》りの室へ消えたとき蜂雀はまた私の方を向きました。

私はどきっとしたのです。

蜂雀は細い細いハアモニカの様な声でそっと私にはなしかけました。

「さっきはごめんなさい。僕すっかり疲《つか》れちまったもんですからね。」

私もやさしく言いました。

「蜂雀。僕ちっとも怒《おこ》っちゃいないんだよ。さっきの続きを話してお呉れ。」

蜂雀は語りはじめました。

「ペムペルとネリとはそれはほんとうにかあいいんだ。二人が青ガラスのうちの中に居て窓をすっかりしめてると二人は海の底に居るように見えた。そして二人の声は僕には聞えやしないね。

それは非常に厚いガラスなんだから。

けれども二人が一つの大きな帳面をのぞきこんで一所に同じように口をあいたり少し閉じたりしているのを見るとあれは一緒《いっしょ》に唱歌をうたっているのだということは誰《たれ》だってすぐわかるだろう。僕はそのいろいろにうごく二人の小さな口つきをじっと見ているのを大へんすきでいつでも庭のさるすべりの木に居たよ。ペムペルはほんとうにいい子なんだけれどかあいそうなことをした。

ネリも全くかあいらしい女の子だったのにかあいそうなことをした。」

「だからどうしたって云うの。」

「だからね、二人はほんとうにおもしろくくらしていたのだから、それだけならばよかったんだ。ところが二人は、はたけにトマトを十本植えていた。そのうち五本がポンデローザ*でね、五本がレッドチェリイ*だよ。ポンデローザにはまっ赤な大きな実がつくし、レッドチェリーにはさくらんぼほどの赤い実がまるでたくさんできる。ぼくはトマトは食べないけれど、ポンデローザを見ることならもうほんとうにすきなんだ。ある年やっぱり苗《なえ》が二いろあったから、植えたあとでも二いろあった。だんだんそれが大きくなって、葉からはトマトの青いにおいがし、茎《くき》からはこまかな黄金《きん》の粒《つぶ》のようなものも噴《ふ》き出した。

そしてまもなく実がついた。

ところが五本のチェリーの中で、一本だけは奇体《きたい》に黄いろなんだろう。そして大へん光るのだ。ギザギザの青黒い葉の間から、まばゆいくらい黄いろなトマトがのぞいているのは立派だった。だからネリが云《い》った。

『にいさま、あのトマトどうしてあんなに光るんでしょうね。』

ペムペルは唇《くちびる》に指をあててしばらく考えてから答えていた。

『黄金《きん》だよ。黄金だからあんなに光るんだ。』

『まあ、あれ黄金なの。』ネリがすこしびっくりしたように云った。

『立派だねえ。』

『ええ立派だわ。』

そして二人はもちろん、その黄いろなトマトをとりもしなけぁ、一寸《ちょっと》さわりもしなかった。

そしたらほんとうにかあいそうなことをしたねえ。」

「だからどうしたって云うの。」

「だからね、二人はこんなに楽しくくらしていたんだからそれだけならばよかったんだよ。ところがある夕方二人が羊歯《しだ》の葉に水をかけてたら、遠くの遠くの野はらの方から何とも云えないい奇体ないい音が風に吹《ふ》き飛ばされて聞えて来るんだ。まるでまるでいい音なんだ。切れ切れになって飛んでは来るけれど、まるですずらんやヘリオトロープのいいかおりさえするんだろう、その音がだよ。二人は如露《じょろ》の手をやめて、しばらくだまって顔を見合せたねえ、それからペムペルが云った。

『ね、行って見ようよ、あんなにいい音がするんだもの。』

ネリは勿論《もちろん》、もっと行きたくってたまらないんだ。

『行きましょう、兄さま、すぐ行きましょう。』

『うん、すぐ行こう。大丈夫《だいじょうぶ》あぶないことないね。』

そこで二人は手をつないで果樹園を出てどんどんそっちへ走って行った。

音はよっぽど遠かった。樺《かば》の木の生えた小山を二つ越《こ》えてもまだそれほどに近くもならず、楊《やなぎ》の生えた小流れを三つ越えてもなかなかそんなに近くはならなかった。

それでもいくらか近くはなった。

二人が二本の榧《かや》の木のアーチになった下を潜《くぐ》ったら不思議な音はもう切れ切れじゃなくなった。

そこで二人は元気を出して上着の袖《そで》で汗《あせ》をふきふきかけて行った。

そのうち音はもっとはっきりして来たのだ。ひょろひょろした笛《ふえ》の音も入っていたし、大喇叭《おおらっぱ》のどなり声もきこえた。ぼくにはみんなわかって来たのだよ。

『ネリ、もう少しだよ、しっかり僕《ぼく》につかまっておいで。』

ネリはだまってきれで包んだ小さな卵形の頭を振って、唇を噛《か》んで走った。

二人がも一度、樺の木の生えた丘《おか》をまわったとき、いきなり眼《め》の前に白いほこりのぼやぼや立った大きな道が、横になっているのを見た。その右の方から、さっきの音がはっきり聞え、左の方からもう一団《ひとかたま》り、白いほこりがこっちの方へやって来る。ほこりの中から、チラチラ馬の足が光った。

間もなくそれは近づいたのだ。ぺムペルとネリとは、手をにぎり合って、息をこらしてそれを見た。

もちろん僕もそれを見た。

やって来たのは七人ばかりの馬乗りなのだ。

馬は汗をかいて黒く光り、鼻からふうふう息をつき、しずかにだくをやっていた。乗ってるものはみな赤シャツで、てかてか光る赤革《あかかわ》の長靴《ながぐつ》をはき、帽子《ぼうし》には鷺《さぎ》の毛やなにか、白いひらひらするものをつけていた。鬚《ひげ》をはやしたおとなも居れば、いちばんしまいにはペムペル位の頬《ほほ》のまっかな眼のまっ黒なかあいい子も居た。ほこりの為にお日さまはぼんやり赤くなった。

おとなはみんなペムペルとネリなどは見ない風して行ったけれど、いちばんしまいのあのかあいい子は、ペムペルを見て一寸《ちょっと》唇に指をあててキスを送ったんだ。

そしてみんなは通り過ぎたのだ。みんなの行った方から、あのいい音がいよいよはっきり聞えて来た。まもなくみんなは向うの丘をまわって見えなくなったが、左の方から又誰《またたれ》かゆっくりやって来るのだ。

それは小さな家ぐらいある白い四角の箱《はこ》のようなもので、人が四五人ついて来た。だんだん近くになって見ると、ついて居るのはみんな黒ん坊で、眼ばかりぎらぎら光らして、ふんどしだけして裸足《はだし》だろう。白い四角なものを囲んで来たのだけれど、その白いのは箱じゃなかった。実は白いきれを四方にさげた、日本の蚊帳《かや》のようなもので、その下からは大きな灰いろの四本の脚《あし》が、ゆっくりゆっくり上ったり下ったりしていたのだ。

ペムペルとネリとは、黒人はほんとうに恐《こわ》かったけれど又面白《おもしろ》かった。四角なものも恐かったけれど、めずらしかった。そこでみんなが過ぎてから、二人は顔を見合せた。そして

『ついて行こうか。』

『ええ、行きましょう。』と、まるでかすれた声で云ったのだ。そして二人はよほど遠くからついて行った。

黒人たちは、時々何かわからないことを叫《さけ》んだり、空を見ながら跳《は》ねたりした。四本の脚はゆっくりゆっくり、上ったり下ったりしていたし、時々ふう、ふうという呼吸の音も聞えた。

二人はいよいよ堅《かた》く手を握《にぎ》ってついて行った。

そのうちお日さまは、変に赤くどんよりなって、西の方の山に入ってしまい、残りの空は黄いろに光り、草はだんだん青から黒く見えて来た。

さっきからの音がいよいよ近くなり、すぐ向うの丘のかげでは、さっきのらしい馬のひんひん啼《な》くのも鼻をぶるるっと鳴らすのも聞えたんだ。

四角な家の生物が、脚を百ぺん上げたり下げたりしたら、ペムペルとネリとはびっくりして眼を擦《こす》った。向うは大きな町なんだ。灯《ひ》が一杯《いっぱい》についている。それからすぐ

眼の前は平らな草地になっていて、大きな天幕《テント》がかけてある。天幕は丸太で組んである。まだ少しあかるいのに、青いアセチレンや、油煙《ゆえん》を長く引くカンテラがたくさんともって、その二階には奇麗《きれい》な絵看板がたくさんかけてあったのだ。その看板のうしろから、さっきからのいい音が起っていたのだ。看板の中には、さっきキスを投げた子が、二疋《ひき》の馬に片っ方ずつ手をついて、逆立《さかだ》ちしてる処《ところ》もある。さっきの馬はみなその前につながれて、その他《ほか》にだって十五六疋ならんでいた。みんなオート*を食べていた。

おとなや女や子供らが、その草はらにたくさん集って看板を見上げていた。

看板のうしろからは、さっきの音が盛《さか》んに起った。

けれどもあんまり近くで聞くと、そんなにすてきな音じゃない。

ただの楽隊だったんだい。

ただその音が、野原を通って行く途中《とちゅう》、だんだん音がかすれるほど、花のにおいがついて行ったんだ。

白い四角な家も、ゆっくりゆっくり中へはいって行ってしまった。

中では何かが細い高い声でないた。

人はだんだん増えて来た。

楽隊はまるで馬鹿のように盛んにやった。

みんなは吸いこまれるように、三人五人ずつ中へはいって行ったのだ。

ペムペルとネリとは息をこらして、じっとそれを見た。

『僕たちも入ってこうか。』ペムペルが胸をどきどきさせながら云った。

『入りましょう』とネリも答えた。

けれども何だか二人とも、安心にならなかったのだ。どうもみんなが入口で何か番人に渡《わた》すらしいのだ。

ペムペルは少し近くへ寄って、じっとそれを見た。食い付くように見ていたよ。

そしたらそれはたしかに銀か黄金《きん》かのかけらなのだ。

黄金をだせば銀のかけらを返してよこす。

そしてその人は入って行く。

だからペムペルも黄金をポケットにさがしたのだ。

『ネリ、お前はここに待っといで。僕一寸《ちょっと》うちまで行って来るからね。』

『わたしも行くわ。』ネリは云ったけれども、ペムペルはもうかけ出したので、ネリは心配そうに半分泣くようにして、又看板を見ていたよ。

それから僕は心配だから、ネリの処に番しようか、ペムペルについて行こうか、ずいぶんしばらく考えたけれども、いくらそこらを飛んで見ても、みんな看板ばかり見ていて、ネリをさらって行きそうな悪漢は一人も居ないんだ。そこで安心して、ペムペルについて飛んで行った。ペムペルはそれはひどく走ったよ。四日のお月さんが、西のそらにしずかにかかっていたけれど、そのぼんやりした青じろい光で、どんどんどんどんペムペルはかけた。僕は追いつくのがほんとうに辛《つら》かった。眼がぐるぐるして、風がぶうぶう鳴ったんだ。樺《かば》の木も楊《やなぎ》の木も、みんなまっ黒、草もまっ黒、その中をどんどんどんどんペムペルはかけた。

それからとうとうあの果樹園にはいったのだ。ガラスのお家が月のあかりで大へんなつかしく光っていた。ペムペルは一寸立ちどまってそれを見たけれども、又走ってもうまっ黒に見えているトマトの木から、あの黄いろの実のなるトマトの木から、黄いろのトマトの実を四つとった。それからまるで風のよう、あらしのように汗と動悸《どうき》で燃えながら、さっきの草場にとって返した。僕も全く疲《つか》れていた。

ネリはちらちらこっちの方を見てばかりいた。けれどもペムペルは、

『さあ、いいよ。入ろう。』

とネリに云った。

ネリは悦《よろこ》んで飛びあがり、二人は手をつないで木戸口に来たんだ。ペムペルはだまって二つのトマトを出したんだ。

番人は『ええ、いらっしゃい。』と言いながら、トマトを受けとり、それから変な顔をした。

しばらくそれを見つめていた。

それから俄《にわ》かに顔が歪《ゆが》んでどなり出した。

『何だ。この餓鬼《がき》め。人をばかにしやがるな。トマト二つで、この大人の中へ汝《おまえ》たちを押《お》し込《こ》んでやってたまるか。失《う》せやがれ、畜生《ちくしょう》。』

そしてトマトを投げつけた。あの黄のトマトをなげつけたんだ。その一つはひどくネリの耳にあたり、ネリはわっと泣き出し、みんなはどっと笑ったんだ。ペムペルはすばやくネリをさらうように抱《だ》いて、そこを遁《に》げ出した。

みんなの笑い声が波のように聞えた。

まっくらな丘の間まで遁げて来たとき、ペムペルも俄かに高く泣き出した。ああいうかなしいことを、お前はきっと知らないよ。

それから二人はだまってだまってときどきしくりあげながら、ひるの象について来たみちを戻《もど》った。

それからペムペルは、にぎりこぶしを握りながら、ネリは時々唾《つば》をのみながら、樺の木の生えたまっ黒な小山を越《こ》えて、二人はおうちに帰ったんだ。ああかあいそうだよ。ほんとうにかあいそうだ。わかったかい。じゃさよなら、私はもうはなせない。じいさんを呼んで来ちゃいけないよ。さよなら。」

斯《こ》う云ってしまうと蜂雀《はちすずめ》の細い嘴《くちばし》は、また尖《とが》ってじっと閉じてしまい、その眼は向うの四十雀《しじゅうから》をだまって見ていたのです。

私も大へんかなしくなって

「じゃ蜂雀、さようなら。僕又来るよ。けれどお前が何か云いたかったら云ってお呉《く》れ。さよなら、ありがとうよ。蜂雀、ありがとうよ。」

と云いながら、鞄《かばん》をそっと取りあげて、その茶いろガラスのかけらの中のような室《へや》を、しずかに廊下《ろうか》へ出たのです。そして俄かにあんまりの明るさと、あの兄妹のかあいそうなのとに、眼がチクチクッと痛み、涙《なみだ》がぼろぼろこぼれたのです。

私のまだまるで小さかったときのことです。

ひなげしはみんなまっ赤に燃えあがり、めいめい風にぐらぐらゆれて、息もつけないようでした。そのひなげしのうしろの方で、やっぱり風に髪《かみ》もからだも、いちめんもまれて立ちながら若いひのきが云《い》いました。

「おまえたちはみんなまっ赤な帆船《ほぶね》でね、いまがあらしのとこなんだ」

「いやあだ、あたしら、そんな帆船やなんかじゃないわ。せだけ高くてばかあなひのき。」ひなげしどもは、みんないっしょに云いました。

「そして向うに居るのはな、もうみがきたて燃えたての銅《あかがね》づくりのいきものなんだ。」

「いやあだ、お日さま、そんなあかがねなんかじゃないわ。せだけ高くてばかあなひのき。」ひなげしどもはみんないっしょに叫《さけ》びます。

ところがこのときお日さまは、さっさっさっと大きな呼吸を四五へんついてるり色をした山に入ってしまいました。

風が一そうはげしくなってひのきもまるで青黒馬《あおうま》のしっぽのよう、ひなげしどもはみな熱病にかかったよう、てんでに何かうわごとを、南の風に云ったのですが風はてんから相手にせずどしどし向うへかけぬけます。

ひなげしどもはそこですこうししずまりました。東には大きな立派な雲の峰《みね》が少し青ざめて四つならんで立ちました。

いちばん小さいひなげしが、ひとりでこそこそ云いました。

「ああつまらないつまらない、もう一生合唱手《コーラス》だわ。いちど女王《スター》にしてくれたら、あしたは死んでもいいんだけど。」

となりの黒斑《くろぶち》のはいった花がすぐ引きとって云いました。

「それはもちろんあたしもそうよ。だってスターにならなくたってどうせあしたは死ぬんだわ。」

「あら、いくらスターでなくってもあなたの位立派ならもうそれだけで沢山《たくさん》だわ。」

「うそうそ。とてもつまんない。そりゃあたしいくらかあなたよりあたしの方がいいわねえ。わたしもやっぱりそう思ってよ。けどテクラさんどうでしょう。まるで及《およ》びもつかないわ。青いチョッキの虻《あぶ》さんでも黄のだんだらの蜂《はち》めまでみなまっさきにあっちへ行くわ。」

向うの葵《あおい》の花壇《かだん》から悪魔《あくま》が小さな蛙《かえる》にばけて、ベートーベンの着たような青いフロックコートを羽織りそれに新月よりもけだかいばら娘《むすめ》に仕立てた自分の弟子《でし》の手を引いて、大変あわてた風をしてやって来たのです。

「や、道をまちがえたかな。それとも地図が違《ちが》ってるか。失敗。失敗。はて、一寸《ちょっと》聞いて見よう。もしもし、美容術のうちはどっちでしたかね。」

ひなげしはあんまり立派なばらの娘を見、又《また》美容術と聞いたので、みんなドキッとしましたが、誰《たれ》もはずかしがって返事をしませんでした。悪魔の蛙がばらの娘に云いました。

「ははあ、この辺のひなげしどもはみんなつんぼか何かだな。それに全然無学だな。」

娘にばけた悪魔の弟子はお口をちょっと三角にしていかにもすなおにうなずきました。

女王《スター》のテクラが、もう非常な勇気で云いました。

「何かご用でいらっしゃいますか。」

「あ、これは。ええ、一寸《ちょっと》おたずねいたしますが、美容院はどちらでしょうか。」

「さあ、あいにくとそういうところ存じませんでございます。一体それがこの近所にでもございましょうか。」

「それはもちろん。現に私のこのむすめなど、前は尖《とが》ったおかしなもんでずいぶん心配しましたがかれこれ三度助手のお方に来ていただいてすっかり術をほどこしましてとにかく今はあなた方ともご交際なぞ願えばねがえるようなわけ、あす紐育《ニューヨーク》に連れてでますのでちょっとお礼に出ましたので。では。」

「あ、一寸。一寸お待ち下さいませ。その美容術の先生はどこへでもご出張なさいますかしら。」

「しましょうな」

「それでは誠《まこと》になんですがお序《つい》での節、こちらへもお廻《まわ》りねがえませんでしょうか。」

「そう。しかし私はその先生の書生というでもありません。けれども、しかしとにかくそう云いましょう。おい。行こう。さよなら。」

悪魔は娘の手をひいて、向うのどてのかげまで行くと片眼《かため》をつぶって云いました。

「お前はこれで帰ってよし。そしてキャベジと鮒《ふな》とをな灰で煮込《にこ》んでおいてくれ。ではおれは今度は医者だから。」といいながらすっかり小さな白い鬚《ひげ》の医者にばけました。悪魔の弟子はさっそく大きな雀《すずめ》の形になってぼろんと飛んで行きました。

東の雲のみねはだんだん高く、だんだん白くなって、いまは空の頂上まで届くほどです。

悪魔は急いでひなげしの所へやって参りました。

「ええと、この辺じゃと云われたが、どうも門へ標札《ひょうさつ》も出してないというようなあんばいだ。一寸たずねますが、ひなげしさんたちのおすまいはどの辺ですかな。」

賢《かしこ》いテクラがドキドキしながら云いました。

「あの、ひなげしは手前どもでございます。どなたでいらっしゃいますか。」

「そう、わしは先刻伯爵《はくしゃく》からご言伝《ことづて》になった医者ですがね。」

「それは失礼いたしました。椅子《いす》もございませんがまあどうぞこちらへ。そして私共は立派になれましょうか。」

「なりますね。まあ三服でちょっとさっきのむすめぐらいというところ。しかし薬は高いから。」

ひなげしはみんな顔色を変えてためいきをつきました。テクラがたずねました。

「一体どれ位でございましょう。」

「左様。お一人が五ビルです。」

ひなげしはしいんとしてしまいました。お医者の悪魔もあごのひげをひねったまましいんとして空をみあげています。雲のみねはだんだん崩《くず》れてしずかな金いろにかがやき、そおっと、北の方へ流れ出しました。

ひなげしはやっぱりしいんとしています。お医者もじっとやっぱりおひげをにぎったきり、花壇の遠くの方などはもうぼんやりと藍《あい》いろです。そのとき風が来ましたのでひなげしどもはちょっとざわっとなりました。

お医者もちらっと眼《め》をうごかしたようでしたがまもなくやっぱり前のようしいんと静まり返っています。

その時一番小さいひなげしが、思い切ったように云いました。

「お医者さん。わたくしおあしなんか一文もないのよ。けども少したてばあたしの頭に亜片《あへん》ができるのよ。それをみんなあげることにしてはいけなくって。」*

「ほう。亜片かね。あんまり間には合わないけれどもとにかくその薬はわしの方では要《い》るんでね。よし。いかにも承知した。証文を書きなさい。」

するとみんながまるで一ぺんに叫びました。

「私もどうかそうお願いいたします。どうか私もそうお願い致《いた》します。」

お医者はまるで困ったというように額に皺《しわ》をよせて考えていましたが、

「仕方ない。よかろう。何もかもみな慈善《じぜん》のためじゃ。承知した。証文を書きなさい。」

さあ大変だあたし字なんか書けないわとひなげしどもがみんな一緒《いっしょ》に思ったとき悪魔のお医者はもう持って来た鞄《かばん》から印刷にした証書を沢山出しました。そして笑って

い。

「ではそのわしがこの紙をひとつぱらぱらめくるからみんないっしょにこう云いなさい。

亜片はみんな差しあげ候《そうろう》と、」

まあよかったとひなげしどもはみんないちどにざわつきました。お医者は立って云いました。

「では」ぱらぱらぱらぱら、

「亜片はみんな差しあげ候。」

「よろしい。早速薬をあげる。一服、二服、三服とな。まずわたしがここで第一服の呪文《じゅもん》をうたう。するとここらの空気にな。きらきら赤い波がたつ。それをみんなで呑《の》むんだな。」

悪魔のお医者はとてもふしぎないい声でおかしな歌をやりました。

「まひるの草木と石土を　照らさんことを怠《おこた》りし　赤きひかりは集《つど》い来てなすすべしらに漂《ただよ》えよ。」

するとほんとうにそこらのもう浅黄《あさぎ》いろになった空気のなかに見えるか見えないような赤い光がかすかな波になってゆれました。ひなげしどもはじぶんこそいちばん美しくなろうと一生けん命その風を吸いました。

悪魔のお医者はきっと立ってこれを見渡《みわた》していましたがその光が消えてしまうとまた云いました。

「では第二服　まひるの草木と石土を　照らさんことを怠りし　黄なるひかりは集い来てなすすべしらに漂えよ」

空気へうすい蜜《みつ》のような色がちらちら波になりました。ひなげしはまた一生けん命です。

「では第三服」とお医者が云おうとしたときでした。

「おおい、お医者や、あんまり変な声を出してくれるなよ。ここは、セントジョバンニ様*のお庭だからな。」ひのきが高く叫びました。

その時風がザァッとやって来ました。ひのきが高く叫びました。

「こうらにせ医者。まてっ。*」

すると医者はたいへんあわてて、まるでのろしのように急に立ちあがって、滅法界《めっぽうかい》もなく大きく黒くなって、途方《とほう》もない方へ飛んで行ってしまいました。その足さきはまるで釘抜《くぎぬ》きのように尖《とが》り黒い診察鞄《しんさつかばん》もけむりのように消えたのです。

ひなげしはみんなあっけにとられてぽかっとそらをながめています。

ひのきがそこで云いました。

「もう一足でおまえたちみんな頭をばりばり食われるとこだった。」

「それだっていいじゃあないの。おせっかいのひのき」

もうまっ黒に見えるひなげしどもはみんな怒《おこ》って云いました。

「そうじゃあないて。おまえたちが青いけし坊主《ぼうず》のまんまでがりがり食われてしまったらもう来年はここへは草が生えるだけ、それに第一スターになりたいなんておまえたち、スターて何だか知りもしない癖《くせ》に。スターというのはな、本当は天井《てんじょう》のお星さまのことなんだ。そらあすこへもうお出になっている。もすこしたてばそらいちめんにおでましだ。そうそうオールスターキャストというだろう。オールスターキャストというのがつまりそれだ。つまり双子《ふたご》星座様は双子星座様のところにレオーノ様*はレオーノ様のところに、ちゃんと定《さだ》まった場所でめいめいのきまった光りようをなさるのがオールスターキャスト、な、ところがありがたいもんでスターになりたいなりたいと云っているおまえたちがそのままそっくりスターでな、おまけにオールスターキャストだということになってある。それはこうだ。聴《き》けよ。

あめなる花をほしと云い*
この世の星を花という。」

「何を云ってるの。ばかひのき、けし坊主なんかになってあたしら生きていたくないわ。おまけにいまのおかしな声。悪魔のお方のとても足もとにもよりつけないわ。わあい、わあい、おせっかいの、おせっかいの、せい高ひのき」

けしはやっぱり怒っています。

けれども、もうその顔もみんなまっ黒に見えるのでした。それは雲の峯がみんな崩れて牛みたいな形になり、そらのあちこちに星がぴかぴかしだしたのです。

ひなげしは、みな、しいんとして居《お》りました。

ひのきは、まただまって、夕がたのそらを仰ぎました。

西のそらは今はかがやきを納め、東の雲の峯はだんだん崩れて、そこからもう銀いろの一つ星*もまたたき出しました。

シグナルとシグナレス

（一）

『ガタンコガタンコ、シュウフッフッ、
さそりの赤眼《あかめ》＊が　見えたころ、
四時から今朝《けさ》も　やって来た。
遠野《とおの》の盆地《ぼんち》は　まっくらで、
つめたい水の　声ばかり。
ガタンコガタンコ、シュウフッフッ、
凍《こご》えた砂利《じゃり》に　湯気を吐《は》き、
火花を闇《やみ》に　まきながら、
蛇紋岩《さあぺんていん》の　崖《がけ》に来て、

やっと東が　燃え出した。
ガタンコガタンコ、シュウフッフッ、
鳥がなき出し　木は光り、
青々川は　ながれたが、
丘《おか》もはざまも　いちめんに、
まぶしい霜《しも》を　載《の》せていた。
ガタンコガタンコ、シュウフッフッ、
やっぱりかけると　あったかだ。
僕《ぼく》はほうほう　汗《あせ》が出る。
もう七八里　はせたいな、
今日も、一日　霜ぐもり。
ガタンガタン、ギー、シュウシュウ』

軽便鉄道の東からの一番列車が少しあわてたようにこう歌いながらやって来てとまりました。機関車の下からは、力のない湯気が逃出《にげだ》して行き、ほそ長いおかしな形の煙突《えんとつ》からは青いけむりが、ほんの少うし立ちました。

そこで軽便鉄道附《つ》きの電信柱どもは、やっと安心したように、ぶんぶんとうなり、シグナルの柱はかたんと白い腕木《うでぎ》をあげました。このまっすぐなシグナルの柱は、シグナレスでした。*

シグナレスはほっと小さなため息をついて空を見上げました。そらにはうすい雲が縞《しま》になっていっぱいに充《み》ち、それはつめたい白光、凍《こお》った地面に降らせながら、しずかに東へ流れていたのです。

シグナレスはじっとその雲の行く方《ほう》をながめました。それからやさしい腕木を思い切りそっちの方へ延ばしながら、ほんのかすかにひとりごとを云《い》いました。

『今朝は伯母《おば》さんたちもきっとこっちの方を見ていらっしゃるわ。』シグナレスはいつまでもいつまでもそっちに気をとられて居《お》りました。

『カタン』

うしろの方のしずかな空でいきなり音がしましたのでシグナレスは急いでそっちを振《ふ》り向きました。ずうっと積まれた黒い枕木《まくらぎ》の向うにあの立派な本線のシグナルばしらが今はるかの南から、かがやく白けむりをあげてやって来る列車を迎《むか》える為《ため》にその上の硬《かた》い腕をさげたところでした。

『お早う今朝は暖《あたたか》ですね。』本線のシグナル柱はキチンと兵隊のように立ちながらいやにまじめくさって挨拶《あいさつ》しました。

『お早うございます』シグナレスはふし目になって声を落して答えました。
『若さま、いけません。これからはあんなものに矢鱈《やたら》に声をおかけなさらないようにねがいます。』本線のシグナルに夜電気を送る太い電信ばしらがさも勿体《もったい》ぶって申しました。
　本線のシグナルはきまり悪そうにもじもじしてだまってしまいました。気の弱いシグナレスはまるでもう消えてしまうか飛んでしまうかしたいと思いました。けれどもどうにも仕方がありませんでしたからやっぱりじっと立っていたのです。
　雲の縞は薄《うす》い琥珀《こはく》の板のようにうるみ、かすかなかすかな日光が降って来ましたので本線シグナル附きの電信柱はうれしがって向うの野原を行く小さな荷馬車を見ながら低く調子はずれの歌をやりました。
『ゴゴン、ゴーゴー、
　うすい雲から
酒が降り出す、
酒の中から
霜がながれる。ゴゴンゴーゴー
ゴゴンゴーゴー霜がとければ

つちはまっくろ。
馬はふんごみ
人もべちゃべちゃゴゴンゴーゴー、』

（二）

それからもっともっとつづけざまにわけのわからないことを歌いました。

その間に本線のシグナル柱が、そっと西風にたのんでこう云いました。

『どうか気にかけないで下さい。こいつはもうまるで野蛮《やばん》なんです礼式も何も知らないのです。実際私はいつでも困ってるんですよ。』

軽便鉄道のシグナレスは、まるでどぎまぎしてうつむきながら低く、

『あら、そんなことございませんわ。』と云いましたが何分風下でしたから本線のシグナルまで聞えませんでした。

『許して下さるんですか、本当を云ったら、僕なんかあなたに怒《おこ》られたら生きている甲斐《かい》もないんですからね、』

『あらあら、そんなこと。』軽便鉄道の木でつくったシグナレスは、まるで困ったと

いうように肩《かた》をすぼめましたが、実はその少しうつむいた顔は、うれしさにぽっと白光を出していました。

『シグナレスさん、どうかまじめで聞いて下さい。僕あなたの為なら、次の十時の汽車が来る時腕を下げないで、じっと頑張《がんば》り通してでも見せますよ』わずかばかりヒュウヒュウ云っていた風が、この時ぴたりとやみました。

『あら、そんな事いけませんわ。』

『勿論《もちろん》いけないですよ。汽車が来るとき、腕を下げないで頑張るなんて、そんなことあなたの為にも僕の為にもならないから僕はやりはしませんよ。けれどもそんなことでもしようと云うんです。僕あなたの位大事なものは世界中ないんです。どうか僕を愛して下さい』

シグナレスは、じっと下の方を見て黙《だま》って立っていました。本線シグナル附きのせいの低い電信柱は、まだ出鱈目《でたらめ》の歌をやっています。

『ゴゴンゴーゴー、

やまのいわやで、

熊《くま》が火をたき、

あまりけむくて、

ほらを逃出す。ゴゴンゴー、
田螺《にし》はのろのろ、
うう、田螺はのろのろ。
田螺のしゃっぽは、
羅紗《らしゃ》の上等　ゴゴンゴーゴー。』
本線のシグナルはせっかちでしたから、シグナレスの返事のないのに、まるであわてしまいました。
『シグナレスさん、あなたはお返事をして下さらないんですか。ああ僕はもうまるでくらやみだ。目の前がまるでまっ黒な淵《ふち》のようだ。ああ雷《かみなり》が落ちて来て、一ぺんに僕のからだをくだけ。足もとから噴火《ふんか》が起って、僕を空の遠くにほうりなげろ。もうなにもかもみんなおしまいだ。雷が落ちて来て一ぺんに僕のからだを砕《くだ》け。足もと……。』
『いや若様、雷が参りました節は手前一身におんわざわいを頂戴《ちょうだい》いたします。どうかご安心をねがいとう存じます』
シグナル附きの電信柱が、いつかでたらめの歌をやめて頭の上のはりがねの槍《やり》をぴんと立てながら眼をパチパチさせていました。

『えい。お前なんか何を云うんだ。僕はそれどこじゃないんだ。』

『それは又《また》どうしたことでござります。ちょっとやつがれまでお申し聞けになりとう存じます。』

『いいよ、お前はだまっておいで』シグナルは高く叫《さけ》びました。しかしシグナルも、もうだまってしまいました。

雲がだんだん薄くなって柔《やわら》かな陽《ひ》が射《さ》して参りました。

（三）

五日の月が、西の山脈の上の黒い横雲から、もう一ぺん顔を出して山へ沈《しず》む前の、ほんのしばらくを鈍《にぶ》い鉛《なまり》のような光で、そこらをいっぱいにしました。冬がれの木やつみ重ねられた黒い枕木《まくらぎ》はもちろんのこと、電信柱まで、みんな眠《ねむ》ってしまいました。遠くの遠くの風の音か水の音がごうと鳴るだけです。

『ああ、僕《ぼく》はもう生きてる甲斐《かい》もないんだ。汽車が来るたびに腕《うで》を下げたり、青いめがねをかけたり一体何の為《ため》にこんなことをするんだ。もうなんにも面白《おもしろ》くない。ああ死のう。けれどもどうして死ぬ。やっぱり雷か噴火だ。』

本線のシグナルは、今夜も眠られませんでした。非常なはんもんでした。けれどもそれはシグナルばかりではありません。枕木の向うに青白くしょんぼり立って赤い火をかかげている、軽便鉄道のシグナル、則《すなわ》ちシグナレスとても全くその通りでした。

『ああ、シグナルさんもあんまりだわ、あたしが云えないでお返事も出来ないのを、すぐあんなに怒っておしまいになるなんて。あたしもう何もかもみんなおしまいだわ。おお神様、シグナルさんに雷を落すとき、一緒《いっしょ》に私にもお落し下さいませ。』

こう云って、しきりに星ぞらに祈《いの》っているのでした。ところがその声が、かすかにシグナルの耳に入りました。シグナルはぎょっとしたように胸を張って、しばらく考えていましたが、やがてガタガタ顫《ふる》え出しました。

顫えながら云いました。

『シグナレスさん。あなたは何を祈っていられますか。』

『あたし存じませんわ。』シグナレスは声を落して答えました。

『シグナレスさん、それはあんまりひどいお言葉でしょう。僕はもう今すぐでもお雷《らい》さんに潰《つぶ》されて、又は噴火を足もとから引っぱり出して、又はいさぎよく風に倒《たお》されて、又はノアの洪水《こうずい》をひっかぶって、死んでしまおうと云うんですよ。それだのに、あなたはちっとも同情して下さらないんですか。』

『あら、その噴火や洪水を。あたしのお祈りはそれよ。』シグナレスは思い切って云いました。シグナルはもううれしくてうれしくて、なおさら、ガタガタガタガタふるえました。その赤い眼鏡《めがね》もゆれたのです。

『シグナレスさん。なぜあなたは死ななけあならないんですか。ね僕へお話し下さい。ね。僕へお話し下さい、きっと、僕はそのいけないやつを追っぱらってしまいますから一体どうしたんですね。』

『だって、あなたがあんなにお怒りなさるんですもの。』

『ふふん。ああ、そのことですか。ふふん。いいえ。その事ならばご心配ありません。大丈夫《だいじょうぶ》です。僕ちっとも怒ってなんか居はしませんからね。僕、もうあなたの為なら、めがねをみんな取られて、腕をみんなひっぱなされて、それから沼《ぬま》の底へたたき込《こ》まれたって、あなたをうらみはしませんよ。』

『あら、ほんとう。うれしいわ。』

『だから僕を愛して下さい。さあ僕を愛するって云って下さい。』

五日のお月さまは、この時雲と山のはとの丁度まん中に居ました。シグナルはもうまるで顔色を変えて灰色の幽霊《ゆうれい》みたいになって言いました。

『又あなたはだまってしまったんですね。やっぱり僕がきらいなんでしょう。もういいや、どうせ僕なんか噴火か洪水か風かにやられるにきまってるんだ。』

『あら、ちがいますわ。』

『そんならどうですどうです、どうです。』

『あたし、もう大昔《おおむかし》からあなたのことばかり考えていましたわ。』

『本当ですか、本当ですか、本当ですか。』

『ええ。』

『そんならいいでしょう。結婚の約束《やくそく》をして下さい。』

『でも』

『でもなんですか、僕たちは春になったら燕《つばめ》にたのんで、みんなにも知らせて結婚の式をあげましょう。どうか約束して下さい。』

『だってあたしはこんなつまらないんですわ』

（四）

『わかってますよ、僕にはそのつまらないところが尊いんです。』

するとさあ、シグナレスはあらんかぎりの勇気を出して云《い》い出しました。

『でもあなたは金《かね》でできてるでしょう。新式でしょう。赤青めがねも二組まで持っていらっしゃるわ、夜も電燈でしょう、あたしは夜だってランプですわ、めがねもただ一つきりそれに木ですわ。』

『わかってますよ。だから僕はすきなんです』

『あら、ほんとう。うれしいわ。あたしお約束するわ』

『え、ありがとう、うれしいなあ僕もお約束しますよ。あなたはきっと、私の未来の妻だ』

『ええ、そうよ、あたし決して変らないわ』

『婚約指環《エンゲージリング》をあげますよ、そらねあすこの四つならんだ青い星ね』

『ええ』

『あの一番下の脚《あし》もとに小さな環《わ》が見えるでしょう、環状星雲《フィッシュマウスネビュラ》*ですよ。あの光の環ね、あれを受け取って下さい、僕のまごころです』

『ええ。ありがとう、いただきますわ』

『ワッハッハ。大笑いだ。うまくやってやがるぜ』

突然《とつぜん》向うのまっ黒な倉庫がそらにもはばかるような声でどなりました。二人はまるでしんとなってしまいました。

ところが倉庫が又云いました。

『いや心配しなさんな。このことは決してほかへはもらしませんぞ。わしがしっかり呑《の》み込みました』

その時です、お月さまがカブンと山へお入りになってあたりがポカッとうすぐらくなったのは。

今は風があんまり強いので電信ばしらどもは、本線の方も、軽便鉄道の方のもまるで気が気でなく、ぐうんぐうんひゅうひゅうと独楽《こま》のようにうなって居《お》りました。それでも空はまっ青に晴れていました。

本線シグナルつきの太っちょの電しんばしらも、もうでたらめの歌をやるどころの話ではありません、できるだけからだをちぢめて眼《め》を細くして、ひとなみに、ブウウ、フウウとうなってごまかして居りました。

シグナレスは、この時、東のぐらぐらする位強い青びかりの中をびっこをひくようにして走って行く雲を見て居りましたがそれからチラッとシグナルの方を見ました。

シグナルは、今日は巡査《じゅんさ》のようにしゃんと、立っていましたが、風が強くて太っちょの電信ばしらに聞えないのをいいことにして、シグナレスにはなしかけました。

（五）

『どうもひどい風ですね。あなた頭がほてって痛みはしませんか。どうも僕《ぼく》は少しくらくらしますね。いろいろお話しますから、あなたただ頭をふってうなずいてだけいて下さい。どうせお返事をしたって、僕のところへ届きはしませんから、それから僕のはなしで面白くないことがあったら横の方に頭を振《ふ》って下さい。これは、本とうは、欧羅巴《ヨーロッパ》の方のやり方なんですよ。向うでは、僕たちのように仲のいいものがほかの人に知れないようにお話をするときは、みんなこうするんですよ。僕それを向うの雑誌で見たんです、ね、あの倉庫のやつめ、おかしなやつですね。いきなり僕たちの話してるところへ口を出して、引き受けたの何のって云うんですもの、あいつはずいぶん太ってますね、今日も眼をパチパチやらかしてますよ。

僕のあなたに物を言ってるのはわかっていても、何を言ってるのか風で一向聞えないんですよ、けれども全体、あなたに聞えてるんですか、聞えてるなら頭を振って下さい、ええそう、聞えるでしょうね。僕たち早く結婚したいもんですね。早く春になれあいいんですね。

僕のとこのぶっきりこに少しも知らせないで置きましょう。そして置いて、いきなり、ウヘン、ああ風でのどがぜいぜいする。ああひどい。一寸《ちょっと》お話をやめますよ。僕のどが痛くなったんです。わかりましたか、じゃちょっとさよなら』

それからシグナルは、ううううと云いながら眼をぱちぱちさせてしばらくの間だまって居ました。シグナレスもおとなしくシグナルの咽喉《のど》のなおるのを待っていました。電信ばしらどもは、ブンブンゴンゴンと鳴り、風はひゅうひゅうとやりました。

（六）

シグナルはつばをのみこんだりえーえーとせきばらいをしたりしていましたが、やっと咽喉の痛いのが癒《なお》ったらしく、もう一ぺんシグナレスに話しかけました。けれどもこの時は、風がまるで熊《くま》のように吼《ほ》え、まわりの電信ばしらどもは山一ぱいの蜂《はち》の巣《す》を一ぺんに壊《こわ》しでもしたようにぐわんぐわんとうなっていましたので、折角《せっかく》のその声も、半分ばかりしかシグナレスに届きませんでした。

『ね、僕はもうあなたの為《ため》なら、次の汽車の来るとき、頑張《がんば》って腕《うで》を下げないことでも、何でもするんですからね、わかったでしょう。あなたもその位の決心はあるでしようね、あなたはほんとうに美しいんです、ね、世界の中にだって僕たちの仲間はいくらもあるんでしょう。その半分はまあ女の人でしょうがねえ、その中であなたは一番美しいんです。もっとも外《ほか》の女の人僕よく知らないんですけれどもね、きっとそうだと思うんですよ、どうです聞えますか。僕たちのまわりに居るやつはみんな馬鹿ですねのろまですね、僕とこのぶっきりこが僕が何をあなたに云ってるのかと思って、そらごらんなさい、一生けん命、目をパチバチやってますよ、こいつと来たら全くチヨークよりも形がわるいんですからね、そら、こんどはあんなに口を曲げていますよ、呆《あき》れた馬鹿ですねえ、僕のはなし聞えますか、僕の……』

『若さま、さっきから何をべちゃべちゃ云っていらっしゃるのです。しかもシグナレス風《ふ》情《ぜい》と、一体何をにやけていらっしゃるんです』

いきなり本線シグナル附《つき》の電信ばしらが、むしゃくしゃまぎれにごうごうの音の中を途《と》方《ほう》もない声でどなったもんですから、シグナルは勿論《もちろん》シグナレスもまっ青になってぴたっとこっちへまげていたからだをまっすぐに直しました。

『若さま、さあ仰《おっ》しゃい。役目として承《うけたまわ》らなければなりません』

（七）

シグナルは、やっと元気を取り直しました。そしてどうせ風の為に何を云っても同じことなのをいいことにして、

『馬鹿、僕はシグナレスさんと結婚して幸福になって、それからお前にチョークのお嫁《よめ》さんを呉《く》れてやるよ』

とこうまじめな顔で云ったのでした。その声は風下のシグナレスにはすぐ聞えましたので、シグナレスは恐《こわ》いながら思わず笑ってしまいました。さあそれを見た本線シグナル附の電信ばしらの怒《おこ》りようと云ったらありません、早速ブルブルッとふるえあがり、青白く逆上《のぼ》せてしまい唇《くちびる》をきっと噛《か》みながらすぐひどく手を廻《まわ》してすなわち一ぺん東京まで手をまわして風下に居る軽便鉄道の電信ばしらに、シグナルとシグナレスの対話が、一体何だったか今シグナレスが笑ったことは、どんなことだったかたずねてやりました。

ああ、シグナルは一生の失策をしたのでした。シグナレスよりも少し風下にすてきに耳のいい長い長い電信ばしらが居て知らん顔をしてすまして空の方を見ながら、さ

っきからの話をみんな聞いていたのです。そこで、早速、それを東京を経て本線シグナルつきの電信ばしらに返事をしてやりました。

本線シグナルつきの電信ばしらは、キリキリ歯がみをしながら聞いていましたが、すっかり聞いてしまうと、さあまるでもう馬鹿のようになってどなりました。

『くそッ、えいっ。いまいましい。あんまりだ、犬畜生《ちくしょう》、あんまりだ。犬畜生、ええ、若さまわたしだって男ですぜ、こんなにひどく馬鹿にされてだまっているとお考えですか。結婚だなんてやれるならやってごらんなさい。電信ばしらの仲間はもうみんな反対です。シグナルばしらの人だちだって鉄道長の命令にそむけるもんですか。そして鉄道長はわたしの叔父《おじ》ですぜ。結婚なり何なりやってごらんなさい。えい、犬畜生め、えい』

本線シグナル附きの電信ばしらは、すぐ四方に電報をかけました。それからしばらく顔色を変えてみんなの返事をきいていました。確かにみんなから反対の約束《やくそく》を貰《もら》ったらしいのでした。それからきっと叔父のその鉄道長とかにもうまく頼《たの》んだにちがいありません。シグナルもシグナレスもあまりのことに今さらポカンとして呆れていました。本線シグナル附きの電信ばしらはすっかり反対の準備が出来るとこんどは急に泣き声で言いました。

（八）

『ああ、八年の間、夜ひる寝《ね》ないで面倒《めんどう》を見てやってそのお礼がこれか。ああ情ない、もう世の中はみだれてしまった。ああもうおしまいだ。なさけない。メリケン国のエジソンさまもこのあさましい世界をお見棄《みす》てなされたか。オンオンオンオン、ゴゴンゴーゴーゴゴンゴー』

風はますます吹きつのり、西のそらが変にしろくぼんやりなってどうもあやしいと思っているうちにチラチラチラチラとうとう雪がやって参りました。

シグナルは力を落して青白く立ち、そっとよこ眼でやさしいシグナレスの方を見ました。シグナレスはしくしく泣きながら、丁度やって来る二時の汽車を迎《むか》える為にしょんぼりと腕をさげ、そのいじらしい撫肩《なでがた》はかすかにかすかにふるえて居《お》りました。空では風がフイウ、涙《なみだ》を知らない電信ばしらどもはゴゴンゴーゴーゴゴンゴーゴー。

さあ今度は夜ですよ。シグナルはしょんぼり立って居りました。

月の光が青白く雪を照していります。雪はこうこうと光ります。そこにはすきとおって小さな紅火や青の火をうかべました。しいんとしています。山脈は若い白熊の貴族の屍体《したい》のようにしずかに白く横《よこた》わり、遠くの遠くを、ひるまの風のなごりがヒュウと鳴って通りました、それでもじつにしずかです。黒い枕木《まくらぎ》はみなねむり赤の三角や黄色の点々さまざまの夢《ゆめ》を見ているとき、若いあわれなシグナルはほっと小さなため息をつきました。そこで半分凍《こご》えてじっと立っていたやさしいシグナレスも、ほっと小さなため息をしました。

『シグナレスさん。ほんとうに僕たちはつらいねえ』

たまらずシグナルがそっとシグナレスに話し掛《か》けました。

『ええみんなあたしがいけなかったのですわ』シグナレスが青じろくうなだれて云いました。

（九）

諸君、シグナルの胸は燃えるばかり、

『ああ、シグナレスさん、僕たちたった二人だけ、遠くの遠くのみんなの居ないところに行ってしまいたいね。』

『ええ、あたし行けさえするならどこへでも行きますわ。』

『ねえ、ずうっとずうっと天上にあの僕たちの婚約指環《エンゲイジリング》よりも、もっと天上に青い小さな小さな火が見えるでしょう。そら、ね、あすこは遠いですねえ。』

『ええ。』シグナレスは小さな唇《くちびる》でいまにもその火にキッスしたそうに空を見あげていました。

『あすこには青い霧《きり》の火が燃えているんでしょうね。その青い霧の火の中へ僕たち一《いっ》緒《しょ》に坐《すわ》りたいですねえ。』

『ええ。』

『けれどあすこには汽車はないんですねえ、そんなら僕畑をつくろうか。何か働かないといけないんだから。』

『ええ。』

『ああ、お星さま、遠くの青いお星さま。どうか私どもをとって下さい。ああなさけぶかいサンタマリヤ、まためぐみふかいジョウジスチブンソンさま*、どうか私どものかなしい祈《いの》りを聞いて下さい。』

『ええ。』

『さあ一緒に祈りましょう。』

『ええ。』

『あわれみふかいサンタマリヤ、すきとおるよるの底、つめたい雪の地面の上にかなしくいのるわたくしどもをみそなわせ、めぐみふかいジョウジスチブンソンさま、あなたのしもべのまたしもべ、かなしいこのたましいのまことの祈りをみそなわせ、ああ、サンタマリヤ。』

『ああ。』

（十）

星はしずかにめぐって行きました。そこであの赤眼《あかめ》のさそりが、せわしくまたたいて東から出て来そしてサンタマリヤのお月さまが慈愛《じあい》にみちた尊い黄金《きん》のまなざしに、じっと二人を見ながら、西のまっくろの山におはいりになったとき、シグナルシグナレスの二人は、いのりにつかれてもう睡《ねむ》って居ました。

□

今度はひるまでです。なぜなら夜昼はどうしてもかわるがわるですから。

ぎらぎらのお日さまが東の山をのぼりました。シグナルシグナレスはぱっと桃色《ももいろ》に映《は》えました。いきなり大きな巾広《はばひろ》い声がそこら中にはびこりました。

『おい。本線シグナル附《つ》きの電信ばしら、おまえの叔父の鉄道長に早くそう云《い》って、あの二人は一緒にしてやった方がよかろうぜ。』

見るとそれは先ころの晩の倉庫の屋根でした。

倉庫の屋根は、赤いうわぐすりをかけた瓦《かわら》を、まるで鎧《よろい》のようにキラキラ着込《きこ》んで、じろっとあたりを見まわしているのでした。

本線シグナル附きの電信ばしらは、がたがたっとふるえてそれからじっと固くなって答えました。

『ふん、何だとお前は何の縁故《えんこ》でこんなことに口を出すんだ』

『おいおい、あんまり大きなつらをするなよ。ええおい。おれは縁故と云えば大縁故さ、縁故でないと云えば、一向縁故でも何でもないぜ、がしかしさ。こんなことにはてめいのような変ちきりんはあんまりいろいろ手を出さない方が結局てめいの為《ため》だろうぜ』

『何だと。おれはシグナルの後見人だぞ。鉄道長の甥《おい》だぞ』

『そうか。おい立派なもんだなあ。シグナルさまの後見人で鉄道長の甥かい。けれどもそんならおれなんてどうだい、おれさまはな、ええ、めくらとんびの後見人、ええ風引きの脈の甥だぞ。どうだ、どっちが偉《えら》い』

『何をっ。コリッ、コリコリッ、カリッ』

『まああそう怒《おこ》るなよ。これは冗談《じょうだん》さ。悪く思わんで呉《く》れ。な、あの二人さ、可哀《かあい》そうだよ。いい加減にまとめてやれよ。大人らしくもないじゃないか。あんまり胸の狭《せま》いことは云わんでさ。あんな立派な後見人を持って、シグナルもほんとうにしあわせだと云われるぜ。な、まとめてやれ、まとめてやれ』

本線シグナルつきの電信ばしらは、物を云おうとしたのでしたがもうあんまり気が立ってしまってバチバチパチパチ鳴るだけでした。

倉庫の屋根もあんまりのその怒りように、まさかこんな筈《はず》ではなかったと云うように少し呆《あき》れてだまってその顔を見ていました。お日さまはずうっと高くなり、シグナルとシグナレスとはほっと又《また》ため息をついてお互《たがい》に顔を見合せました。シグナレスは瞳《ひとみ》を少し落しシグナルの白い胸に青々と落ちためがねの影《かげ》をチラッと見てそれから俄《にわか》に目をそらして自分のあしもとをみつめ考え込んでしまいました。

今夜は暖《あたたか》です。

霧《きり》がふかくふかくこめました。

そのきりを徹《とお》して、月のあかりが水色にしずかに降り、電信ばしらも枕木《まくらぎ》も、みんな寝《ね》しずまりました。

シグナルが待っていたようにほっと息をしました。シグナレスも胸いっぱいのおもいをこめて小さくほっとといきしました。

そのときシグナルとシグナレスとは、霧の中から倉庫の屋根の落ちついた親切らしい声の響《ひび》いて来るのを聞きました。

『お前たちは、全く気の毒だね。わたしは今朝うまくやってやろうと思ったんだが、却《かえ》っていけなくしてしまった。ほんとうに気の毒なことになったよ。しかしわたしには又考えがあるからそんなに心配しないでもいいよ。お前たちは霧でお互に顔も見えずさびしいだろう』

『ええ』

『ええ』

『そうか。ではおれが見えるようにしてやろう。いいか、おれのあとをついて二人一しょに真似《まね》をするんだぜ』

（十一）

『ええ』

『そうか。ではアルファー』

『アルファー』

『ビーター』『ビーター』

『ガムマア』『ガムマーアー』

『デルタア』『デールータアーアアア』

実に不思議です。いつかシグナルとシグナレスとの二人はまっ黒な夜の中に肩《かた》をならべて立っていました。

『おや、どうしたんだろう。あたり一面まっ黒びろうどの夜だ』

『まあ、不思議ですわね、まっくらだわ』

『いいや、頭の上が星で一杯《いっぱい》です。おや、なんという大きな強い星なんだろう、それに見たこともない空の模様ではありませんか、一体あの十三連なる青い星*は前どこにあったのでしょう、こんな星は見たことも聞いたこともありませんね。僕たちぜんたいどこに来たんでしょうね』

『あら、空があんまり速くめぐりますわ』

『ええ、ああの大きな橙《だいだい》の星は地平線から今上ります。おや、地平線じゃない。水平線かしら。そうです。ここは夜の海の渚《なぎさ》ですよ。』

『まあ奇麗《きれい》だわね、あの波の青びかり。』

『ええ、あれは磯波《いそなみ》の波がしらです、立派ですねえ、行って見ましょう。』

『まあ、ほんとうにお月さまのあかりのような水よ。』

『ね、水の底に赤いひとでがいますよ。銀色のなまこがいますよ。ゆっくりゆっくり、這《は》ってますねえ。それからあのユラユラ青びかりの棘《とげ》を動かしているのは、雲丹《うに》ですね。波が寄せて来ます。少し遠退《とおの》きましょう、』

『ええ。』

『もう、何べん空がめぐったでしょう。大へん寒くなりました。海が何だか凍《こお》ったようですね。波はもううたなくなりました。』

『波がやんだせいでしょうかしら。何か音がしていますわ。』

『どんな音。』

『そら、夢《ゆめ》の水車の軋《きし》りのような音。』

『ああそうだ。あの音だ。ピタゴラス派の天球運行の諧音《かいおん》です。』

『あら、何だかまわりがぼんやり青白くなって来ましたわ。』

『夜が明けるのでしょうか。いやはてな。おお立派だ。あなたの顔がはっきり見える。』

『あなたもよ。』

『ええ、とうとう、僕たち二人きりですね。』

『まあ、青じろい火が燃えてますわ。まあ地面も海も。けど熱くないわ。』

『ここは空ですよ。これは星の中の霧の火ですよ。僕たちのねがいが叶《かな》ったんです。ああ、さんたまりや。』

『ああ。』

『地球は遠いですね。』

『ええ。』

『地球はどっちの方でしょう。あたりいちめんの星どこがどこかもうわからない。あの僕のブッキリコはどうしたろう。あいつは本とうはかあいそうですね。』

『ええ、まあ火が少し白くなったわ、せわしく燃えますわ。』

『きっと今秋ですね。そしてあの倉庫の屋根も親切でしたね。』

『それは親切とも。』いきなり太い声がしました。気がついて見るとああ二人とも一《いっ》緒《しょ》に夢を見ていたのでした。いつか霧がはれてそら一めんのほしが、青や橙やせわしくせわしくまたたき、向うにはまっ黒な倉庫の屋根が笑いながら立って居りました。

二人は又ほっと小さな息をしました。

マリヴロンと少女

城あとのおおばこの実は結び、赤つめ草の花は枯《か》れて焦茶色《こげちゃいろ》になって、畑の粟《あわ》は刈《か》りとられ、畑のすみから一寸《ちょっと》顔を出した野鼠《のねずみ》はびっくりしたように又《また》急いで穴の中へひっこむ。

崖《がけ》やほりには、まばゆい銀のすすきの穂《ほ》が、いちめん風に波立っている。

その城あとのまん中の、小さな四《し》っ角《かく》山の上に、めくらぶどう＊のやぶがあってその実がすっかり熟している。

ひとりの少女が楽譜《がくふ》をもってためいきしながら藪《やぶ》のそばの草にすわる。

かすかなかすかな日照り雨が降って、草はきらきら光り、向うの山は暗くなる。

そのありなしの日照りの雨が霽《は》れたので、草はあらたにきらきら光り、向うの山は明るくなって、少女はまぶしくおもてを伏《ふ》せる。

そっちの方から、もずが、まるで音譜をばらばらにしてふりまいたように飛んで来て、みんな一度に、銀のすすきの穂にとまる。

めくらぶどうの藪からはきれいな雫《しずく》がぽたぽた落ちる。

かすかなけはいが藪のかげからのぼってくる。今夜市庁のホールでうたうマリヴロン女史*がライラックいろのもすそをひいてみんなをのがれて来たのである。

いま、そのうしろ、東の灰色の山脈の上を、つめたい風がふっと通って、大きな虹《にじ》が、明るい夢《ゆめ》の橋のようにやさしく空にあらわれる。

少女は楽譜をもったまま化石のようにすわってしまう。マリヴロンはここにも人の居たことをむしろ意外におもいながらわずかにまなこに会釈《えしゃく》してしばらく虹のそらを見る。

そうだ。今日こそ、ただの一言でも天の才ありうるわしく尊敬されるこの人とことばをかわしたい、丘《おか》の小さなぶどうの木が、よぞらに燃えるほのおより、もっとあかるく、もっとかなしいおもいをば、はるかの美しい虹に捧《ささ》げると、ただこれだけを伝えたい、それからならば、それからならば、あの……〔以下数行分空白〕

「マリヴロン先生。どうか、わたくしの尊敬をお受けくださいませ。わたくしはあすアフリカへ行く牧師の娘《むすめ》でございます。」

少女は、ふだんの透《す》きとおる声もどこかへ行って、しわがれた声を風に半分とられながら叫《さけ》ぶ。

マリヴロンは、うっとり西の碧《あお》いそらをながめていた大きな碧い瞳《ひとみ》を、そっちへ向けてすばやく楽譜に記された少女の名前を見てとった。

「何かご用でいらっしゃいますか。あなたはギルダさんでしょう。」

少女のギルダは、まるでぶなの木の葉のようにプリプリふるえて輝《かがや》いて、いきがせわしくて思うように物が云《い》えない。

「先生どうか私のこころからうやまいを受けとって下さい。」

マリヴロンはかすかにといきしたので、その胸の黄や菫《すみれ》の宝石は一つずつ声をあげるように輝きました。そして云う。

「うやまいを受けることは、あなたもおなじです。なぜそんなに陰気《いんき》な顔をなさるのですか。」

「私はもう死んでもいいのでございます。」

「どうしてそんなことを、仰《お》っしゃるのです。あなたはまだまだお若いではありませんか。」

「いいえ。私の命なんか、なんでもないのでございます。あなたが、もし、もっと立派におなりになる為《ため》なら、私なんか、百ぺんでも死にます。」

「あなたこそそんなにお立派ではありませんか。あなたは、立派なおしごとをあちらへ行ってなさるでしょう。それはわたくしなどよりははるかに高いしごとです。私などはそれはまことにたよりないのです。ほんの十分か十五分か声のひびきのあるうちのいのちです。」

「いいえ、ちがいます。ちがいます。先生はここの世界やみんなをもっときれいに立派になさるお方でございます。」

マリヴロンは思わず微笑《わら》いました。

「ええ、それをわたくしはのぞみます。けれどもそれはあなたはいよいよそうでしょう。正しく清くはたらくひとはひとつの大きな芸術を時間のうしろにつくるのです。ごらんなさい。向うの青いそらのなかを一羽の鵠《こう》がとんで行きます。鳥はうしろにみなそのあとをもつのです。みんなはそれを見ないでしょうが、わたくしはそれを見るのです。おんなじようにわたくしどもはみなそのあとにひとつの世界をつくって来ます。それがあらゆる人々のいちばん高い芸術です。」

「けれども、あなたは、高く光のそらにかかります。すべて草や花や鳥は、みなあなたをほめて歌います。わたくしはたれにも知られず巨《おお》きな森のなかで朽《く》ちてしまうのです。」

「それはあなたも同じです。すべて私に来て、私をかがやかすものは、あなたをもきらめかします。私に与《あた》えられたすべてのほめことばは、そのままあなたに贈《おく》られます。」

「私を教えて下さい。私を連れて行ってつかって下さい。私はどんなことでもいたします。」

「いいえ私はどこへも行きません。いつでもあなたが考えるそこに居《お》ります。すべてまことのひかりのなかに、いっしょにすんでいっしょにすむ人人は、いつでもいっしょにいるのです。けれども、わたくしは、もう帰らなければなりません。お日様があまり遠くなりました。もずが飛び立ちます。では。ごきげんよう。」

停車場の方で、鋭《するど》い笛《ふえ》がピーと鳴り、もずはみな、一ぺんに飛び立って、気違《きちが》いになったばらばらの楽譜のように、やかましく鳴きながら、東の方へ飛んで行く。

「先生。私をつれて行って下さい。どうか私を教えてください。」

うつくしくけだかいマリヴロンはかすかにわらったようにも見えた。また当惑《とうわく》してかしらをふったようにも見えた。

そしてあたりはくらくなり空だけ銀の光を増せば、あんまり、もずがやかましいので、しまいのひばりも仕方なく、もいちど空へのぼって行って、少うしばかり調子はずれの歌をうたった。

オツベルと象

……ある牛飼《うしか》いがものがたる

第一日曜

オツベル*ときたら大したもんだ。稲扱器械《いねこき》の六台も据《す》えつけて、のんのんのんのんのんのんと、大そろしない音をたてている。

十六人の百姓《ひゃくしょう》どもが、顔をまるっきりまっ赤にして足で踏《ふ》んで器械をまわし、小山のように積まれた稲を片っぱしから扱《こ》いて行く。藁《わら》はどんどんうしろの方へ投げられて、また新らしい山になる。そこらは、籾《もみ》や藁から発《た》ったこまかな塵《ちり》で、変にぼうっと黄いろになり、まるで沙漠《さばく》のけむりのようだ。

そのうすくらい仕事場を、オツベルは、大きな琥珀《こはく》のパイプをくわえ、吹殻《ふきがら》を藁に落さないよう、眼《め》を細くして気をつけながら、両手を背中に組みあわせて、ぶらぶら往《い》ったり来たりする。

小屋はずいぶん頑丈《がんじょう》で、学校ぐらいもあるのだが、何せ新式稲扱器械が、六台もそろってまわってるから、のんのんのんのんふるうのだ。中にはいるとそのために、すっかり腹が空《す》くほどだ。そしてじっさいオツベルは、そいつで上手に腹をへらし、ひるめしどきには、六寸ぐらいのビフテキだの、雑巾《ぞうきん》ほどあるオムレツの、ほくほくしたのをたべるのだ。

とにかく、そうして、のんのんのんのんやっていた。

そしたらそこへどういうわけか、その、白象*がやって来た。白い象だぜ、ペンキを塗《ぬ》ったのでないぜ。どういうわけで来たかって？　そいつは象のことだから、たぶんぶらっと森を出て、ただなにとなく来たのだろう。

そいつが小屋の入口に、ゆっくり顔を出したとき、百姓どもはぎょっとした。なぜぎょっとした？　よくきくねえ、何をしだすか知れないじゃないか。かかり合っては大へんだから、どいつもみな、いっしょうけんめい、じぶんの稲を扱いていた。

ところがそのときオツベルは、ならんだ器械のうしろの方で、ポケットに手を入れながら、ちらっと鋭《するど》く象を見た。それからすばやく下を向き、何でもないというふうで、いままでどおり往ったり来たりしていたもんだ。

するとこんどは白象が、片脚床《かたあしゆか》にあげたのだ。百姓どもはぎょっとした。それでも仕事が忙《いそが》しいし、かかり合ってはひどいから、そっちを見ずに、やっぱり稲を扱いていた。

オツベルは奥《おく》のうすくらいところで両手をポケットから出して、も一度ちらっと象を見た。それからいかにも退屈《たいくつ》そうに、わざと大きなあくびをして、両手を頭のうしろに組んで、行ったり来たりやっていた。ところが象が威勢《いせい》よく、前肢《まえあし》二つつきだして、小屋にあがって来ようとする。百姓どもはぎくっとし、オツベルもすこしぎょっとして、大きな琥珀のパイプから、ふっとけむりをはきだした。それでもやっぱりしらないふうで、ゆっくりそこらをあるいていた。

そしたらとうとう、象がのこのこ上って来た。そして器械の前のとこを、呑気《のんき》にあるきはじめたのだ。

ところが何せ、器械はひどく廻《まわ》っていて、籾《もみ》は夕立か霰《あられ》のように、パチパチ象にあたるのだ。象はいかにもうるさいらしく、小さなその眼を細めていたが、またよく見ると、たしかに少しわらっていた。

オツベルはやっと覚悟《かくご》をきめて、稲扱器械《いねこき》の前に出て、象に話をしようとしたが、そのとき象が、とてもきれいな、鶯《うぐいす》みたいないい声で、こんな文句を云《い》ったのだ。

「ああ、だめだ。あんまりせわしく、砂がわたしの歯にあたる。」まったく籾は、パチパチパチパチ歯にあたり、またまっ白な頭や首にぶっつかる。

さあ、オツベルは命懸《いのちが》けだ。パイプを右手にもち直し、度胸を据えて斯《こ》う云った。

「どうだい、此処《ここ》は面白《おもしろ》いかい。」

「面白いねえ。」象がからだを斜《なな》めにして、眼を細くして返事した。

「ずうっとこっちに居たらどうだい。」

百姓どもははっとして、息を殺して象を見た。オツベルは云ってしまってから、にわかにがたがた顫《ふる》え出す。ところが象はけろりとして

「居てもいいよ。」と答えたもんだ。

「そうか。それではそうしよう。そういうことにしようじゃないか。」オツベルが顔をくしゃくしゃにして、まっ赤になって悦《よろこ》びながらそう云った。

どうだ、そうしてこの象は、もうオツベルの財産だ。いまに見たまえ、オツベルは、あの白象を、はたらかせるか、サーカス団に売りとばすか、どっちにしても万円以上もうけるぜ。

第二日曜

オツベルときたら大したもんだ。それにこの前稲扱小屋で、うまく自分のものにした、象もじっさい大したもんだ。力も二十馬力もある。第一みかけがまっ白で、牙《きば》はぜんたいきれいな象牙《ぞうげ》でできている。皮も全体、立派で丈夫《じょうぶ》な象皮なのだ。そしてずいぶんはたらくもんだ。けれどもそんなに稼《かせ》ぐのも、やっぱり主人が偉《えら》いのだ。

「おい、お前は時計は要《い》らないか。」丸太で建てたその象小屋の前に来て、オツベルは琥珀のパイプをくわえ、顔をしかめて斯う訊《き》いた。

「ぼくは時計は要らないよ。」象がわらって返事した。

「まあ持って見ろ、いいもんだ。」斯う言いながらオツベルは、ブリキでこさえた大きな時計を、象の首からぶらさげた。

「なかなかいいね。」象も云う。

「鎖《くさり》もなくちゃだめだろう。」オツベルときたら、百キロもある鎖をさ、その前肢にくっつけた。

「うん、なかなか鎖はいいね。」三あし歩いて象がいう。

「靴《くつ》をはいたらどうだろう。」

「ぼくは靴などはかないよ。」

「まあはいてみろ、いいもんだ。」オツベルは顔をしかめながら、赤い張子の大きな靴を、象のうしろのかかとにはめた。

「なかなかいいね。」象も云う。

「靴に飾《かざ》りをつけなくちゃ。」オツベルはもう大急ぎで、四百キロある分銅を靴の上から、穿《は》め込んだ。

「うん、なかなかいいね。」象は二あし歩いてみて、さもうれしそうにそう云った。

次の日、ブリキの大きな時計と、やくざな紙の靴とはやぶけ、象は鎖と分銅だけで、大よろこびであるいて居《お》った。

「済まないが税金も高いから、今日はすこうし、川から水を汲《く》んでくれ。」オツベルは両手をうしろで組んで、顔をしかめて象に云う。

「ああ、ぼく水を汲んで来よう。もう何ばいでも汲んでやるよ。」

象は眼を細くしてよろこんで、そのひるすぎに五十だけ、川から水を汲んで来た。そして菜っ葉の畑にかけた。

夕方象は小屋に居て、十把《ぱ》の藁《わら》をたべながら、西の三日の月を見て、

「ああ、稼《かせ》ぐのは愉《ゆ》快《かい》だねえ、さっぱりするねえ」と云っていた。

「済まないが税金がまたあがる。今日は少うし森から、たきぎを運んでくれ」オツベルは房《ふさ》のついた赤い帽《ぼう》子《し》をかぶり、両手をかくしにつっ込んで、次の日象にそう言った。

「ああ、ぼくたきぎを持って来よう。いい天気だねえ。ぼくはぜんたい森へ行くのは大すきなんだ」象はわらってこう言った。

オツベルは少しぎょっとして、パイプを手からあぶなく落しそうにしたがもうあのときは、象がいかにも愉快なふうで、ゆっくりあるきだしたので、また安心してパイプをくわえ、小さな咳《せき》を一つして、百姓どもの仕事の方を見に行った。

そのひるすぎの半日に、象は九百把たきぎを運び、眼を細くしてよろこんだ。

晩方象は小屋に居て、八把の藁をたべながら、西の四日の月を見て
「ああ、せいせいした。サンタマリア」と斯《こ》うひとりごとしたそうだ。

その次の日だ、

「済まないが、税金が五倍になった、今日は少うし鍛《か》冶《じ》場《ば》へ行って、炭火を吹《ふ》いてくれないか」

「ああ、吹いてやろう。本気でやったら、ぼく、もう、息で、石もなげとばせるよ」

オツベルはまたどきっとしたが、気を落ち付けてわらっていた。

象はのそのそ鍛冶場へ行って、べたんと肢を折って座《すわ》り、ふいごの代りに半日炭を吹いたのだ。

その晩、象は象小屋で、七把《わ》の藁をたべながら、空の五日の月を見て

「ああ、つかれたな、うれしいな、サンタマリア」と斯う言った。

どうだ、そうして次の日から、象は朝からかせぐのだ。藁も昨日はただ五把だ。よくまあ、五把の藁などで、あんな力がでるもんだ。

じっさい象はけいざいだよ。それというのもオツベルが、頭がよくてえらいためだ。オツベルときたら大したもんさ。

第五日曜

オツベルかね、そのオツベルは、おれも云おうとしてたんだが、居なくなったよ。

まあ落ちついてききたまえ。前にはなしたあの象を、オツベルはすこしひどくし過ぎた。しかたがだんだんひどくなったから、象がなかなか笑わなくなった。時には赤い竜《りゅう》の眼をして、じっとこんなにオツベルを見おろすようになってきた。

ある晩象は象小屋で、三把の藁をたべながら、十日の月を仰《あお》ぎ見て、

「苦しいです。サンタマリア。」と云ったということだ。

こいつを聞いたオツベルは、ことごと象につらくした。

ある晩、象は象小屋で、ふらふら倒《たお》れて地べたに座り、藁もたべずに、十一日の月を見て、

「もう、さようなら、サンタマリア。」と斯う言った。

「おや、何だって？　さよならだ？」月が俄《にわ》かに象に訊《き》く。

「ええ、さよならです。サンタマリア。」

「何だい、なりばかり大きくて、からっきし意気地《いくじ》のないやつだなあ。仲間へ手紙を書いたらいいや。」月がわらって斯う云った。

「お筆も紙もありませんよう。」象は細ういきれいな声で、しくしくしくしく泣き出した。

「そら、これでしょう。」すぐ眼の前で、可愛《かあい》い子どもの声がした。象が頭を上げて見ると、赤い着物の童子が立って、硯《すずり》と紙を捧《ささ》げていた。象は早速手紙を書いた。

「ぼくはずいぶん眼にあっている。みんなで出て来て助けてくれ。」

童子はすぐに手紙をもって、林の方へあるいて行った。

赤衣《せきい》の童子が、そうして山に着いたのは、ちょうどひるめしごろだった。このとき山の象どもは、沙羅樹《さらじゅ》＊の下のくらがりで、碁《ご》などをやっていたのだが、額をあつめてこれを見た。

「ぼくはずいぶん眼にあっている。みんなで出てきて助けてくれ。」

象は一せいに立ちあがり、まっ黒になって吠《ほ》えだした。

「オツベルをやっつけよう」議長の象が高く叫《さけ》ぶと、

「おう、でかけよう。グララアガア、グララアガア。」みんながいちどに呼応する。

さあ、もうみんな、嵐《あらし》のように林の中をなきぬけて、グララアガア、グララアガア、野原の方へとんで行く。どいつもみんなきちがいだ。小さな木などは根こぎになり、藪《やぶ》や何かもめちゃめちゃだ。グワア　グワア　グワア　グワア、花火みたいに野原の中へ飛び出した。それから、何の、走って、走って、とうとう向うの青くかすんだ野原のはてに、オツベルの邸《やしき》の黄いろな屋根を見附《みつ》けると、象はいちどに噴火《ふんか》した。

グララアガア、グララアガア。その時はちょうど一時半、オツベルは皮の寝台《しんだい》の上でひるねのさかりで、烏《からす》の夢《ゆめ》を見ていたもんだ。あまり大きな音なので、オツベルの家の百姓どもが、門から少し外へ出て、小手をかざして向うを見た。林のような象だろう。汽車より早くやってくる。さあ、まるっきり、血の気も失せてかけ込《こ》んで、

「旦那《だんな》あ、象です。押し寄せやした。旦那あ、象です。」と声をかぎりに叫んだもんだ。

ところがオツベルはやっぱりえらい。眼をぱっちりとあいたときは、もう何もかもわかっていた。

「おい、象のやつは小屋にいるのか。居る？　居る？　居るのか。よし、戸をしめろ。戸をしめるんだよ。早く象小屋の戸をしめるんだ。ようし、早く丸太を持って来い。とじこめちまえ、畜生《ちくしょう》めじたばたしやがるな、丸太をそこへしばりつけろ。何ができるもんか。わざと力を減らしてあるんだ。ようし、もう五六本持って来い。さあ、大丈夫だ。大丈夫だとも。あわてるなったら。おい、みんな、こんどは門だ。門をしめろ。かんぬきをかえ。つっぱり。つっぱり。そうだ。おい、みんな心配するなったら。しっかりしろよ。」オツベルはもう仕度《したく》ができて、ラッパみたいないい声で、百姓どもをはげました。ところがどうして、百姓どもは気が気じゃない。こんな主人に巻き添《ぞ》いなんぞ食いたくないから、みんなタオルやはんけちや、よごれたような白いようなものを、ぐるぐる腕《うで》に巻きつける。降参をするしるしなのだ。

オツベルはいよいよやっきとなって、そこらあたりをかけまわる。オツベルの犬も気が立って、火のつくように吠えながら、やしきの中をはせまわる。

間もなく地面はぐらぐらとゆられ、そこらはばしゃばしゃくらくなり、象はやしきをとりまいた。グララアガア、グララアガア、その恐《おそ》ろしいさわぎの中から、「今助けるから安心しろよ。」やさしい声もきこえてくる。「ありがとう。よく来てくれて、ほんとに僕《ぼく》はうれしいよ。」象小屋からも声がする。さあ、そうすると、まわりの象は、一そうひどく、グララアガア、グララアガア、塀《へい》のまわりをぐるぐる走っているらしく、度々中から、怒《おこ》ってふりまわす鼻も見える。けれども塀はセメントで、中には鉄も入っているから、なかなか象もこわせない。塀の中にはオツベルが、たった一人で叫んでいる。百姓どもは眼もくらみ、そこらをうろうろするだけだ。そのうち外の象どもは、仲間のからだを台にして、いよいよ塀を越《こ》しかかる。だんだんにゅうと顔を出す。その皺《しわ》くちゃで灰いろの、大きな顔を見あげたとき、オツベルの犬は気絶した。さあ、オツベルは射《う》ちだした。六連発のピストルさ。ドーン、グララアガア、ドーン、グララアガア、ドーン、グララアガア、ところが弾丸《たま》は通らない。牙《きば》にあたればはねかえる。一疋《ぴき》なぞは斯《こ》う言った。

「なかなかこいつはうるさいねえ。ぱちぱち顔へあたるんだ。」

オツベルはいつかどこかで、こんな文句をきいたようだと思いながら、ケースを帯からつめかえた。そのうち、象の片脚が、塀からこっちへはみ出した。それからも一つはみ出した。五匹の象が一ぺんに、塀からどっと落ちて来た。オツベルはケースを握ったまま、もうくしゃくしゃに潰《つぶ》れていた。早くも門があいていて、グララアガア、グララアガア、象がどしどしなだれ込む。

「牢《ろう》はどこだ。」みんなは小屋に押し寄せる。丸太なんぞは、マッチのようにへし折られ、あの白象は大へん瘠《や》せて小屋を出た。

「まあ、よかったねやせたねえ。」みんなはしずかにそばにより、鎖と銅をはずしてやった。

「ああ、ありがとう。ほんとにぼくは助かったよ。」白象はさびしくわらってそう云った。

おや、〔一字不明〕*、川へはいっちゃいけないったら。

猫《ねこ》の事務所

……ある小さな官衙《かんが》に関する幻想《げんそう》……

軽便鉄道の停車場のちかくに、猫《ねこ》の第六事務所がありました。ここは主に、猫の歴史と地理をしらべるところでした。

書記はみな、短い黒の繻子《しゅす》の服を着て、それに大へんみんなに尊敬されましたから、何かの都合《つごう》で書記をやめるものがあると、そこらの若い猫は、どれもどれも、みんなそのあとへ入りたがってばたばたしました。

けれども、この事務所の書記の数はいつもただ四人ときまっていましたから、その沢山《たくさん》の中で一番字がうまく詩の読めるものが、一人やっとえらばれるだけでした。

事務長は大きな黒猫で、少しもうろくしてはいましたが、眼《め》などは中に銅線が幾重《いくえ》も張ってあるかのように、じつに立派にできていました。

さてその部下の

一番書記は白猫でした、

二番書記は虎猫《とらねこ》でした、

三番書記は三毛猫でした、

四番書記は竈猫《かまねこ》でした。

竈猫というのは、これは生れ付きではありません。生れ付きは何猫でもいいのですが、夜かまどの中にはいってねむる癖《くせ》があるために、いつでもからだが煤《すす》できたなく、殊《こと》に鼻と耳にはまっくろにすみがついて、何だか狸《たぬき》のような猫のことを云《い》うのです。ですからかま猫はほかの猫には嫌《きら》われます。

けれどもこの事務所では、何せ事務長が黒猫なもんですから、このかま猫も、あたり前ならいくら勉強ができても、とても書記なんかになれない筈《はず》のを、四十人の中からえらびだされたのです。

大きな事務所のまん中に、事務長の黒猫が、まっ赤な羅紗《らしゃ》をかけた卓《テーブル》を控《ひか》えてどっかり腰《こし》かけ、その右側に一番の白猫と三番の三毛猫、左側に二番の虎猫と四番のかま猫が、めいめい小さなテーブルを前にして、きちんと椅子《いす》にかけていました。

ところで猫に、地理だの歴史だの何になるかと云いますと、

まあこんな風です。

事務所の扉《と》をこつこつ叩《たた》くものがあります。

「はいれっ。」事務長の黒猫が、ポケットに手を入れてふんぞりかえってどなりました。

四人の書記は下を向いていそがしそうに帳面をしらべています。

ぜいたく猫がはいって来ました。

「何の用だ。」事務長が云います。

「わしは氷河鼠《ひょうがねずみ》を食いにベーリング地方へ行きたいのだが、どこらがいちばんいいだろう。」

「うん、一番書記、氷河鼠の産地を云え。」

一番書記は、青い表紙の大きな帳面をひらいて答えました。

「ウステラゴメナ、ノバスカイヤ、フサ河流域であります。」

事務長はぜいたく猫に云いました。

「ウステラゴメナ、ノバ……何と云ったかな。」

「ノバスカイヤ。」一番書記とぜいたく猫がいっしょに云いました。

「そう、ノバスカイヤ、それから何!?」

「フサ川。」またぜいたく猫が一番書記といっしょに云ったので、事務長は少しきまり悪そうでした。

「そうそう、フサ川。まああそこらがいいだろうな。」

「で旅行についての注意はどんなものだろう。」

「うん、二番書記、ベーリング地方旅行の注意を述べよ。」

「はっ。」二番書記はじぶんの帳面を繰《く》りました。「夏猫は全然旅行に適せず」すると

どういうわけか、この時みんながかま猫の方をじろっと見ました。

「冬猫もまた細心の注意を要す。函館《はこだて》附近、馬肉にて釣《つ》らるる危険あり。特に黒猫は

充分《じゅうぶん》に猫なることを表示しつつ旅行するに非《あら》ざれば、応々黒狐《くろぎつね》と誤認せられ、本気にて

追跡さるることあり。」

「よし、いまの通りだ。貴殿は我輩《わがはい》のように黒猫ではないから、まあ大した心配はあ

るまい。函館で馬肉を警戒《けいかい》するぐらいのところだ。」

「そう、で、向うでの有力者はどんなものだろう。」

「三番書記、ベーリング地方有力者の名称を挙げよ。」

「はい、ええと、ベーリング地方と、はい、トバスキー、ゲンゾスキー、＊二名であり

ます。」

「トバスキーとゲンゾスキーというのは、どういうようなやつらかな。」

「四番書記、トバスキーとゲンゾスキーについて大略を述べよ。」

「はい。」四番書記のかま猫は、もう大原簿《だいげんぼ》のトバスキーとゲンゾスキーとのところに、みじかい手を一本ずつ入れて待っていました。そこで事務長もぜいたく猫も、大へん感服したらしいのでした。

ところがほかの三人の書記は、いかにも馬鹿にしたように横目で見て、ヘッとわらっていました。かま猫は一生けん命帳面を読みあげました。

「トバスキー酋長《しゅうちょう》、徳望あり。眼光炯々《けいけい》たるも物を言うこと少しく遅《おそ》し　ゲンゾスキー財産家、物を言うこと少しく遅けれども眼光炯々たり。」

「いや、それでわかりました。ありがとう。」

ぜいたく猫は出て行きました。

こんな工合《ぐあい》で、猫にはまあ便利なものでした。ところが今のおはなしからちょうど半年ばかりたったとき、とうとうこの第六事務所が廃止《はいし》になってしまいました。というわけは、もうみなさんもお気づきでしょうが、四番書記のかま猫は、上の方の三人の書記からひどく憎《にく》まれていましたし、ことに三番書記の三毛猫は、このかま猫の仕事をじぶんがやって見たくてたまらなくなったのです。かま猫は、何とかみんなによく思われようといろいろ工夫をしましたが、どうもかえっていけませんでした。

たとえば、ある日となりの虎猫が、ひるのべんとうを、机の上に出してたべはじめようとしたときに、急にあくびに襲《おそ》われました。そこで虎猫は、みじかい両手をあらんかぎり高く延ばして、ずいぶん大きなあくびをやりました。これは猫仲間では、目上の人にも無礼なことでも何でもなく、人ならばまず鬚《ひげ》でもひねるぐらいのところですから、それはかまいませんけれども、いけないことは、足をふんばったために、テーブルが少し坂になって、べんとうばこがするっと滑《すべ》って、とうとうがたっと事務長の前の床《ゆか》に落ちてしまったのです。それはでこぼこではありましたが、アルミニュームでできていましたから、大丈夫《だいじょうぶ》こわれませんでした。そこで虎猫は急いであくびを切り上げて、机の上から手をのばして、それを取ろうとしましたが、やっと手がかかるかかからないか位なので、べんとうばこは、あっちへ行ったりこっちへ寄ったり、なかなかうまくつかまりませんでした。

「君、だめだよ。とどかないよ。」と事務長の黒猫が、もしゃもしゃパンを喰《た》べながら笑って云いました。その時四番書記のかま猫も、ちょうどべんとうの蓋《ふた》を開いたところでしたが、それを見てすばやく立って、弁当を拾って虎猫に渡《わた》そうとしました。ところが虎猫は急にひどく怒《おこ》り出して、折角《せっかく》かま猫の出した弁当も受け取らず、手をうしろに廻《まわ》して、自棄《やけ》にからだを振《ふ》りながらどなりました。

「何だい。君は僕《ぼく》にこの弁当を喰べろというのかい。机から床の上へ落ちた弁当を君は僕に喰《く》えというのかい。」

「いいえ、あなたが拾おうとなさるもんですから、拾ってあげただけでございます。」

「いつ僕が拾おうとしたんだ。うん。僕はただそれが事務長さんの前に落ちてあんまり失礼なもんだから、僕の机の下へ押《お》し込《こ》もうと思ったんだ。」

「そうですか。私はまた、あんまり弁当があっちこっち動くもんですから……」

「何だと失敬な。決闘《けっとう》を……」

「ジャラジャラジャラジャラン。」事務長が高くどなりました。これは決闘をしろと云ってしまわせない為《ため》に、わざと邪魔《じゃま》をしたのです。

「いや、喧嘩《けんか》するのはよしたまえ。かま猫君も虎猫君に喰べさせようというんで拾ったんじゃなかろう。それから今朝云うのを忘れたが虎猫君は月給が十銭あがったよ。」

虎猫は、はじめは恐《こわ》い顔をしてそれでも頭を下げて聴《き》いていましたが、とうとう、よろこんで笑い出しました。

「どうもおさわがせいたしましてお申しわけございません。」それからとなりのかま猫をじろっと見て腰掛《こしか》けました。

みなさんぼくはかま猫に同情します。

それから又《また》五六日たって、丁度これに似たことが起ったのです。こんなことがたびたび起るわけは、一つは猫どもの無精《ぶしょう》なたちと、も一つは猫の前あし即《すなわ》ち手が、あんまり短いためです。今度は向うの三番書記の三毛猫が、朝仕事を始める前に、筆がポロポロころがって、とうとう床に落ちました。三毛猫はすぐ立てばいいのを、骨惜《ほねおし》みして早速前に虎猫のやった通り、両手を机越《つくえご》しに延ばして、それを拾い上げようとしました。今度もやっぱり届きません。三毛猫は殊《こと》にせいが低かったので、だんだん乗り出して、とうとう足が腰掛けからはなれてしまいました。かま猫は拾ってやろうかやるまいか、この前のこともありますので、しばらくためらって眼をパチパチさせて居ましたが、とうとう見るに見兼ねて、立ちあがりました。

ところが丁度この時に、三毛猫はあんまり乗り出し過ぎてガタンとひっくり返ってひどく頭をついて机から落ちました。それが大分ひどい音でしたから、事務長の黒猫もびっくりして立ちあがって、うしろの棚《たな》から、気付けのアンモニア水の瓶《びん》を取りました。ところが三毛猫はすぐ起き上って、かんしゃくまぎれにいきなり、

「かま猫、きさまはよくも僕を押しのめしたな。」とどなりました。

今度はしかし、事務長がすぐ三毛猫をなだめました。

「いや、三毛君。それは君のまちがいだよ。

かま猫は好意でちょっと立っただけだ。君にさわりも何もしない。しかしまあ、こんな小さなことは、なんでもありゃしないじゃないか。さあ、ええとサントタンの転居届けと。ええ。」事務長はさっさと仕事にかかりました。そこで三毛猫も、仕方なく、仕事にかかりはじめましたがやっぱりたびたびこわい目をしてかま猫を見ていました。

こんな工合《ぐあい》ですからかま猫は実につらいのでした。

かま猫はあたりまえの猫になろうと何べん窓の外にねて見ましたが、どうしても夜中に寒くてくしゃみが出てたまらないので、やっぱり仕方なく竈《かまど》のなかに入るのでした。

なぜそんなに寒くなるかというのに皮がうすいためで、なぜ皮が薄《うす》いかというのに、それは土用に生れたからです。やっぱり僕が悪いんだ、仕方ないなあと、かま猫は考えて、なみだをまん円な眼一杯《いっぱい》にためました。

けれども事務長さんがあんなに親切にして下さる、それにかま猫仲間のみんながあんなに僕の事務所に居るのを名誉《めいよ》に思ってよろこぶのだ、どんなにつらくてもぼくはやめないぞ、きっとこらえるぞと、かま猫は泣きながら、にぎりこぶしを握《にぎ》りました。

ところがその事務長も、あてにならなくなりました。それは猫《ねこ》なんていうものは、賢《かしこ》いようでばかなものです。ある時、かま猫は運わるく風邪《かぜ》を引いて、足のつけねを椀《わん》のように腫《は》らし、どうしても歩けませんでしたから、とうとう一日やすんでしまいました。かま猫のもがきようといったらありません。泣いて泣いて泣きました。納屋《なや》の小さな窓から射《さ》し込んで来る黄いろな光をながめながら、一日一杯眼《め》をこすって泣いていました。

その間に事務所ではこういう風でした。

「はてな、今日はかま猫君がまだ来んね。遅いね。」と事務長が、仕事のたえ間に云《い》いました。

「なあに、海岸へでも遊びに行ったんでしょう。」白猫が云いました。

「いいやどこかの宴会《えんかい》にでも呼ばれて行ったろう」虎猫《とらねこ》が云いました。

「今日どこかに宴会があるか。」事務長はびっくりしてたずねました。猫の宴会に自分の呼ばれないものなどある筈《はず》はないと思ったのです。

「何でも北の方で開校式があるとか云いましたよ。」

「そうか。」黒猫はだまって考え込みました。

「どうしてどうしてかま猫は、」三毛猫が云い出しました。「この頃《ごろ》はあちこちへ呼ばれているよ。何でもこんどは、おれが事務長になるとか云ってるそうだ。だから馬鹿なやつらがこわがってあらんかぎりご機嫌《きげん》をとるのだ。」

「本とうかい。それは。」黒猫がどなりました。

「本とうですとも。お調べになってごらんなさい。」三毛猫が口を尖《とが》せて云いました。

「けしからん。あいつはおれはよほど目をかけてやってあるのだ。よし。おれにも考えがある。」

そして事務所はしばらくしんとしました。

さて次の日です。

かま猫は、やっと足のはれが、ひいたので、よろこんで朝早く、ごうごう風の吹《ふ》くなかを事務所へ来ました。するといつも来るとすぐ表紙を撫《な》でて見るほど大切な自分の原簿《げんぼ》が、自分の机の上からなくなって、向う隣《どな》り三つの机に分けてあります。

「ああ、昨日は忙《いそ》がしかったんだな、」かま猫は、なぜか胸をどきどきさせながら、かすれた声で独りごとしました。

ガタッ。扉《と》が開いて三毛猫がはいって来ました。

「お早うございます。」かま猫は立って挨拶《あいさつ》しましたが、三毛猫はだまって腰かけて、あとはいかにも忙がしそうに帳面を繰《く》っています。ガタン。ピシャン。虎猫がはいって来ました。

「お早うございます。」かま猫は立って挨拶しましたが、虎猫は見向きもしません。

「お早うございます。」三毛猫が云いました。

「お早う、どうもひどい風だね。」虎猫もすぐ帳面を繰りはじめました。

ガタッ、ピシャーン。白猫が入って来ました。

「お早うございます。」虎猫と三毛猫が一緒《いっしょ》に挨拶しました。

「いや、お早う、ひどい風だね。」白猫も忙がしそうに仕事にかかりました。その時かま猫は力なく立ってだまっておじぎをしましたが、白猫はまるで知らないふりをしています。

ガタン、ピシャリ。

「ふう、ずいぶんひどい風だね。」事務長の黒猫が入って来ました。

「お早うございます。」三人はすばやく立っておじぎをしました。かま猫もぼんやり立って、下を向いたままおじぎをしました。

「まるで暴風だね、ええ。」黒猫は、かま猫を見ないで斯《こ》う言いながら、もうすぐ仕事をはじめました。

「さあ、今日は昨日《きのう》のつづきのアンモニアックの兄弟を調べて回答しなければならん。二番書記、アンモニアック兄弟の中で、南極へ行ったのは誰《たれ》だ。」仕事がはじまりました。かま猫はだまってうつむいていました。原簿がないのです。それを何とか云いたくっても、もう声が出ませんでした。

「パン、ポラリスであります。」虎猫が答えました。

「よろしい、パン、ポラリスを詳述せよ。」と黒猫が云います。ああ、これがぼくの仕事だ、原簿、原簿、とかま猫はまるで泣くように思いました。

「パン、ポラリス、南極探険の帰途《きと》、ヤップ島沖《おき》にて死亡、遺骸《いがい》は水葬《すいそう》せらる。」一番書記の白猫が、かま猫の原簿で読んでいます。かま猫はもうかなしくて、かなしくて頬《ほほ》のあたりが酸《す》っぱくなり、そこらがきいんと鳴ったりするのをじっとこらえてうつむいて居《お》りました。

事務所の中は、だんだん忙しく湯の様になって、仕事はずんずん進みました。みんな、ほんの時々、ちらっとこっちを見るだけで、ただ一ことも云いません。

そしておひるになりました。かま猫は、持って来た弁当も喰《た》べず、じっと膝《ひざ》に手を置いてうつむいて居りました。

とうとうひるすぎの一時から、かま猫はしくしく泣きはじめました。そして晩方まで三時間ほど泣いたりやめたりまた泣きだしたりしたのです。

それでもみんなはそんなこと、一向知らないというように面白《おもしろ》そうに仕事をしていました。

その時です。猫どもは気が付きませんでしたが、事務長のうしろの窓の向うにいかめしい獅子《しし》の金いろの頭が見えました。

獅子は不審《ふしん》そうに、しばらく中を見ていましたが、いきなり戸口を叩《たた》いてはいって来ました。猫どもの愕《おど》ろきようといったらありません。うろうろうろうろそこらをあるきまわるだけです。かま猫だけが泣くのをやめて、まっすぐ立ちました。

獅子が大きなしっかりした声で云いました。

「お前たちは何をしているか。そんなことで地理も歴史も要《い》ったはなしでない。やめてしまえ。えい。解散を命ずる」

こうして事務所は廃止《はいし》になりました。

ぼくは半分獅子《しし》に同感です。

北守《ほくしゅ》将軍と三人兄弟の医者

一、三人兄弟の医者

むかしラユーという首都に、*兄弟三人の医者がいた。いちばん上のリンパーは、普《ふ》通《つう》の人の医者だった。その弟のリンプーは、馬や羊の医者だった。いちばん末のリンポーは、草だの木だのの医者だった。そして兄弟三人は、町のいちばん南にあたる、黄いろな崖《がけ》のとっぱなへ、青い瓦《かわら》の病院を、三つならべて建てていて、てんでに白や朱の旗を、風にぱたぱた云《い》わせていた。

坂のふもとで見ていると、漆《うるし》にかぶれた坊《ぼう》さんや、少しびっこをひく馬や、萎《しお》れかかった牡《ぼ》丹《たん》の鉢《はち》を、車につけて引く園丁や、いんこを入れた鳥籠《とりかご》や、次から次とのぼって行って、さて坂上に行き着くと、病気の人は、左のリンパー先生へ、馬や羊や鳥《とり》類は、中のリンプー先生へ、草木をもった人たちは、右のリンポー先生へ、三つにわかれてはいるのだった。

さて三人は三人とも、実に医術もよくできて、また仁心《じんしん》も相当あって、たしかにもはや名医の類《るい》であったのだが、まだいい機会《おり》がなかったために別に位もなかったし、遠くへ名前も聞えなかった。ところがとうとうある日のこと、ふしぎなことが起ってきた。

二、北守将軍ソンバーユー＊

ある日のちょうど日の出ごろ、ラユーの町の人たちは、はるかな北の野原の方で、鳥か何かがたくさん群れて、声をそろえて鳴くような、おかしな音を、ときどき聴《き》いた。はじめは誰《だれ》も気にかけず、店を掃《は》いたりしていたが、朝めしすこしすぎたころ、だんだんそれが近づいて、みんな立派なチャルメラや、ラッパの音だとわかってくると、町じゅうにわかにざわざわした。その間にはぱたぱたいう、太鼓《たいこ》の類の音もする。もう商人《あきゅうど》も職人も、仕事がすこしも手につかない。門を守った兵隊たちは、まず門をみなしっかりとざし、町をめぐった壁《かべ》の上には、見張りの者をならべて置いて、それからお宮へ知らせを出した。

そしてその日の午《ひる》ちかく、ひづめの音や鎧《よろい》の気配、また号令の声もして、向うはすっかり、この町を、囲んでしまった模様であった。

番兵たちや、あらゆる町の人たちが、まるでどきどきやりながら、矢を射る孔《あな》からのぞいて見た。壁の外から北の方、まるで雲霞《うんか》の軍勢だ。ひらひらひかる三角旗や、ほこがさながら林のようだ。ことになんとも奇体《きたい》なことは、兵隊たちが、みな灰いろでぼさぼさして、なんだかけむりのようなのだ。するどい眼《め》をして、ひげが二いろまっ白な、せなかのまがった大将が、尻尾《しっぽ》が箒《ほうき》のかたちになって、うしろにぴんとのびている白馬《はくば》に乗って先頭に立ち、大きな剣を空にあげ、声高々と歌っている。

「北守将軍ソンバーユーは
いま塞外《さいがい》の砂《さ》漠《ばく》から
やっとのことで戻《もど》ってきた。
勇ましい凱旋《がいせん》だと云いたいが
実はすっかり参って来たのだ
とにかくあすこは寒い処《ところ》さ。
三十年という黄いろなむかし
おれは十万の軍勢をひきい

この門をくぐって威張《いば》って行った。
それからどうだもう見るものは空ばかり
風は乾《かわ》いて砂を吹き
雁《かり》さえ干《ほ》せてたびたび落ちた
おれはその間馬でかけ通し
馬がつかれてたびたびペタンと座《すわ》り
涙《なみだ》をためてはじっと遠くの砂を見た。
その度《たび》ごとにおれは鎧のかくしから
塩をすこうし取り出して
馬に嘗《な》めさせては元気をつけた。
その馬も今では三十五歳
五里かけるにも四時間かかる。
それからおれはもう七十だ。
とても帰れまいと思っていたが
ありがたや敵が残らず脚気《かっけ》で死んだ
今年の夏はへんに湿気《しっき》が多かったでな。

それに脚気の原因が
あんまりこっちを追いかけて
砂を走ったためなんだ
そうしてみればどうだやっぱり凱旋だろう。
殊《こと》にも一つほめられていいことは
十万人もでかけたものが
九万人まで戻って来た。
死んだやつらは気の毒だが
三十年の間には
たとえいくさに行かなくたって
一割ぐらいは死ぬんじゃないか。
そこでラユーのむかしのともよ
またこどもらよきょうだいよ
北守将軍ソンバーユーと
その軍勢が帰ったのだ
門をあけてもいいではないか。」

さあ城壁《じょうへき》のこっちでは、湧《わ》きたつような騒動《そうどう》だ。うれしまぎれに泣くものや、両手をあげて走るもの、じぶんで門をあけようとして、番兵たちに叱《しか》られるもの、もちろん王のお宮へは使《つかい》が急いで走って行き、城門の扉《と》はぴしゃんと開《あ》いた。おもての方の兵隊たちも、もううれしくて、馬にすがって泣いている。

顔から肩《かた》から灰いろの、北守将軍ソンバーユーは、わざとくしゃくしゃ顔をしかめ、しずかに馬のたづなをとって、まっすぐを向いて先登に立ち、それからラッパや太鼓の類、三角ばたのついた槍《やり》、まっ青に錆《さ》びた銅のほこ、それから白い矢をしょった、兵隊たちが入ってくる。馬は太鼓に歩調を合せ、殊にもさきのソン将軍の白馬《しろうま》は、歩くたんびに膝《ひざ》がぎちぎち音がして、ちょうどひょうしをとるようだ。兵隊たちは軍歌をうたう。

「みそかの晩とついたちは＊
　砂漠に黒い月が立つ。
　西と南の風の夜は
　月は冬でもまっ赤だよ。
　雁《がん》が高みを飛ぶときは
　敵が遠くへ遁《に》げるのだ。

追おうと馬にまたがれば
にわかに雪がどしゃぶりだ。」

兵隊たちは進んで行った。九万の兵というものはただ見ただけでもぐったりする。

「雪の降る日はひるまでも*
そらはいちめんまっくらで
わずかに雁の行くみちが
ぼんやり白く見えるのだ。
砂がこごえて飛んできて
枯《か》れたよもぎをひっこぬく。
抜《ぬ》けたよもぎは次次と
都の方へ飛んで行く。」

みんなは、みちの両側に、垣《かき》をきずいて、ぞろっとならび、泪《なみだ》を流してこれを見た。

かくて、バーユー将軍が、三町ばかり進んで行って、町の広場についたとき、向うのお宮の方角から、黄いろな旗がひらひらして、誰《たれ》かこっちへやってくる。これはたしかに知らせが行って、王から迎《むか》いが来たのである。

ソン将軍は馬をとめ、ひたいに高く手をかざし、よくよくそれを見きわめて、それから俄《にわ》かに一礼し、急いで、馬を降りようとした。ところが馬を降りれない、もう将軍の両足は、しっかり馬の鞍《くら》につき、鞍はこんどは、がっしりと馬の背中にくっついて、もうどうしてもはなれない。さすが豪気《ごうぎ》の将軍も、すっかりあわてて赤くなり、口をびくびく横に曲げ、一生けん命、はね下りようとするのだが、どうにもからだがうごかなかった。ああこれこそじつに将軍が、三十年も、国境の空気の乾いた砂漠のなかで、重いつとめを肩に負い、一度も馬を下りないために、馬とひとつになったのだ。おまけに砂漠のまん中で、どこにも草の生えるところがなかったために、多分はそれが将軍の顔を見付けて生えたのだろう。灰いろをしたふしぎなものがもう将軍の顔や手や、まるでいちめん生えていた。兵隊たちにも生えていた。そのうち使いの大臣は、だんだん近くやって来て、もうまっさきの大きな槍や、旗のしるしも見えて来た。

将軍、馬を下りなさい。王様からのお迎いです。将軍、馬を下りなさい。向うの列で誰《だれ》か云う。将軍はまた手をばたばたしたが、やっぱりからだがはなれない。

ところが迎いの大臣は、鮒《ふな》よりひどい近眼だった。わざと馬から下りないで、両手を振《ふ》って、みんなに何か命令してると考えた。

「謀叛《むほん》だな。よし。引き上げろ。」そう大臣はみんなに云った。そこで大臣一行は、くるっと馬を立て直し、黄いろな塵《ちり》をあげながら、一目散《いちもくさん》に戻って行く。ソン将軍はこれを見て肩をすぼめてため息をつき、しばらくぼんやりしていたが、俄かにうしろを振り向いて、軍師の長《ちょう》を呼び寄せた。

「おまえはすぐに鎧《よろい》を脱いで、おれの刀と弓をもち、早くお宮へ行ってくれ。それから誰かにこう云うのだ。北守将軍ソンバーユーは、あの国境の砂漠《さばく》の上で、三十年のひるも夜も、馬から下りるひまがなく、とうとうからだが鞍につき、そのまた鞍が馬について、どうにもお前へ出られません。これからお医者に行きまして、やがて参内《さんだい》いたします。こうていねいに云ってくれ。」

軍師の長はうなずいて、すばやく鎧と兜《かぶと》を脱ぎ、ソン将軍の刀をもって、一目散にかけて行く。ソン将軍はみんなに云った。

「全軍しずかに馬をおり、兜をぬいで地に座《すわ》れ。ソン大将はただ今から、ちょっとお医者へ行ってくる。そのうち音をたてないで、じいっとやすんでいてくれい。わかったか。」

「わかりました。将軍」兵隊共は声をそろえて一度に叫《さけ》ぶ。将軍はそれを手で制し、急いで馬に鞭《むち》うった。たびたびぺたんと砂漠に寝《ね》た、この有名な白馬《しろうま》は、ここで最後の力を出し、がたがたがたがた鳴りながら、風より早くかけ出した。さて将軍は十町ばかり、夢中《むちゅう》で馬を走らせて、大きな坂の下に来た。それから俄かにこう云った。

「上手な医者はいったい誰《だれ》だ。」

一人の大工が返事した。

「それはリンパー先生です。」

「そのリンパーはどこに居る。」

「すぐこの坂のま上です。あの三つある旗のうち、一番左でございます。」

「よろしい、しゅう。」と将軍は、例の白馬《はくば》に一鞭くれて、一気に坂をかけあがる。

大工はあとでぶつぶつ云った。

「何だ、あいつは野蛮《やばん》なやつだ。ひとからものを教わって、よろしい、しゅう　とはいったいいなんだ。」

ところがバーユー将軍は、そんなことには構わない。そこらをうろうろあるいている、病人たちをはね越えて、門の前まで上っていた。なるほど門のはしらには、小医リンパー先生と、金看板がかけてある。

三、リンパー先生

さてソンバーユー将軍は、いまやリンパー先生の、大玄関《だいげんかん》を乗り切って、どしどし廊下《ろうか》へ入って行く。さすがはリンパー病院だ、どの天井《てんじょう》も室《へや》の扉《と》も、高さが二丈《じょう》＊ぐらいある。

「医者はどこかね。診《み》てもらいたい。」ソン将軍は号令した。

「あなたは一体何ですか。馬のまんまで入るとは、あんまり乱暴すぎましょう。」萌《もえ》黄《ぎ》の長い服を着て、頭を剃《そ》った一人の弟子《でし》が、馬のくつわをつかまえた。

「おまえが医者のリンパーか、早くわが輩の病気を診ろ。」

「いいえ、リンパー先生は、向うの室に居られます。けれどもご用がおありなら、馬から下りていただきたい。」

「いいや、そいつができんのじゃ。馬からすぐに下りれたら、今ごろはもう王様の前へ行ってた筈《はず》なんじゃ。」

「ははあ、馬から降りられない。そいつは脚《あし》の硬直《こうちょく》だ。そんならいいです。おいでなさい。」

弟子は向うの扉をあけた。ソン将軍はぱかぱかと馬を鳴らしてはいって行った。中には人がいっぱいで、そのまん中に先生らしい、小さな人が床几《しょうぎ》に座り、しきりに一人の眼《め》を診ている。

「ひとつこっちをたのむのじゃ。馬から降りられないでのう。」そう将軍はやさしく云った。ところがリンパー先生は、見向きもしないし動きもしない。やっぱりじっと眼を見ている。

「おい、きみ、早くこっちを見んか。」将軍が怒鳴《どな》り出したので、病人たちはびくっとした。ところが弟子がしずかに云った。

「診るには番がありますからな。あなたは九十六番で、いまは六人目ですから、もう九十人お待ちなさい。」

「黙《だま》れ、きさまは我輩に、七十二人待てっと云うか。おれを誰《だれ》だと考える。北守将軍ソンバーユーだ。九万人もの兵隊を、町の広場に待たせてある。おれが一人を待つことは七万二千の兵隊が、向うの方で待つことだ。すぐ見ないならけちらすぞ。」将軍はもう鞭《むち》をあげ馬は一いきはねあがり、病人たちは泣きだした。ところがリンパー先生は、やっぱりびくともしていない、てんでこっちを見もしない。その先生の右手から、黄の綾《あや》を着た娘《むすめ》が立って、花瓶《かびん》にさした何かの花を、一枝《えだ》とって水につけ、やさしく馬につきつけた。馬はぱくっとそれを嚙《か》み、大きな息を一つして、ぺたんと四《よっ》つ脚を折り、今度はごうごういびきをかいて、首を落してねむってしまう。ソン将軍はまごついた。

「あ、馬のやつ、又《また》参ったな。困った。困った。困った。」と云って、急いで鎧《よろい》のかくしから、塩の袋《ふくろ》をとりだして、馬に喰《た》べさせようとする。

「おい、起きんかい。あんまり情けないやつだ。あんなにひどく難儀《なんぎ》して、やっと都に帰って来ると、すぐ気がゆるんで死ぬなんて、ぜんたいどういう考なのか。こら、起きんかい。起きんかい。しっ、ふう、どう、おい、この塩を、ほんの一口たべんかい。」それでも馬は、やっぱりぐうぐうねむっている。ソン将軍はとうとう泣いた。

「おい、きみ、わしはとにかくに、馬だけどうかみてくれたまえ。こいつは北の国境で、三十年もはたらいたのだ。」

むすめはだまって笑っていたが、このときリンパー先生が、いきなりこっちを振《ふ》り向いて、まるで将軍の胸底《むなそこ》から、馬の頭も見徹《みとお》すような、するどい眼《め》をしてしずかに云った。

「馬はまもなく治ります。あなたの病気をしらべるために、馬を座らせただけです。あなたはそれで向うの方で、何か病気をしましたか。」

「いいや、病気はしなかった。病気は別にしなかったが、狐《きつね》のために欺《だま》されて、どうもときどき困ったじゃ。」

「それは、どういう風ですか。」

「向うの狐はいかんのじゃ。十万近い軍勢を、ただ一ぺんに欺すんじゃ。夜に沢山《たくさん》火をともしたり、昼間いきなり砂漠の上に、大きな海をこしらえて、城や何かも出したりする。全くたちが悪いんじゃ。」

「それを狐がしますのですか。」

「狐とそれから、砂鶻《サコツ》*じゃね、砂鶻というて鳥なんじゃ。こいつは人の居《お》らないときは、高い処《ところ》を飛んでいて、誰《だれ》かを見ると試しに来る。馬のしっぽを抜《ぬ》いたりね。目をねらったりするもんで、こいつがでたらもう馬は、がたがたふるえてようあるかんね。」

「そんなら一ぺん欺されると、何日ぐらいでよくなりますか。」

「まあ四日じゃね。五日のときもあるようじゃ。」

「それであなたは今までに、何べんぐらい欺されました？」

「ごく少くて十ぺんじゃろう。」

「それではお尋《たず》ねいたします。百と百とを加えると答はいくらになりますか。」

「百八十じゃ。」

「それでは二百と二百では。」

「さよう、三百六十だろう。」

「そんなら一つ伺《うかが》いますが、十の二倍は何ほどですか。」

「それはもちろん十八じゃ。」

「なるほど、すっかりわかりました。あなたは今でもまだ少し、砂漠のためにつかれています。つまり十パーセントです。それではなおしてあげましょう。」

パー先生は両手をふって、弟子にしたくを云《い》い付けた。弟子は大きな銅鉢《どうばち》に、何かの薬をいっぱい盛《も》って、布巾《ふきん》を添《そ》えて持って来た。ソン将軍は両手を出して鉢をきちんと受けとった。パー先生は片袖《かたそで》まくり、布巾に薬をいっぱいひたし、かぶとの上からざぶざぶかけて、両手でそれをゆすぶると、兜《かぶと》はすぐにすぽりととれた。弟子がもう一人、もひとつ別の銅鉢へ、別の薬をもってきた。そこでリンパー先生は、別の薬でじゃぶじゃぶ洗う。雫《しずく》はまるでまっ黒だ。ソン将軍は心配そうに、うつむいたまま訊《き》いている。

「どうかね、馬は大丈夫かね。」

「もうじきです。」とパー先生は、つづけてじゃぶじゃぶ洗っている。雫がだんだん茶いろになって、それからうすい黄いろになった。それからとうとうもう色もなく、ソン将軍の白髪《はくはつ》は、熊《くま》より白く輝いた。そこでリンパー先生は、布巾を捨てて両手を洗い、弟子は頭と顔を拭《ふ》く。将軍はぶるっと身ぶるいして、馬にきちんと起きあがる。

「どうです、せいせいしたでしょう。ところで百と百とをたすと、答はいくらになりますか。」

「もちろんそれは二百だろう。」

「そんなら二百と二百とたせば。」

「さよう、四百にちがいない。」

「十の二倍はどれだけですか。」

「それはもちろん二十じゃな。」さっきのことは忘れた風で、ソン将軍はけろりと云う。

「すっかりおなおりなりました。つまり頭の目がふさがって、一割いけなかったのですな。」

「いやいや、わしは勘定《かんじょう》などの、十や二十はどうでもいいんじゃ。それは算師がやるでのう。わしは早速この馬と、わしをはなしてもらいたいんじゃ。」

「なるほどそれはあなたの足を、あなたの服と引きはなすのは、すぐ私に出来るです。いやもう離《はな》れている筈《はず》です。けれども、ずぼんが鞍《くら》につき、鞍がまた馬についたのを、はなすというのは別ですな。それはとなりで、私の弟がやっていますから、そっちへおいでいただきます。それにいったいこの馬もひどい病気にかかっています。」

「そんならわしの顔から生えた、このもじゃもじゃはどうじゃろう。」

「そちらもやっぱり向うです。とにかくひとつとなりの方へ、弟子をお供に出しましょう。」

「それではそっちへ行くとしよう。ではさようなら。」

さっきの白いきものをつけた、むすめが馬の右耳に、息を一つ吹《ふ》き込んだ。馬はがばっとはねあがり、ソン将軍は俄かに背《せい》が高くなる。将軍は馬のたづなをとり、弟子とならんで室《へや》を出る。それから庭《にわ》をよこぎって厚い土塀《どべい》の前に来た。小さな潜《くぐ》りがあいている。

「いま裏門をあけさせましょう。」助手は潜りを入って行く。

「いいや、それには及ばない。わたしの馬はこれぐらい、まるで何とも思ってやしない。」

将軍は馬にむちをやる。

ぎっ、ばっ、ふう。馬は土塀をはね越《こ》えて、となりのリンプー先生の、けしのはたけをめちゃくちゃに、踏《ふ》みつけながら立っていた。

四、馬医リンプー先生

ソン将軍が、お医者の弟子と、けしの畑をふみつけて向うの方へ歩いて行くと、もうあっちからもこっちからも、ぶるるるふうというような、馬の仲間の声がする。そして二人が正面の、巨《おお》きな棟《むね》にはいって行くと、もう四方から馬どもが、二十疋《ぴき》もかけて来て、蹄《ひづめ》をことこと鳴らしたり、頭をぶらぶらしたりして、将軍の馬に挨拶《あいさつ》する。向うでリンプー先生は、首のまがった茶いろの馬に、白い薬を塗《ぬ》っている。さっきの弟子が進んで行って、ちょっと何かをささやくと、馬医のリンプー先生は、わらってこっちをふりむいた。巨きな鉄の胸甲《むなあて》を、がっしりはめていることは、ちょうどやっぱり鎧《よろい》のようだ。馬にけられぬためらしい。将軍はすぐその前へ、じぶんの馬を乗りつけた。

「あなたがリンプー先生か。わしは将軍ソンバーユーじゃ。何分ひとつたのみたい。」

「いや、その由《よし》を伺《うかが》いました。あなたのお馬はたしか三十九ぐらいですな。」

「四捨五入して、そうじゃ、やっぱり三十九じゃな。」

「ははあ、ただいま手術いたします。あなたは馬の上に居て、すこし煙《けむ》いかしれません。それをご承知くださいますか。」

「煙い？　なんのどうして煙《けむ》ぐらい、砂漠《さばく》で風の吹くときは、一分間に四十五以上、馬を跳躍《ちょうやく》させるんじゃ。それを三つも、やすんだら、もう頭まで埋《う》まるんじゃ。」

「ははあ、それではやりましょう。おい、フーシュ。」プー先生は弟子を呼ぶ。弟子はおじぎを一つして、小さな壺《つぼ》をもって来た。プー先生は蓋《ふた》をとり、何か茶いろな薬を出して、馬の眼《まなこ》に塗《ぬ》りつけた。それから「フーシュ」とまた呼んだ。弟子はおじぎを一つして、となりの室《へや》へ入って行って、しばらくごとごとしていたが、まもなく赤い小さな餅《もち》を、皿《さら》にのっけて帰って来た。先生はそれをつまみあげ、しばらく指ではさんだり、匂《におい》をかいだりしていたが、何か決心したらしく、馬にぱくりと喰べさせた。ソン将軍は、その白馬《しろうま》の上に居て、待ちくたびれてあくびをした。すると俄《にわ》かに白馬は、がたがたがたがたふるえ出しそれからからだ一面に、あせとけむりを噴《ふ》き出した。プー先生はこわそうに、遠くへ行ってながめている。がたがたがたがた鳴りながら、馬はけむりをつづけて噴いた。そのまた煙が無暗《むやみ》に辛《から》い。ソン将軍も、はじめは我慢《がまん》していたが、とうとう両手を眼にあてて、ごほんごほんとせきをした。そのうちだんだんけむりは消えてこんどは、汗《あせ》が滝《たき》よりひどくながれだす。プー先生は近くへよって、両手をちょっと鞍にあて、二っつばかりゆすぶった。

たちまち鞍はすぱりとはなれ、はずみを食った将軍は、床《ゆか》にすとんと落された。ところがさすが将軍だ。いつかきちんと立っている。おまけに鞍と将軍も、もうすっかりとはなれていて、将軍はまがった両足を、両手でぱしゃぱしゃ叩《たた》いたし、馬は俄かに荷がなくなって、さも見当がつかないらしく、せなかをゆらゆらゆすぶった。するとリンプー先生はこんどは馬のほうきのようなしっぽを持って、いきなりぐっと引っ張った。＊すると何やらまっ白な、尾の形した塊《かたまり》が、ごとりと床にころがり落ちた。馬はいかにも軽そうに、いまは全く毛だけになったしっぽを、ふさふさ振っている。弟子が三人集って、馬のからだをすっかりふいた。

「もういいだろう。歩いてごらん。」

馬はしずかに歩きだす。あんなにぎちぎち軋《きし》んだ膝《ひざ》がいまではすっかり鳴らなくなった。プー先生は手をあげて、馬をこっちへ呼び戻《もど》し、おじぎを一つ将軍にした。

「いや謝しますじゃ。それではこれで。」将軍は、急いで馬に鞍を置き、ひらりとそれにまたがれば、そこらあたりの病気の馬は、ひんひん別れの挨拶《あいさつ》をする。ソン将軍は室を出て塀《へい》をひらりと飛び越えて、となりのリンポー先生の、菊のはたけに飛び込《こ》んだ。

五、リンポー先生

さてもリンポー先生の、草木を治すその室《へや》は、林のようなものだった。あらゆる種類の木や花が、そこらいっぱいならべてあって、どれにもみんな金だの銀の、巨《おお》きな札がついている。そこを、バーユー将軍は、馬から下りて、ゆっくりと、ポー先生の前へ行く。さっきの弟子がさきまわりして、すっかり談《はな》していたらしく、ポー先生は薬の函《はこ》と大きな赤い団扇《うちわ》をもって、ごくうやうやしく待っていた。ソン将軍は手をあげて、

「これじゃ。」と顔を指さした。ポー先生は黄いろな粉を、薬函から取り出して、ソン将軍の顔から肩へ、もういっぱいにふりかけて、それから例のうちわをもって、ばたばたばたばた扇《あお》ぎ出す。するとたちまち、将軍の、顔じゅうの毛はまっ赤に変り、みんなふわふわ飛び出して、見ているうちに将軍は、すっかり顔がつるつるなった。じつにこのとき将軍は、三十年ぶりにっこりした。

「それではこれで行きますじゃ。からだもかるくなったでのう。」もう将軍はうれしくて、はやてのように室を出て、おもての馬に飛び乗れば、馬はたちまち病院の、巨

きな門を外に出た。あとから弟子が六人で、兵隊たちの顔から生えた灰いろの毛をとるために、薬の袋とうちわをもって、ソン将軍を追いかけた。

六、北守将軍仙人《せんにん》となる

さてソンバーユー将軍は、ポー先生の玄関を、光のように飛び出して、となりのリンプー病院を、はやてのごとく通り過ぎ、次のリンパー病院を、斜《なな》めに見ながらもう一散に、さっきの坂をかけ下りる。馬は五倍も速いので、もう向うには兵隊たちの、やすんでいるのが見えてきた。兵隊たちは心配そうにこっちの方を見ていたのだが、思わず歓呼の声をあげ、みんな一緒《いっしょ》に立ちあがる。そのときお宮の方からはさっきの使いの軍師の長が一目散にかけて来た。

「ああ、王様は、すっかりおわかりなりました。あなたのことをおききになって、おん涙《なみだ》さえ浮《う》かべられ、お出《い》でをお待ちでございます。」

そこへさっきの弟子たちが、薬をもってやってきた。兵隊たちはよろこんで、粉をふってはばたばた扇《あお》ぐ。そこで九万の軍隊は、もう輪廓《りんかく》もはっきりなった。

将軍は高く号令した。

「馬にまたがり、気をつけいっ。」

みんなが馬にまたがれば、まもなくそこらはしんとして、たった二疋の遅《おく》れた馬が、鼻をぶるっと鳴らしただけだ。

「前へ進めっ。」太鼓も銅鑼《どら》も鳴り出して、軍は粛々《しゅくしゅく》行進した。

やがて九万の兵隊は、お宮の前の一里の庭に縦横《じゅうおう》ちょうど三百人、四角な陣《じん》をこしらえた。

ソン将軍は馬を降り、しずかに壇《だん》をのぼって行って床に額をすりつけた。王はしずかに斯《こ》ういった。

「じつに永らくご苦労だった。これからはもうここに居て、大将たちの大将として、なお忠勤をはげんでくれ。」

北守将軍ソンバーユーは涙を垂れてお答えした。

「おことばまことに畏《かしこ》くて、何とお答えいたしていいか、とみに言葉も出《い》でませぬ。とは云えいまや私は、生きた骨ともいうような、役に立たずでございます。砂漠の中に居ました間、どこから敵が見ているか、あなどられまいと考えて、いつでもりんと胸を張り、眼を見開いて居りましたのが、いま王様のお前に出て、おほめの詞《ことば》をいただきますと、俄《にわ》かに眼さえ見えぬよう。背骨も曲ってしまいます。何卒《なにとぞ》これでお暇《ひま》を願い、郷里《きょうり》に帰りとうございます。」

「それでは誰《だれ》かおまえの代り、大将五人の名を挙げよ。」

　そこでバーユー将軍は、大将四人の名をあげた。そして残りの一人の代り、リン兄弟の三人を国のお医者におねがいした。王は早速許されたので、その場でバーユー将軍は、鎧《よろい》もぬげば兜《かぶと》もぬいで、かさかさ薄《うす》い麻《あさ》を着た。そしてじぶんの生れた村のス山《ざん》の麓《ふもと》へ帰って行って、粟《あわ》をすこうし播《ま》いたりした。それから粟の間引きもやった。けれどもそのうち将軍は、だんだんものを食わなくなってせっかくじぶんで播いたりした、粟も一口たべただけ、水をがぶがぶ呑《の》んでいた。ところが秋の終りになると、水もさっぱり呑まなくなって、ときどき空を見上げては何かしゃっくりするようなきたいな形をたびたびした。

　そのうちいつか将軍は、どこにも形が見えなくなった。そこでみんなは将軍さまは、もう仙人《せんにん》になったと云って、ス山の山のいただきへ小さなお堂をこしらえて、あの白《しろ》馬《うま》は神馬《しんば》に祭り、あかしや粟をささげたり、麻ののぼりをたてたりした。

　けれどもこのとき国手＊になった例のリンパー先生は、会う人ごとに斯ういった。

「どうして、バーユー将軍が、雲だけ食った筈《はず》はない。おれはバーユー将軍の、からだをよくみて知っている。肺と胃の腑《ふ》は同じでない。きっとどこかの林の中に、お骨《こつ》があるにちがいない。」なるほどそうかもしれないと思った人もたくさんあった。

銀河鉄道の夜

一、午后《ごご》の授業

「ではみなさんは、そういうふうに川だと云《い》われたり、乳の流れたあとだと云われたりしていたこのぼんやりと白いものがほんとうは何かご承知ですか。」先生は、黒板に吊《つる》した大きな黒い星座の図の、上から下へ白くけぶった銀河帯のようなところを指《さ》しながら、みんなに問《とい》をかけました。

カムパネルラ*が手をあげました。それから四五人手をあげました。ジョバンニ*も手をあげようとして、急いでそのままやめました。たしかにあれがみんな星だと、いつか雑誌で読んだのでしたが、このごろはジョバンニはまるで毎日教室でもねむく、本を読むひまも読む本もないので、なんだかどんなこともよくわからないという気持ちがするのでした。

ところが先生は早くもそれを見附《みつ》けたのでした。

「ジョバンニさん。あなたはわかっているのでしょう。」

ジョバンニは勢《いきお》いよく立ちあがりましたが、立って見るともうはっきりとそれを答えることができないのでした。ザネリが前の席からふりかえって、ジョバンニを見てくすっとわらいました。ジョバンニはもうどぎまぎしてまっ赤になってしまいました。先生がまた云いました。

「大きな望遠鏡で銀河をよっく調べると銀河は大体何でしょう。」

やっぱり星だとジョバンニは思いましたがこんどもすぐに答えることができませんでした。

先生はしばらく困ったようすでしたが、眼《め》をカムパネルラの方へ向けて、

「ではカムパネルラさん。」と名指しました。するとあんなに元気に手をあげたカムパネルラが、やはりもじもじ立ち上ったままやはり答えができませんでした。

先生は意外なようにしばらくじっとカムパネルラを見ていましたが、急いで「では。よし。」と云いながら、自分で星図を指しました。

「このぼんやりと白い銀河を大きないい望遠鏡で見ますと、もうたくさんの小さな星に見えるのです。ジョバンニさんそうでしょう。」

ジョバンニはまっ赤になってうなずきました。けれどもいつかジョバンニの眼のなかには涙《なみだ》がいっぱいになりました。そうだ僕《ぼく》は知っていたのだ、勿論《もちろん》カムパネルラも知っている、それはいつかカムパネルラのお父さんの博士のうちでカムパネルラといっしょに読んだ雑誌のなかにあったのだ。それどこでなくカムパネルラは、その雑誌を読むと、すぐお父さんの書斎《しょさい》から巨《おお》きな本をもってきて、ぎんがというところをひろげ、まっ黒な頁《ページ》いっぱいに白い点々のある美しい写真を二人でいつまでも見たのでした。それをカムパネルラが忘れる筈《はず》もなかったのに、すぐに返事をしなかったのは、このごろぼくが、朝にも午后にも仕事がつらく、学校に出てもうみんなともはきはき遊ばず、カムパネルラともあんまり物を云わないようになったので、カムパネルラがそれを知って気の毒がってわざと返事をしなかったのだ、そう考えるとたまらないほど、じぶんもカムパネルラもあわれなような気がするのでした。

先生はまた云いました。

「ですからもしもこの天《あま》の川《がわ》がほんとうに川だと考えるなら、その一つ一つの小さな星はみんなその川のそこの砂や砂利《じゃり》の粒《つぶ》にもあたるわけです。またこれを巨きな乳の流れと考えるならもっと天の川とよく似ています。つまりその星はみな、乳のなかにまるで細かにうかんでいる脂油《しゆ》の球にもあたるのです。そんなら何がその川の水にあたるかと云いますと、それは真空という光をある速さで伝えるもので、太陽や地球もやっぱりそのなかに浮《うか》んでいるのです。つまりは私どもも天の川の水のなかに棲《す》んでいるわけです。そしてその天の川の水のなかから四方を見ると、ちょうど水が深いほど青く見えるように、天の川の底の深く遠いところほど星がたくさん集って見えしたがって白くぼんやり見えるのです。この模型をごらんなさい。」

先生は中にたくさん光る砂のつぶの入った大きな両面の凸《とつ》レンズを指しました。

「天の川の形はちょうどこんななのです。このいちいちの光るつぶがみんな私どもの太陽と同じようにじぶんで光っている星だと考えます。私どもの太陽がこのほぼ中ごろにあって地球がそのすぐ近くにあるとします。みなさんは夜にこのまん中に立ってこのレンズの中を見まわすとしてごらんなさい。こっちの方はレンズが薄《うす》いのでわずかの光る粒即《すなわ》ち星しか見えないのでしょう。こっちやこっちの方はガラスが厚いので、光る粒即ち星がたくさん見えその遠いのはぼうっと白く見えるというこれがつまり今日の銀河の説*なのです。そんならこのレンズの大きさがどれ位あるかまたその中のさまざまの星についてはもう時間ですからこの次の理科の時間にお話します。では今日はその銀河のお祭なのですからみなさんは外へでてよくそらをごらんなさい。ではここまでです。本やノートをおしまいなさい。」

そして教室中はしばらく机《つくえ》の蓋《ふた》をあけたりしめたり本を重ねたりする音がいっぱいでしたがまもなくみんなはきちんと立って礼をすると教室を出ました。

二、活版所

ジョバンニが学校の門を出るとき、同じ組の七八人は家へ帰らずカムパネルラをまん中にして校庭の隅《すみ》の桜《さくら》の木のところに集まっていました。それはこんやの星祭に青いあかりをこしらえて川へ流す烏瓜《からすうり》*を取りに行く相談らしかったのです。けれどもジョバンニは手を大きく振《ふ》ってどしどし学校の門を出て来ました。すると町の家々ではこんやの銀河の祭りにいちいの葉の玉をつるしたりひのきの枝《えだ》にあかりをつけたりいろいろ仕度《したく》をしているのでした。

家へは帰らずジョバンニが町を三つ曲ってある大きな活版処にはいってすぐ入口の計算台に居ただぶだぶの白いシャツを着た人におじぎをしてジョバンニは靴《くつ》をぬいで上りますと、突《つ》き当りの大きな扉《と》をあけました。中にはまだ昼なのに電燈がついてたくさんの輪転器がばたりばたりとまわり、きれで頭をしばったりラムプシェードをかけたりした人たちが、何か歌うように読んだり数えたりしながらたくさん働いて居《お》りました。

ジョバンニはすぐ入口から三番目の高い卓子《テーブル》に座《すわ》った人の所へ行っておじぎをしました。その人はしばらく棚《たな》をさがしてから、

「これだけ拾って行けるかね。」と云いながら、一枚の紙切れを渡《わた》しました。ジョバンニはその人の卓子の足もとから一つの小さな平たい函《はこ》をとりだして向うの電燈のたくさんついた、たてかけてある壁《かべ》の隅の所へしゃがみ込《こ》むと小さなピンセットでまるで粟粒《あわつぶ》ぐらいの活字を次から次と拾いはじめました。青い胸あてをした人がジョバンニのうしろを通りながら、

「よう、虫めがね君、お早う。」と云いますと、近くの四五人の人たちが声もたてずこっちも向かずに冷くわらいました。

ジョバンニは何べんも眼を拭《ぬぐ》いながら活字をだんだんひろいました。

六時がうってしばらくたったころ、ジョバンニは拾った活字をいっぱいに入れた平たい箱《はこ》をもういちど手にもった紙きれと引き合せてから、さっきの卓子の人へ持って来ました。その人は黙《だま》ってそれを受け取って微《かす》かにうなずきました。

ジョバンニはおじぎをすると扉をあけてさっきの計算台のところに来ました。するとさっきの白服を着た人がやっぱりだまって小さな銀貨を一つジョバンニに渡しまし

た。ジョバンニは俄《にわ》かに顔いろがよくなって威勢《いせい》よくおじぎをすると台の下に置いた鞄《かばん》をもっておもてへ飛びだしました。それから元気よく口笛《くちぶえ》を吹《ふ》きながらパン屋へ寄ってパンの塊《かたまり》を一つと角砂糖を一袋《ふくろ》買いますと一目散《いちもくさん》に走りだしました。

三、家

ジョバンニが勢《いきおい》よく帰って来たのは、ある裏町の小さな家でした。その三つならんだ入口の一番左側には空箱に紫《むらさき》いろのケール*やアスパラガスが植えてあって小さな二つの窓には日覆《ひおお》いが下りたままになっていました。

「お母《つか》さん。いま帰ったよ。工合《ぐあい》悪くなかったの。」ジョバンニは靴をぬぎながら云いました。

「ああ、ジョバンニ、お仕事がひどかったろう。今日は涼《すず》しくてね。わたしはずうっと工合がいいよ。」

ジョバンニは玄関《げんかん》を上って行きますとジョバンニのお母さんがすぐ入口の室《へや》に白い巾《きれ》を被《かぶ》って寝《やす》んでいたのでした。ジョバンニは窓をあけました。

「お母さん。今日は角砂糖を買ってきたよ。牛乳に入れてあげようと思って。」

「ああ、お前さきにおあがり。あたしはまだほしくないんだから。」

「お母さん。姉さんはいつ帰ったの。」

「ああ三時ころ帰ったよ。みんなそこらをしてくれてね。」

「お母さんの牛乳は来ていないんだろうか。」

「来なかったろうかねえ。」

「ぼく行ってとって来よう。」

「あああたしはゆっくりでいいんだからお前さきにおあがり、姉さんがね、トマトで何かこしらえてそこへ置いて行ったよ。」

「ではぼくたべよう。」

ジョバンニは窓のところからトマトの皿《さら》をとってパンといっしょにしばらくむしゃむしゃたべました。

「ねえお母さん。ぼくお父さんはきっと間もなく帰ってくると思うよ。」

「あああたしもそう思う。けれどもおまえはどうしてそう思うの。」

「だって今朝の新聞に今年は北の方の漁は大へんよかったと書いてあったよ。」

「ああだけどねえ、お父さんは漁へ出ていないかもしれない。」

「きっと出ているよ。お父さんが監獄《かんごく》へ入るようなそんな悪いことをした筈《はず》がないんだ。この前お父さんが持ってきて学校へ寄贈《きぞう》した巨《おお》きな蟹《かに》の甲《こう》らだのとなかいの角だの今だってみんな標本室にあるんだ。六年生なんか授業のとき先生がかわるがわる教室へ持って行くよ。一昨年修学旅行で〔以下数文字分空白〕

「お父さんはこの次はおまえにラッコの上着をもってくるといったねえ。」

「みんながぼくにあうとそれを云うよ。ひやかすように云うんだ。」

「おまえに悪口を云うの。」

「うん、けれどもカムパネルラなんか決して云わない。カムパネルラはみんながそんなことを云うときは気の毒そうにしているよ。」

「あの人はうちのお父さんとはちょうどおまえたちのように小さいときからのお友達だったそうだよ。」

「ああだからお父さんはぼくをつれてカムパネルラのうちへもつれて行ったよ。あのころはよかったなあ。ぼくは学校から帰る途中《とちゅう》たびたびカムパネルラのうちに寄った。カムパネルラのうちにはアルコールラムプで走る汽車があったんだ。レールを七つ組み合せると円くなってそれに電柱や信号標もついていて信号標のあかりは汽車が通るときだけ青くなるようになっていたんだ。いつかアルコールがなくなったとき石油をつかったら、罐《かま》がすっかり煤《すす》けたよ。」

「そうかねえ。」

「いまも毎朝新聞をまわしに行くよ。けれどもいつでも家中まだしぃんとしているからな。」

「早いからねえ。」

「ザウエルという犬がいるよ。*しっぽがまるで箒《ほうき》のようだ。ぼくが行くと鼻を鳴らしてついてくるよ。ずうっと町の角までついてくる。もっとついてくることもあるよ。今夜はみんなで烏瓜《からすうり》のあかりを川へながしに行くんだって。きっと犬もついて行くよ。」

「そうだ。今晩は銀河のお祭だねえ。」

「うん。ぼく牛乳をとりながら見てくるよ。」

「ああ行っておいで。川へははいらないでね。」

「ああぼく岸から見るだけなんだ。一時間で行ってくるよ。」

「もっと遊んでおいで。カムパネルラさんと一緒《いっしょ》なら心配はないから。」

「ああきっと一緒だよ。お母さん、窓をしめて置こうか。」

「ああ、どうか。もう涼しいからね」

ジョバンニは立って窓をしめお皿やパンの袋を片附《かたづ》けると勢よく靴をはいて

「では一時間半で帰ってくるよ。」と云いながら暗い戸口を出ました。

四、ケンタウル祭の夜

ジョバンニは、口笛を吹いているようなさびしい口付きで、檜《ひのき》のまっ黒にならんだ町の坂を下りて来たのでした。

坂の下に大きな一つの街燈が、青白く立派に光って立っていました。ジョバンニが、どんどん電燈の方へ下りて行きますと、いままでばけもののように、長くぼんやり、うしろへ引いていたジョバンニの影《かげ》ぼうしは、だんだん濃《こ》く黒くはっきりなって、足をあげたり手を振《ふ》ったり、ジョバンニの横の方へまわって来るのでした。

(ぼくは立派な機関車だ。ここは勾配《こうばい》だから速いぞ。ぼくはいまその電燈を通り越《こ》す。そうら、こんどはぼくの影法師はコムパスだ。あんなにくるっとまわって、前の方へ来た。)

とジョバンニが思いながら、大股《おおまた》にその街燈の下を通り過ぎたとき、いきなりひるまのザネリが、新らしいえりの尖《とが》ったシャツを着て電燈の向う側の暗い小路《こうじ》から出て来て、ひらっとジョバンニとすれちがいました。

「ザネリ、烏瓜ながしに行くの。」ジョバンニがまだそう云ってしまわないうちに、

「ジョバンニ、お父さんから、らっこの上着が来るよ。」その子が投げつけるようにうしろから叫《さけ》びました。

ジョバンニは、ばっと胸がつめたくなり、そこら中きぃんと鳴るように思いました。

「何だい。ザネリ。」とジョバンニは高く叫び返しましたがもうザネリは向うのひばの植った家の中へはいっていました。

「ザネリはどうしてぼくがなんにもしないのにあんなことを云うのだろう。走るときはまるで鼠《ねずみ》のようなくせに。ぼくがなんにもしないのにあんなことを云うのはザネリがばかなからだ。」

ジョバンニは、せわしくいろいろのことを考えながら、さまざまの灯《あかり》や木の枝《えだ》で、すっかりきれいに飾《かざ》られた街を通って行きました。時計屋の店には明るくネオン燈がついて、一秒ごとに石でこさえたふくろうの赤い眼《め》が、くるっくるっとうごいたり、いろいろな宝石が海のような色をした厚い硝子《ガラス》の盤《ばん》に載《の》って星のようにゆっくり循《めぐ》ったり、また向う側から、銅の人馬*がゆっくりこっちへまわって来たりするのでした。

そのまん中に円い黒い星座早見が青いアスパラガスの葉で飾ってありました。

ジョバンニはわれを忘れて、その星座の図に見入りました。

それはひる学校で見たあの図よりはずうっと小さかったのですがその日と時間に合せて盤をまわすと、そのとき出ているそらがそのまま楕円形《だえんけい》のなかにめぐってあらわれるようになって居《お》りやはりそのまん中には上から下へかけて銀河がぼうとけむったような帯になってその下の方ではかすかに爆発《ばくはつ》して湯気でもあげているように見えるのでした。またそのうしろには三本の脚《あし》のついた小さな望遠鏡が黄いろに光って立っていましたしいちばんうしろの壁《かべ》には空じゅうの星座をふしぎな獣《けもの》や蛇《へび》や魚や瓶《びん》の形に書いた大きな図がかかっていました。ほんとうにこんなような蠍《さそり》だの勇士だのそらにぎっしり居るだろうか、ああぼくはその中をどこまでも歩いて見たいと思ってたりしてしばらくぼんやり立って居ました。

それから俄《にわ》かにお母さんの牛乳のことを思いだしてジョバンニはその店をはなれました。そしてきゅうくつな上着の肩《かた》を気にしながらそれでもわざと胸を張って大きく手を振って町を通って行きました。

空気は澄《す》みきって、まるで水のように通りや店の中を流れましたし、街燈はみなまっ青なもみや楢《なら》の枝で包まれ、電気会社の前の六本のプラタヌスの木などは、中に沢《たく》山《さん》の豆電燈がついて、ほんとうにそこらは人魚の都のように見えるのでした。子どもらは、みんな新らしい折のついた着物を着て、星めぐりの口笛《くちぶえ》を吹《ふ》いたり、

「ケンタウルス、露《つゆ》をふらせ。」と叫んで走ったり、青いマグネシヤの花火を燃したりして、たのしそうに遊んでいるのでした。けれどもジョバンニは、いつかまた深く首を垂れて、そこらのにぎやかさとはまるでちがったことを考えながら、牛乳屋の方へ急ぐのでした。

ジョバンニは、いつか町はずれのポプラの木が幾本《いくほん》も幾本も、高く星ぞらに浮《うか》んでいるところに来ていました。その牛乳屋の黒い門を入り、牛の匂《におい》のするうすくらい台所の前に立って、ジョバンニは帽子《ぼうし》をぬいで「今晩は、」と云いましたら、家の中はしぃんとして誰《たれ》も居たようではありませんでした。

「今晩は、ごめんなさい。」ジョバンニはまっすぐに立ってまた叫びました。するとしばらくたってから、年老《と》った女の人が、どこか工合《ぐあい》が悪いようにそろそろと出て来て何か用かと口の中で云いました。

「あの、今日、牛乳が僕《ぼく》んとこへ来なかったので、貰《もら》いにあがったんです。」ジョバンニが一生けん命勢《いきおい》よく云いました。

「いま誰もいないでわかりません。あしたにして下さい。」

その人は、赤い眼の下のとこを擦《こす》りながら、ジョバンニを見おろして云いました。

「おっかさんが病気なんですから今晩でないと困るんです。」

「ではもう少したってから来てください。」その人はもう行ってしまいそうでした。

「そうですか。ではありがとう。」ジョバンニは、お辞儀《じぎ》をして台所から出ました。

十字になった町のかどを、まがろうとしましたら、向うの橋へ行く方の雑貨店の前で、黒い影やぼんやり白いシャツが入り乱れて、六七人の生徒らが、口笛を吹いたり笑ったりして、めいめい烏瓜の燈火《あかり》を持ってやって来るのを見ました。その笑い声も口笛も、みんな聞きおぼえのあるものでした。ジョバンニの同級の子供らだったのです。ジョバンニは思わずどきっとして戻《もど》ろうとしましたが、思い直して、一そう勢よくそっちへ歩いて行きました。

「川へ行くの。」ジョバンニが云おうとして、少しのどがつまったように思ったとき、

「ジョバンニ、らっこの上着が来るよ。」さっきのザネリがまた叫びました。

「ジョバンニ、らっこの上着が来るよ。」すぐみんなが、続いて叫びました。ジョバンニはまっ赤になって、もう歩いているかもわからず、急いで行きすぎようとしましたら、そのなかにカムパネルラが居たのです。カムパネルラは気の毒そうに、だまって少しわらって、怒《おこ》らないだろうかというようにジョバンニの方を見ていました。

ジョバンニは、遁《に》げるようにその眼を避《さ》け、そしてカムパネルラのせいの高いかたちが過ぎて行って間もなく、みんなはてんでに口笛を吹きました。町かどを曲るとき、

ふりかえって見ましたら、ザネリがやはりふりかえって見ていました。そしてカムパネルラもまた、高く口笛を吹いて向うにぼんやり見える橋の方へ歩いて行ってしまったのでした。ジョバンニは、なんとも云えずさびしくなって、いきなり走り出しました。すると耳に手をあてて、わああと云いながら片足でぴょんぴょん跳《と》んでいた小さな子供らは、ジョバンニが面白《おもしろ》くてかけるのだと思ってわあいと叫びました。まもなくジョバンニは黒い丘《おか》の方へ急ぎました。

五、天気輪《てんきりん》＊の柱

牧場のうしろはゆるい丘になって、その黒い平らな頂上は、北の大熊星《おおぐまぼし》の下に、ぼんやりふだんよりも低く連って見えました。

ジョバンニは、もう露の降りかかった小さな林のこみちを、どんどんのぼって行きました。まっくらな草や、いろいろな形に見えるやぶのしげみの間を、その小さなみちが、一すじ白く星あかりに照らしだされてあったのです。草の中には、ぴかぴか青びかりを出す小さな虫もいて、ある葉は青くすかし出され、ジョバンニは、さっきみんなの持って行った烏瓜《からすうり》のあかりのようだとも思いました。

そのまっ黒な、松や楢《なら》の林を越《こ》えると、俄《にわ》かにがらんと空がひらけて、天《あま》の川《がわ》がしらしらと南から北へ亘《わた》っているのが見え、また頂《いただき》の、天気輪の柱も見わけられたのでした。つりがねそうか野ぎくかの花が、そこらいちめんに、夢《ゆめ》の中からでも薫《かお》りだしたというように咲き、鳥が一疋《ぴき》、丘の上を鳴き続けながら通って行きました。

ジョバンニは、頂の天気輪の柱の下に来て、どかどかするからだを、つめたい草に投げました。

町の灯は、暗《やみ》の中をまるで海の底のお宮のけしきのようにともり、子供らの歌う声や口笛、きれぎれの叫《さけ》び声もかすかに聞えて来るのでした。風が遠くで鳴り、丘の草もしずかにそよぎ、ジョバンニの汗《あせ》でぬれたシャツもつめたく冷されました。ジョバンニは町のはずれから遠く黒くひろがった野原を見わたしました。

そこから汽車の音が聞えてきました。その小さな列車の窓は一列小さく赤く見え、その中にはたくさんの旅人が、苹果《りんご》を剝《む》いたり、わらったり、いろいろな風にしていると考えますと、ジョバンニは、もう何とも云えずかなしくなって、また眼をそらに挙げました。

ああの白いそらの帯がみんな星だというぞ。

ところがいくら見ていても、そのそらはひる先生の云ったような、がらんとした冷いとこだとは思われませんでした。それどころでなく、見れば見るほど、そこは小さな林や牧場やらある野原のように考えられて仕方なかったのです。そしてジョバンニは青い琴《こと》の星が、＊三つにも四つにもなって、ちらちら瞬《また》き、脚が何べんも出たり引っ込《こ》んだりして、とうとう蕈《きのこ》のように長く延びるのを見ました。またすぐ眼の下のまちまでがやっぱりぼんやりしたたくさんの星の集りか一つの大きなけむりかのように見えるように思いました。

六、銀河ステーション

そしてジョバンニはすぐうしろの天気輪の柱がいつかぼんやりした三角標《さんかくひょう》＊の形になって、しばらく蛍《ほたる》のように、ぺかぺか消えたりともったりしているのを見ました。それはだんだんはっきりして、とうとうりんとうごかないようになり、濃《こ》い鋼青《こうせい》のそらの野原にたちました。いま新らしく灼《や》いたばかりの青い鋼《はがね》の板のような、そらの野原に、まっすぐにすきっと立ったのです。

するとどこかで、ふしぎな声が、銀河ステーション、銀河ステーションと云《い》う声がしたと思うといきなり眼の前が、ぱっと明るくなって、まるで億万の蛍烏賊《ほたるいか》の火を一ぺんに化石させて、そら中に沈《しず》めたという工合《ぐあい》、またダイアモンド会社で、ねだんがやすくならないために、わざと穫《と》れないふりをして、かくして置いた金剛石《こんごうせき》を、誰《たれ》かがいきなりひっくりかえして、ばら撒《ま》いたという風に、眼の前がさあっと明るくなって、ジョバンニは、思わず何べんも眼を擦《こす》ってしまいました。

気がついてみると、さっきから、ごとごとごとごと、ジョバンニの乗っている小さな列車が走りつづけていたのでした。ほんとうにジョバンニは、夜の軽便鉄道の、小さな黄いろの電燈のならんだ車室に、窓から外を見ながら座《すわ》っていたのです。車室の中は、青い天蚕絨《びろうど》を張った腰掛《こしか》けが、まるでがら明きで、向うの鼠《ねずみ》いろのワニスを塗った壁《かべ》には、真鍮《しんちゅう》の大きなぼたんが二つ光っているのでした。

すぐ前の席に、ぬれたようにまっ黒な上着を着た、せいの高い子供が、窓から頭を出して外を見ているのに気が付きました。そしてそのこどもの肩《かた》のあたりが、どうも見たことのあるような気がして、そう思うと、もうどうしても誰だかわかりたくて、たまらなくなりました。いきなりこっちも窓から顔を出そうとしたとき、俄かにその子供が頭を引っ込めて、こっちを見ました。

それはカムパネルラだったのです。

ジョバンニが、カムパネルラ、きみは前からここに居たのと云おうと思ったとき、

カムパネルラが
「みんなはねずいぶん走ったけれども遅《おく》れてしまったよ。ザネリもね、ずいぶん走ったけれども追いつかなかった。」と云いました。

ジョバンニは、（そうだ、ぼくたちはいま、いっしょにさそって出掛けたのだ。）とおもいながら、

「どこかで待っていようか」と云いました。するとカムパネルラは
「ザネリはもう帰ったよ。お父さんが迎《むか》いにきたんだ。」

カムパネルラは、なぜかそう云いながら、少し顔いろが青ざめて、どこか苦しいというふうでした。するとジョバンニも、なんだかどこかに、何か忘れたものがあるというような、おかしな気持ちがしてだまってしまいました。

ところがカムパネルラは、窓から外をのぞきながら、もうすっかり元気が直って、勢《いきおい》よく云いました。

「ああしまった。ぼく、水筒《すいとう》を忘れてきた。スケッチ帳も忘れてきた。けれど構わない。もうじき白鳥の停車場*だから。ぼく、白鳥を見るなら、ほんとうにすきだ。川の遠くを飛んでいたって、ぼくはきっと見える。」そして、カムパネルラは、円い板のようになった地図を、しきりにぐるぐるまわして見ていました。まったくその中に、

白くあらわされた天の川の左の岸に沿って一条の鉄道線路が、南へ南へとたどって行くのでした。そしてその地図の立派なことは、夜のようにまっ黒な盤《ばん》の上に、一一の停車場や三角標、泉水や森が、青や橙《だいだい》や緑や、うつくしい光でちりばめられてありました。ジョバンニはなんだかその地図をどこかで見たようにおもいました。

「この地図はどこで買ったの。黒曜石でできてるねえ。」

ジョバンニが云いました。

「銀河ステーションで、もらったんだ。君もらわなかったの。」

「ああ、ぼく銀河ステーションを通ったろうか。いまぼくたちの居るとこ、ここだろう。」

ジョバンニは、白鳥と書いてある停車場のしるしの、すぐ北を指《さ》しました。

「そうだ。おや、あの河原《かわら》は月夜だろうか。」

そっちを見ますと、青白く光る銀河の岸に、銀いろの空のすすきが、もうまるでいちめん、風にさらさらさらさら、ゆられてうごいて、波を立てているのでした。

「月夜でないよ。銀河だから光るんだよ。」ジョバンニは云いながら、まるではね上りたいくらい愉快《ゆかい》になって、足をこつこつ鳴らし、窓から顔を出して、高く高く星めぐりの口笛《くちぶえ》を吹《ふ》きながら一生けん命延びあがって、その天の川の水を、見きわめようとしましたが、はじめはどうしてもそれが、はっきりしませんでした。けれどもだんだん気をつけて見ると、そのきれいな水は、ガラスよりも水素よりもすきとおって、ときどき眼《め》の加減か、ちらちら紫《むらさき》いろのこまかな波をたてたり、虹《にじ》のようにぎらっと光ったりしながら、声もなくどんどん流れて行き、野原にはあっちにもこっちにも、燐光《りんこう》の三角標が、うつくしく立っていたのです。遠いものは小さく、近いものは大きく、遠いものは橙や黄いろではっきりし、近いものは青白く少しかすんで、或《あるい》は三角形、或いは四辺形、あるいは電《いなずま》や鎖《くさり》の形、さまざまにならんで、野原いっぱい光っているのでした。ジョバンニは、まるでどきどきして、頭をやけに振《ふ》りました。するとほんとうに、そのきれいな野原中の青や橙や、いろいろかがやく三角標も、てんでに息をつくように、ちらちらゆれたり顫《ふる》えたりしました。

「ぼくはもう、すっかり天の野原に来た。」ジョバンニは云いました。

「それにこの汽車石炭をたいていないねえ。」ジョバンニが左手をつき出して窓から前の方を見ながら云いました。

「アルコールか電気だろう。」カムパネルラが云いました。

ごとごとごとごと、その小さなきれいな汽車は、そらのすすきの風にひるがえる中を、天の川の水や、三角点の青じろい微光《びこう》の中を、どこまでもどこまでもと、走って行くのでした。

「ああ、りんどうの花が咲いている。もうすっかり秋だねえ。」カムパネルラが、窓の外を指さして云いました。

線路のへりになったみじかい芝草《しばくさ》の中に、月長石*でも刻《きざ》まれたような、すばらしい紫のりんどうの花が咲いていました。

「ぼく、飛び下りて、あいつをとって、また飛び乗ってみせようか。」ジョバンニは胸を躍《おど》らせて云いました。

「もうだめだ。あんなにうしろへ行ってしまったから。」

カムパネルラが、そう云ってしまうかしまわないうち、次のりんどうの花が、いっぱいに光って過ぎて行きました。

と思ったら、もう次から次から、たくさんのきいろな底をもったりんどうの花のコップが、湧《わ》くように、雨のように、眼の前を通り、三角標の列は、けむるように燃えるように、いよいよ光って立ったのです。

七、北十字*とプリオシン海岸*

「おっかさんは、ぼくをゆるして下さるだろうか。」

いきなり、カムパネルラが、思い切ったというように、少しどもりながら、急《せ》きこんで云《い》いました。

ジョバンニは、

（ああ、そうだ、ぼくのおっかさんは、あの遠い一つのちりのように見える橙《だいだい》いろの三角標のあたりにいらっしゃって、いまぼくのことを考えているんだった。）と思いながら、ぼんやりしてだまっていました。

「ぼくはおっかさんが、ほんとうに幸《さいわい》になるなら、どんなことでもする。けれども、いったいどんなことが、おっかさんのいちばんの幸なんだろう。」カムパネルラは、なんだか、泣きだしたいのを、一生けん命こらえているようでした。

「きみのおっかさんは、なんにもひどいことないじゃないの。」ジョバンニはびっくりして叫《さけ》びました。

「ぼくわからない。けれども、誰《たれ》だって、ほんとうにいいことをしたら、いちばん幸なんだねえ。だから、おっかさんは、ぼくをゆるして下さると思う。」カムパネルラは、なにかほんとうに決心しているように見えました。

俄《にわ》かに、車のなかが、ぱっと白く明るくなりました。見ると、もうじつに、金剛石《こんごうせき》や草の露《つゆ》やあらゆる立派さをあつめたような、きらびやかな銀河の河床《かわどこ》の上を水は声もなくかたちもなく流れ、その流れのまん中に、ぼうっと青白く後光の射《さ》した一つの島が見えるのでした。その島の平らないただきに、立派な眼もさめるような、白い十字架《じゅうじか》がたって、それはもう凍《こお》った北極の雲で鋳《い》たといったらいいか、すきっとした金いろの円光をいただいて、しずかに永久に立っているのでした。

「ハルレヤ、ハルレヤ。」前からもうしろからも声が起りました。ふりかえって見ると、車室の中の旅人たちは、みなまっすぐにきもののひだを垂れ、黒いバイブルを胸にあてたり、水晶《すいしょう》の珠数《じゅず》をかけたり、どの人もつつましく指を組み合せて、そっちに祈《いの》っているのでした。思わず二人もまっすぐに立ちあがりました。カムパネルラの頰《ほほ》は、まるで熟した苹果《りんご》のあかしのようにうつくしくかがやいて見えました。

そして島と十字架とは、だんだんうしろの方へうつって行きました。

向う岸も、青じろくぽうっと光ってけむり、時々、やっぱりすすきが風にひるがえるらしく、さっとその銀いろがけむって、息でもかけたように見え、また、たくさんのりんどうの花が、草をかくれたり出たりするのは、やさしい狐火《きつねび》のように思われました。

それもほんのちょっとの間、川と汽車との間は、すすきの列でさえぎられ、白鳥の島は、二度ばかり、うしろの方に見えましたが、じきもうずうっと遠く小さく、絵のようになってしまい、またすすきがざわざわ鳴って、とうとうすっかり見えなくなってしまいました。ジョバンニのうしろには、いつから乗っていたのか、せいの高い、黒いかつぎをしたカトリック風の尼《あま》さんが、まん円な緑の瞳《ひとみ》を、じっとまっすぐに落して、まだ何かことばか声かが、そっちから伝わって来るのを、虔《つつし》んで聞いているというように見えました。旅人たちはしずかに席に戻《もど》り、二人も胸いっぱいのかなしみに似た新らしい気持ちを、何気なくちがった語《ことば》で、そっと談《はな》し合ったのです。

「もうじき白鳥の停車場だねえ。」

「ああ、十一時かっきりには着くんだよ。」

早くも、シグナルの緑の燈《あかり》と、ぼんやり白い柱とが、ちらっと窓のそとを過ぎ、それから硫黄《いおう》のほのおのようなくらいぼんやりした転てつ機の前のあかりが窓の下を通り、汽車はだんだんゆるやかになって、間もなくプラットホームの一列の電燈が、うつくしく規則正しくあらわれ、それがだんだん大きくなってひろがって、二人は丁度白鳥停車場の、大きな時計の前に来てとまりました。

さわやかな秋の時計の盤面《ダイアル》には、青く灼《や》かれたはがねの二本の針が、くっきり十一時を指しました。みんなは、一ぺんに下りて、車室の中はがらんとなってしまいました。

〔二十分停車〕と時計の下に書いてありました。

「ぼくたちも降りて見ようか。」ジョバンニが云いました。

「降りよう。」

二人は一度にはねあがってドアを飛び出して改札口《かいさつぐち》へかけて行きました。ところが改札口には、明るい紫《むらさき》がかった電燈が、一つ点《つ》いているばかり、誰《たれ》も居ませんでした。そこら中を見ても、駅長や赤帽《あかぼう》らしい人の、影《かげ》もなかったのです。

二人は、停車場の前の、水晶細工のように見える銀杏《いちょう》の木に囲まれた、小さな広場に出ました。そこから幅《はば》の広いみちが、まっすぐに銀河の青光の中へ通っていました。

さきに降りた人たちは、もうどこへ行ったか一人も見えませんでした。二人がその白い道を、肩《かた》をならべて行きますと、二人の影は、ちょうど四方に窓のある室《へや》の中の、二本の柱の影のように、また二つの車輪の輻《や》のように幾本《いくほん》も幾本も四方へ出るのでした。そして間もなく、あの汽車から見えたきれいな河原《かわら》に来ました。

カムパネルラは、そのきれいな砂を一つまみ、掌《てのひら》にひろげ、指できしきしさせながら、夢《ゆめ》のように云っているのでした。

「この砂はみんな水晶だ。中で小さな火が燃えている。」

「そうだ。」どこでぼくは、そんなこと習ったろうと思いながら、ジョバンニもぼんやり答えていました。

河原の礫《こいし》は、みんなすきとおって、たしかに水晶や黄玉《トパース》や、またくしゃくしゃの皺曲《しゅうきょく》をあらわしたのや、また稜《かど》から霧《きり》のような青白い光を出す鋼玉やらでした。*ジョバンニは、走ってその渚《なぎさ》に行って、水に手をひたしました。けれどもあやしいその銀河の水は、水素よりももっとすきとおっていたのです。それでもたしかに流れていたことは、二人の手首の、水にひたったとこが、少し水銀いろに浮《う》いたように見え、その手首にぶっつかってできた波は、うつくしい燐光《りんこう》をあげて、ちらちらと燃えるように見えたのでもわかりました。

川上の方を見ると、すすきのいっぱいに生えている崖《がけ》の下に、白い岩が、まるで運動場のように平らに川に沿って出ているのでした。そこに小さな五六人の人かげが、何か掘《ほ》り出すか埋めるかしているらしく、立ったり屈《かが》んだり、時々なにかの道具が、ピカッと光ったりしました。

「行ってみよう。」二人は、まるで一度に叫んで、そっちの方へ走りました。その白い岩になった処《ところ》の入口に、

〔プリオシン海岸〕という、瀬戸物《せともの》のつるつるした標札が立って、向うの渚には、ところどころ、細い鉄の欄干《らんかん》も植えられ、木製のきれいなベンチも置いてありました。

「おや、変なものがあるよ。」カムパネルラが、不思議そうに立ちどまって、岩から黒い細長いさきの尖《とが》ったくるみの実のようなものをひろいました。

「くるみの実だよ。そら、沢山《たくさん》ある。流れて来たんじゃない。岩の中に入ってるんだ。」

「大きいね、このくるみ、倍あるね。こいつはすこしもいたんでない。」

「早くあすこへ行って見よう。きっと何か掘ってるから。」

二人は、ぎざぎざの黒いくるみの実を持ちながら、またさっきの方へ近よって行きました。左手の渚には、波がやさしい稲妻《いなずま》のように燃えて寄せ、右手の崖には、いちめん銀や貝殻《かいがら》でこさえたようなすすきの穂《ほ》がゆれたのです。

だんだん近付いて見ると、一人のせいの高い、ひどい近眼鏡をかけ、長靴《ながぐつ》をはいた学者らしい人が、手帳に何かせわしそうに書きつけながら、鶴嘴《つるはし》をふりあげたり、スコープをつかったりしている、三人の助手らしい人たちに夢中《むちゅう》でいろいろ指図をして

いました。

「そこのその突起《とっき》を壊《こわ》さないように。スコープを使いたまえ、スコープを。おっと、も少し遠くから掘って。いけない、いけない。なぜそんな乱暴をするんだ。」

見ると、その白い柔《やわ》らかな岩の中から、大きな大きな青じろい獣《けもの》の骨が、横に倒《たお》れて潰《つぶ》れたという風になって、半分以上掘り出されていました。そして気をつけて見ると、そこらには、蹄《ひづめ》の二つある足跡《あしあと》のついた岩が、四角に十ばかり、きれいに切り取られて番号がつけられてありました。

「君たちは参観かね。」その大学士らしい人が、眼鏡《めがね》をきらっとさせて、こっちを見て話しかけました。

「くるみが沢山あったろう。それはまあ、ざっと百二十万年ぐらい前のくるみだよ。ごく新らしい方さ。ここは百二十万年前、第三紀のあとのころは海岸でね、この下からは貝がらも出る。いま川の流れているとこに、そっくり塩水が寄せたり引いたりもしていたのだ。このけものかね、これはボス＊といってね、おいおい、そこつるはしはよしたまえ。ていねいに鑿《のみ》でやってくれたまえ。ボスといってね、いまの牛の先祖で、昔《むかし》はたくさん居たさ。」

「標本にするんですか。」

「いや、証明するに要《い》るんだ。ぼくらからみると、ここは厚い立派な地層で、百二十万年ぐらい前にできたという証拠《しょうこ》もいろいろあがるけれども、ぼくらとちがったやつからみてもやっぱりこんな地層に見えるかどうか、あるいは風か水やがらんとした空かに見えやしないかということなのだ。わかったかい。けれども、おいおい。そこもスコープではいけない。そのすぐ下に肋骨《ろっこつ》が埋もれてる筈《はず》じゃないか。」大学士はあわてて走って行きました。

「もう時間だよ。行こう。」カムパネルラが地図と腕時計《うでどけい》とをくらべながら云いました。

「ああ、ではわたくしどもは失礼いたします。」ジョバンニは、ていねいに大学士におじぎしました。

「そうですか。いや、さよなら。」大学士は、また忙《いそ》がしそうに、あちこち歩きまわって監督《かんとく》をはじめました。二人は、その白い岩の上を、一生けん命汽車におくれないように走りました。そしてほんとうに、風のように走れたのです。息も切れず膝《ひざ》もあつくなりませんでした。

こんなにしてかけるなら、もう世界中だってかけれると、ジョバンニは思いました。

そして二人は、前のあの河原を通り、改札口の電燈がだんだん大きくなって、間もなく二人は、もとの車室の席に座《すわ》って、いま行って来た方を、窓から見ていました。

八、鳥を捕《と》る人

「ここへかけてもようございますか。」

がさがさした、けれども親切そうな、大人の声が、二人のうしろで聞えました。

それは、茶いろの少しぼろぼろの外套《がいとう》を着て、白い巾《きれ》でつつんだ荷物を、二つに分けて肩に掛《か》けた、赤髯《あかひげ》のせなかのかがんだ人でした。

「ええ、いいんです。」ジョバンニは、少し肩をすぼめて挨拶《あいさつ》しました。その人は、ひげの中でかすかに微笑《わら》いながら、荷物をゆっくり網棚《あみだな》にのせました。ジョバンニは、なにか大へんさびしいようなかなしいような気がして、だまって正面の時計を見ていましたら、ずうっと前の方で、硝子《ガラス》の笛《ふえ》のようなものが鳴りました。汽車はもう、しずかにうごいていたのです。カムパネルラは、車室の天井《てんじょう》を、あちこち見ていました。その一つのあかりに黒い甲虫《かぶとむし》がとまってその影が大きく天井にうつっていたのです。赤ひげの人は、なにかなつかしそうにわらいながら、ジョバンニやカムパネルラのようすを見ていました。汽車はもうだんだん早くなって、すすきと川と、かわるがわる窓の外から光りました。

赤ひげの人が、少しおずおずしながら、二人に訊《き》きました。

「あなた方は、どちらへいらっしゃるんですか。」

「どこまでも行くんです。」ジョバンニは、少しきまり悪そうに答えました。

「それはいいね。この汽車は、じっさい、どこまででも行きますぜ。」

「あなたはどこへ行くんです。」カムパネルラが、いきなり、喧嘩《けんか》のようにたずねましたので、ジョバンニは、思わずわらいました。すると、向うの席に居た、尖った帽子をかぶり、大きな鍵《かぎ》を腰《こし》に下げた人も、ちらっとこっちを見てわらいましたので、カムパネルラも、つい顔を赤くして笑いだしてしまいました。ところがその人は別に怒《おこ》ったでもなく、頬《ほほ》をぴくぴくしながら返事しました。

「わっしはすぐそこで降ります。わっしは、鳥をつかまえる商売でね。」

「何鳥ですか。」

「鶴や雁《がん》です。さぎも白鳥もです。」

「鶴はたくさんいますか。」

「居ますとも、さっきから鳴いてまさあ。聞かなかったのですか。」

「いいえ。」

「いまでも聞えるじゃありませんか。そら、耳をすまして聴《き》いてごらんなさい。」

二人は眼《め》を挙げ、耳をすましました。ごとごと鳴る汽車のひびきと、すすきの風との間から、ころんころんと水の湧《わ》くような音が聞えて来るのでした。

「鶴、どうしてとるんですか。」

「鶴ですか、それとも鷺《さぎ》ですか。」

「鷺です。」ジョバンニは、どっちでもいいと思いながら答えました。

「そいつはな、雑作《ぞうさ》ない。さぎというものは、みんな天の川の砂が凝《こご》って、ぼおっとできるもんですからね、そして始終川へ帰りますからね、川原で待っていて、鷺がみんな、脚《あし》をこういう風にして下りてくるとこを、そいつが地べたへつくかつかないうちに、ぴたっと押《おさ》えちまうんです。するともう鷺は、かたまって安心して死んじまいます。あとはもう、わかり切ってまさあ。押し葉にするだけです。」

「鷺を押し葉にするんですか。標本ですか。」

「標本じゃありません。みんなたべるじゃありませんか。」

「おかしいねえ。」カムパネルラが首をかしげました。

「おかしいも不審《ふしん》もありませんや。そら。」その男は立って、網棚から包みをおろして、手ばやくくるくると解きました。

「さあ、ごらんなさい。いまとって来たばかりです。」

「ほんとうに鷺だねえ。」二人は思わず叫《さけ》びました。まっ白な、あのさっきの北の十字架《じゅうじか》のように光る鷺のからだが、十ばかり、少しひらべったくなって、黒い脚をちぢめて、浮彫《うきぼり》のようにならんでいたのです。

「眼をつぶってるね。」カムパネルラは、指でそっと、鷺の三日月がたの白い瞑《つぶ》った眼にさわりました。頭の上の槍《やり》のような白い毛もちゃんとついていました。

「ね、そうでしょう。」鳥捕りは風呂敷《ふろしき》を重ねて、またくるくると包んで紐《ひも》でくくりました。誰《たれ》がいったいここらで鷺なんぞ喰《た》べるだろうとジョバンニは思いながら訊きました。

「鷺はおいしいんですか。」

「ええ、毎日注文があります。しかし雁《がん》の方が、もっと売れます。雁の方がずっと柄《がら》がいいし、第一手数がありませんからな。そら。」鳥捕りは、また別の方の包みを解きました。すると黄と青じろとまだらになって、なにかのあかりのようにひかる雁が、ちょうどさっきの鷺のように、くちばしを揃《そろ》えて、少し扁《ひら》べったくなって、ならんでいました。

「こっちはすぐ喰べられます。どうです、少しおあがりなさい。」鳥捕りは、黄いろな雁の足を、軽くひっぱりました。するとそれは、チョコレートででもできているように、すっときれいにはなれました。

「どうです。すこしたべてごらんなさい。」鳥捕りは、それを二つにちぎってわたしました。ジョバンニは、ちょっと喰べてみて、（なんだ、やっぱりこいつはお菓子《かし》だ。チョコレートよりも、もっとおいしいけれども、こんな雁が飛んでいるもんか。この男は、どこかそこらの野原の菓子屋《かしや》だ。けれどもぼくは、このひとをばかにしながら、この人のお菓子をたべているのは、大へん気の毒だ。）とおもいながら、やっぱりぽくぽくそれをたべていました。

「も少しおあがりなさい。」鳥捕りがまた包みを出しました。ジョバンニは、もっとたべたかったのですけれども、

「ええ、ありがとう。」と云《い》って遠慮《えんりょ》しましたら、鳥捕りは、こんどは向うの席の、鍵《かぎ》をもった人に出しました。

「いや、商売ものを貰《もら》っちゃすみませんな。」その人は、帽子《ぼうし》をとりました。

「いいえ、どういたしまして。どうです、今年の渡《わた》り鳥《どり》の景気は。」

「いや、すてきなもんですよ。一昨日《おととい》の第二限ころなんか、なぜ燈台の灯《ひ》を、規則以外に間〔一字分空白〕させるかって、あっちからもこっちからも、電話で故障が来ま

したが、なあに、こっちがやるんじゃなくて、渡り鳥どもが、まっ黒にかたまって、あかしの前を通るのですから仕方ありませんや。わたしぁ、べらぼうめ、そんな苦情は、おれのとこへ持って来たって仕方がねえや、ばさばさのマントを着て脚と口との途方《とほう》もなく細い大将へやれって、斯《こ》う云ってやりましたがね、はっは。」

すすきがなくなったために、向うの野原から、ぱっとあかりが射《さ》して来ました。

「鷺の方はなぜ手数なんですか。」カムパネルラは、さっきから、訊こうと思っていたのです。

「それはね、鷺を喰べるには、」鳥捕りは、こっちに向き直りました。「天の川の水あかりに、十日もつるして置くかね、そうでなけぁ、砂に三四日うずめなけぁいけないんだ。そうすると、水銀がみんな蒸発して、喰べられるようになるよ。」

「こいつは鳥じゃない。ただのお菓子でしょう。」やっぱりおなじことを考えていたとみえて、カムパネルラが、思い切ったというように、尋《たず》ねました。鳥捕りは、何か大へんあわてた風で、

「そうそう、ここで降りなけぁ。」と云いながら、立って荷物をとったと思うと、もう見えなくなっていました。

「どこへ行ったんだろう。」

二人は顔を見合せましたら、燈台守は、にやにや笑って、少し伸《の》びあがるようにしながら、二人の横の窓の外をのぞきました。二人もそっちを見ましたら、たったいまの鳥捕りが、黄いろと青じろの、うつくしい燐光《りんこう》を出す、いちめんのかわらははこぐさ*の上に立って、まじめな顔をして両手をひろげて、じっとそらを見ていたのです。

「あすこへ行ってる。ずいぶん奇体《きたい》だねえ。きっとまた鳥をつかまえるとこだねえ。汽車が走って行かないうちに、早く鳥がおりるといいな。」と云った途端《とたん》、がらんとした桔梗《ききょう》いろの空から、さっき見たような鷺が、まるで雪の降るように、ぎゃあぎゃあ叫びながら、いっぱいに舞《ま》いおりて来ました。するとあの鳥捕りは、すっかり注文通りだというようにほくほくして、両足をかっきり六十度に開いて立って、鷺のちぢめて降りて来る黒い脚を両手で片《かた》っ端《ぱし》から押えて、布の袋《ふくろ》の中に入れるのでした。すると鷺は、蛍《ほたる》のように、袋の中でしばらく、青くぺかぺか光ったり消えたりしていましたが、おしまいとうとう、みんなぼんやり白くなって、眼をつぶるのでした。ところが、つかまえられる鳥よりは、つかまえられないで無事に天《あま》の川《がわ》の砂の上に降りるものの方が多かったのです。それは見ていると、足が砂へつくや否《いな》や、まるで雪の融《と》けるように、縮《ちぢ》まって扁《ひら》べったくなって、間もなく熔鉱炉《ようこうろ》から出た銅の汁《しる》のように、砂や砂利《じゃり》の上にひろがり、しばらくは鳥の形が、砂についているのでしたが、それも二三度明るくなったり暗くなったりしているうちに、もうすっかりまわりと同じいろになってしまうのでした。

鳥捕りは二十疋《ぴき》ばかり、袋に入れてしまうと、急に両手をあげて、兵隊が鉄砲弾《てっぽうだま》にあたって、死ぬときのような形をしました。と思ったら、もうそこに鳥捕りの形はなくなって、却《かえ》って、

「ああせいせいした。どうもからだに恰度《ちょうど》合うほど稼《かせ》いでいるくらい、いいことはありませんな。」というききおぼえのある声が、ジョバンニの隣《とな》りにしました。見ると鳥捕りは、もうそこでとって来た鷺を、きちんとそろえて、一つずつ重ね直しているのでした。

「どうしてあすこから、いっぺんにここへ来たんですか。」ジョバンニが、なんだかあたりまえのような、あたりまえでないような、おかしな気がして問いました。

「どうしてって、来ようとしたから来たんです。ぜんたいあなた方は、どちらからおいでですか。」

ジョバンニは、すぐ返事しようと思いましたけれども、さあ、ぜんたいどこから来たのか、もうどうしても考えつきませんでした。カムパネルラも、顔をまっ赤にして

何か思い出そうとしているのでした。

「ああ、遠くからですね。」鳥捕りは、わかったというように雑作なくうなずきました。

九、ジョバンニの切符《きっぷ》

「もうここらは白鳥区のおしまいです。ごらんなさい。あれが名高いアルビレオ*の観測所です。」

窓の外の、まるで花火でいっぱいのような、あまの川のまん中に、黒い大きな建物が四棟《むね》ばかり立って、その一つの平屋根の上に、眼《め》もさめるような、青宝玉《サファイア》と黄玉《トパース》の大きな二つのすきとおった球が、輪になってしずかにくるくるとまわっていました。黄いろのがだんだん向うへまわって行って、青い小さいのがこっちへ進んで来、間もなく二つのはじは、重なり合って、きれいな緑いろの両面凸《とつ》レンズのかたちをつくり、それもだんだん、まん中がふくらみ出して、とうとう青いのは、すっかりトパースの正面に来ましたので、緑の中心と黄いろな明るい環《わ》とができました。それがまただんだん横へ外《そ》れて、前のレンズの形を逆に繰《く》り返し、とうとうすっとはなれて、サファイアは向うへめぐり、黄いろのはこっちへ進み、また丁度さっきのような風になりました。銀河の、かたちもなく音もない水にかこまれて、ほんとうにその黒い測候所が、睡《ねむ》っているように、しずかによこたわったのです。

「あれは、水の速さをはかる器械です。水も……。」鳥捕《とりと》りが云いかけたとき、

「切符を拝見いたします。」三人の席の横に、赤い帽子《ぼうし》をかぶったせいの高い車掌《しゃしょう》が、いつかまっすぐに立っていて云いました。鳥捕りは、だまってかくしから、小さな紙きれを出しました。車掌はちょっと見て、すぐ眼をそらして、（あなた方のは？）というように、指をうごかしながら、手をジョバンニたちの方へ出しました。

「さあ、」ジョバンニは困って、もじもじしていましたら、カムパネルラは、わけもないという風で、小さな鼠《ねずみ》いろの切符を出しました。ジョバンニは、すっかりあわててしまって、もしか上着のポケットにでも、入っていたかとおもいながら、手を入れて見ましたら、何か大きな畳《たた》んだ紙きれにあたりました。こんなもの入っていたろうかと思って、急いで出してみましたら、それは四つに折ったはがきぐらいの大きさの緑いろの紙でした。車掌が手を出しているもんですから何でも構わない、やっちまえと思って渡しましたら、車掌はまっすぐに立ち直って叮寧《ていねい》にそれを開いて見ていました。そして読みながら上着のぼたんやなんかしきりに直したりしていましたし燈台看

守も下からそれを熱心にのぞいていましたから、ジョバンニはたしかにあれは証明書か何かだったと考えて少し胸が熱くなるような気がしました。

「これは三次空間の方からお持ちになったのですか。」車掌がたずねました。

「何だかわかりません。」もう大丈夫《だいじょうぶ》だと安心しながらジョバンニはそっちを見あげてくつくつ笑いました。

「よろしゅうございます。南十字《サウザンクロス》へ着きますのは、次の第三時ころになります。」車掌は紙をジョバンニに渡して向うへ行きました。

カムパネルラは、その紙切れが何だったか待ち兼ねたというように急いでのぞきこみました。ジョバンニも全く早く見たかったのです。ところがそれはいちめん黒い唐《から》草《くさ》のような模様の中に、おかしな十ばかりの字を印刷したものでだまって見ていると何だかその中へ吸い込《こ》まれてしまうような気がするのでした。すると鳥捕りが横からちらっとそれを見てあわてたように云いました。

「おや、こいつは大したもんですぜ。こいつはもう、ほんとうの天上へさえ行ける切符だ。天上どこじゃない、どこでも勝手にあるける通行券です。こいつをお持ちになれぁ、なるほど、こんな不完全な幻想《げんそう》第四次の銀河鉄道なんか、どこまでも行ける筈《はず》でさあ、あなた方大したもんですね。」

「何だかわかりません。」ジョバンニが赤くなって答えながらそれを又《また》畳んでかくしに入れました。そしてきまりが悪いのでカムパネルラと二人、また窓の外をながめていましたが、その鳥捕りの時々大したもんだというようにちらちらこっちを見ているのがぼんやりわかりました。

「もうじき鷲《わし》の停車場だよ。」カムパネルラが向う岸の、三つならんだ小さな青じろい三角標と地図とを見較《みくら》べて云いました。

ジョバンニはなんだかわけもわからずににわかにとなりの鳥捕りが気の毒でたまらなくなりました。鷺《さぎ》をつかまえてせいせいしたとよろこんだり、白いきれでそれをくるくる包んだり、ひとの切符をびっくりしたように横目で見てあわててほめだしたり、そんなことを一一考えていると、もうその見ず知らずの鳥捕りのために、ジョバンニの持っているものでも食べるものでもなんでもやってしまいたい、もうこの人のほんとうの幸《さいわい》になるなら自分があの光る天の川の河原《かわら》に立って百年つづけて立って鳥をとってやってもいいというような気がして、どうしてももう黙《だま》っていられなくなりました。ほんとうにあなたのほしいものは一体何ですか、と訊《き》こうとして、それではあんまり出し抜《ぬ》けだから、どうしようかと考えて振《ふ》り返って見ましたら、そこにはもうあの鳥捕りが居ませんでした。網棚《あみだな》の上には白い荷物も見えなかったのです。また窓の外で足をふんばってそらを見上げて鷺を捕る支度《したく》をしているのかと思って、急いでそっちを見ましたが、外はいちめんのうつくしい砂子と白いすすきの波ばかり、あの鳥捕りの広いせなかも尖《とが》った帽子も見えませんでした。

「あの人どこへ行ったろう。」カムパネルラもぼんやりそう云《い》っていました。

「どこへ行ったろう。一体どこでまたあうのだろう。僕《ぼく》はどうしても少しあの人に物を言わなかったろう。」

「ああ、僕もそう思っているよ。」

「僕はあの人が邪魔《じゃま》なような気がしたんだ。だから僕は大へんつらい。」ジョバンニはこんな変てこな気もちは、ほんとうにはじめてだし、こんなこと今まで云ったこともないと思いました。

「何だか苹果《りんご》の匂《におい》がする。僕いま苹果のこと考えたためだろうか。」カムパネルラが不思議そうにあたりを見まわしました。

「ほんとうに苹果の匂だよ。それから野茨《のいばら》の匂もする。」ジョバンニもそこらを見ましたがやっぱりそれは窓からでも入って来るらしいのでした。いま秋だから野茨の花の匂のする筈はないとジョバンニは思いました。

そしたら俄《にわ》かにそこに、つやつやした黒い髪《かみ》の六つばかりの男の子が赤いジャケツのぼたんもかけずひどくびっくりしたような顔をしてがたがたふるえてはだしで立っていました。隣《とな》りには黒い洋服をきちんと着たせいの高い青年が一ぱいに風に吹《ふ》かれているけやきの木のような姿勢で、男の子の手をしっかりひいて立っていました。

「あら、ここどこでしょう。まあ、きれいだわ。」青年のうしろにもひとり十二ばかりの眼の茶いろな可愛《かあい》らしい女の子が黒い外套《がいとう》を着て青年の腕《うで》にすがって不思議そうに窓の外を見ているのでした。

「ああ、ここはランカシャイヤだ。いや、コンネクテカット州だ。いや、ああ、ぼくたちはそらへ来たのだ。わたしたちは天へ行くのです。ごらんなさい。あのしるしは天上のしるしです。もうなんにもこわいことありません。わたくしたちは神さまに召《め》されているのです。」黒服の青年はよろこびにかがやいてその女の子に云いました。けれどもなぜかまた額に深く皺《しわ》を刻んで、それに大へんつかれているらしく、無理に笑いながら男の子をジョバンニのとなりに座《すわ》らせました。

それから女の子にやさしくカムパネルラのとなりの席を指さしました。女の子はすなおにそこへ座って、きちんと両手を組み合せました。

「ぼくおおねえさんのとこへ行くんだよう。」腰掛《こしか》けたばかりの男の子は顔を変にして燈台看守の向うの席に座ったばかりの青年に云いました。青年は何とも云えず悲しそうな顔をして、じっとその子の、ちぢれてぬれた頭を見ました。女の子は、いきなり両手を顔にあててしくしく泣いてしまいました。

「お父さんやきくよねえさんはまだいろいろお仕事があるのです。けれどももうすぐあとからいらっしゃいます。それよりも、おっかさんはどんなに永く待っていらっしゃったでしょう。わたしの大事なタダシはいまどんな歌をうたっているだろう、雪の降る朝にみんなと手をつないでぐるぐるにわとこのやぶをまわってあそんでいるだろうかと考えたりほんとうに待って心配していらっしゃるんですから、早く行っておっかさんにお目にかかりましょうね。」

「うん、だけど僕、船に乗らなけぁよかったなあ。」

「ええ、けれど、ごらんなさい、そら、どうです、あの立派な川、ね、あすこはあの夏中、ツインクル、ツインクル、リトル、スター＊をうたってやすむとき、いつも窓からぼんやり白く見えていたでしょう。あすこですよ。ね、きれいでしょう、あんなに光っています。」

泣いていた姉もハンケチで眼をふいて外を見ました。青年は教えるようにそっと姉弟にまた云いました。

「わたしたちはもうなんにもかなしいことないのです。わたしたちはこんないいとこを旅して、じき神さまのとこへ行きます。そこならもうほんとうに明るくて匂がよくて立派な人たちでいっぱいです。そしてわたしたちの代りにボートへ乗れた人たちは、きっとみんな助けられて、心配して待っているめいめいのお父さんやお母さんや自分のお家へやら行くのです。さあ、もうじきですから元気を出しておもしろくうたって行きましょう。」青年は男の子のぬれたような黒い髪をなで、みんなを慰《なぐさ》めながら、自分もだんだん顔いろがかがやいて来ました。

「あなた方はどちらからいらっしゃったのですか。どうなすったのですか。」さっきの燈台看守がやっと少しわかったように青年にたずねました。青年はかすかにわらいました。

「いえ、氷山にぶっつかって船が沈《しず》み*ましてね、わたしたちはこちらのお父さんが急な用で二ヶ月前一足さきに本国へお帰りになったのであとから発《た》ったのです。私は大学へはいっていて、家庭教師にやとわれていたのです。ところがちょうど十二日目、今日か昨日《きのう》のあたりです、船が氷山にぶっつかって一ぺんに傾《かたむ》きもう沈みかけました。月のあかりはどこかぼんやりありましたが、霧《きり》が非常に深かったのです。ところがボートは左舷《さげん》の方半分はもうだめになっていましたから、とてもみんなは乗り切らないのです。もうそのうちにも船は沈みますし、私は必死となって、どうか小さな人たちを乗せて下さいと叫《さけ》びました。近くの人たちはすぐみちを開いてそして子供たちのために祈《いの》って呉《く》れました。けれどもそこからボートまでのところにはまだまだ小さな子どもたちや親たちやなんか居て、とても押《お》しのける勇気がなかったのです。それでもわたくしはどうしてもこの方たちをお助けするのが私の義務だと思いましたから前にいる子供らを押しのけようとしました。けれどもまたそんなにして助けてあげるよりはこのまま神のお前にみんなで行く方がほんとうにこの方たちの幸福だとも思いました。それからまたその神にそむく罪はわたくしひとりでしょってぜひとも助けてあげようと思いました。けれどもどうして見ているとそれができないのでした。子どもらばかりボートの中へはなしてやってお母さんが狂気《きょうき》のようにキスを送りお父さんがかなしいのをじっとこらえてまっすぐに立っているなどとてももう腸《はらわた》もちぎれるようでした。そのうち船はもうずんずん沈みますから、私はもうすっかり覚悟《かくご》してこの人たち二人を抱《だ》いて、浮《うか》べるだけは浮ぼうとかたまって船の沈むのを待っていました。誰《たれ》が投げたかライフブイが一つ飛んで来ましたけれども滑《すべ》ってずうっと向うへ行ってしまいました。私は一生けん命で甲板《かんぱん》の格子《こうし》になったとこをはなして、三人それにしっかりとりつきました。どこからともなく〔約二字分空白〕番*の声があがりました。たちまちみんなはいろいろな国語で一ぺんにそれをうたいました。そのとき俄《にわ》かに大きな音がして私たちは水に落ちもう渦《うず》に入ったと思いながらしっかりこの人たちをだいてそれからぼうっとしたと思ったらもうここへ来ていたのです。この方たちのお母さんは一昨年没《な》くなられました。ええボートはきっと助かったにちがいありません、何せよほど熟練な水夫たちが漕《こ》いですばやく船からはなれていましたから。」

そこらから小さないのりの声が聞えジョバンニもカムパネルラもいままで忘れていたいろいろのことをぼんやり思い出して眼《め》が熱くなりました。

（ああ、その大きな海はパシフィックというのではなかったろうか。その氷山の流れる北のはての海で、小さな船に乗って、風や凍《こお》りつく潮水や、烈《はげ》しい寒さとたたかって、たれかが一生けんめいはたらいている。ぼくはそのひとにほんとうに気の毒でそしてすまないような気がする。ぼくはそのひとのさいわいのためにいったいどうしたらいいのだろう。）ジョバンニは首を垂れて、すっかりふさぎ込《こ》んでしまいました。

「なにがしあわせかわからないです。ほんとうにどんなつらいことでもそれがただしいみちを進む中でのできごとなら峠《とうげ》の上りも下りもみんなほんとうの幸福に近づく一あしずつですから。」

燈台守がなぐさめていました。

「ああそうです。ただいちばんのさいわいに至るためにいろいろのかなしみもみんなおぼしめしです。」

青年が祈るようにそう答えました。

そしてあの姉弟《きょうだい》はもうつかれてめいめいぐったり席によりかかって睡《ねむ》っていました。さっきのあのはだしだった足にはいつか白い柔《やわ》らかな靴《くつ》をはいていたのです。

ごとごとごとごと汽車はきらびやかな燐光《りんこう》の川の岸を進みました。向うの方の窓を見ると、野原はまるで幻燈《げんとう》のようでした。百も千もの大小さまざまの三角標、その大きなものの上には赤い点点をうった測量旗も見え、野原のはてはそれらがいちめん、たくさんたくさん集ってぼおっと青白い霧のよう、そこからかまたはもっと向うからかときどきさまざまの形のぼんやりした狼煙《のろし》のようなものが、かわるがわるきれいな桔梗《ききょう》いろのそらにうちあげられるのでした。じつにそのすきとおった奇麗《きれい》な風は、ばらの匂《におい》でいっぱいでした。

「いかがですか。こういう苹果《りんご》はおはじめてでしょう。」向うの席の燈台看守がいつか黄金《きん》と紅でうつくしくいろどられた大きな苹果を落さないように両手で膝《ひざ》の上にかかえていました。

「おや、どっから来たのですか。立派ですねえ。ここらではこんな苹果ができるのですか。」青年はほんとうにびっくりしたらしく燈台看守の両手にかかえられた一もりの苹果を眼を細くしたり首をまげたりしながらわれを忘れてながめていました。

「いや、まあおとり下さい。どうか、まあおとり下さい。」

青年は一つとってジョバンニたちの方をちょっと見ました。

「さあ、向うの坊《ぼっ》ちゃんがた。いかがですか。おとり下さい。」

ジョバンニは坊ちゃんといわれたのですこししゃくにさわってだまっていましたがカムパネルラは

「ありがとう、」と云いました。すると青年は自分でとって一つずつ二人に送ってよこしましたのでジョバンニも立ってありがとうと云いました。

燈台看守はやっと両腕《りょううで》があいたのでこんどは自分で一つずつ睡っている姉弟の膝にそっと置きました。

「どうもありがとう。どこでできるのですか。こんな立派な苹果は。」

青年はつくづく見ながら云いました。

「この辺ではもちろん農業はいたしますけれども大ていひとりでにいいものができるような約束《やくそく》になって居《お》ります。農業だってそんなに骨は折れはしません。たいてい自分の望む種子《たね》さえ播《ま》けばひとりでにどんどんできます。米だってパシフィック辺のように殻《から》もないし十倍も大きくて匂もいいのです。けれどもあなたがたのいらっしゃる方なら農業はもうありません。苹果《りんご》だってお菓子だってかすが少しもありませんからみんなそのひとそのひとによってちがったわずかのいいかおりになって毛あなからちらけてしまうのです。」

にわかに男の子がぱっちり眼をあいて云いました。

「ああぼくいまお母さんの夢《ゆめ》をみていたよ。お母さんがね立派な戸棚《とだな》や本のあるとこに居てね、ぼくの方を見て手をだしてにこにこにこにこわらったよ。ぼくおっかさん。りんごをひろってきてあげましょうか云ったら眼がさめちゃった。ああここさっきの汽車のなかだねえ。」

「その苹果がそこにあります。このおじさんにいただいたのですよ。」青年が云いました。

「ありがとうおじさん。おや、かおるねえさんまだねてるねえ、ぼくおこしてやろう。ねえさん。ごらん、りんごをもらったよ。おきてごらん。」

姉はわらって眼をさましまぶしそうに両手を眼にあててそれから苹果を見ました。男の子はまるでパイを喰《た》べるようにもうそれを喰べていました、また折角剝《せっかくむ》いたそのきれいな皮も、くるくるコルク抜《ぬ》きのような形になって床《ゆか》へ落ちるまでの間にはすうっと、灰いろに光って蒸発してしまうのでした。

二人はりんごを大切にポケットにしまいました。

川下の向う岸に青く茂《しげ》った大きな林が見え、その枝《えだ》には熟してまっ赤に光る円い実がいっぱい、その林のまん中に高い高い三角標が立って、森の中からはオーケストラベルやジロフォンにまじって何とも云えずきれいな音いろが、とけるように浸《し》みるように風につれて流れて来るのでした。

青年はぞくっとしてからだをふるうようにしました。

だまってその譜《ふ》を聞いていると、そこらにいちめん黄いろやうすい緑の明るい野原か敷物かがひろがり、またまっ白な蠟《ろう》のような露《つゆ》が太陽の面を擦《かす》めて行くように思われました。

「まあ、あの烏《からす》。」カムパネルラのとなりのかおると呼ばれた女の子が叫びました。

「からすでない。みんなかささぎだ。」カムパネルラがまた何気なく叱《しか》るように叫びましたので、ジョバンニはまた思わず笑い、女の子はきまり悪そうにしました。まったく河原《かわら》の青じろいあかりの上に、黒い鳥がたくさんたくさんいっぱいに列になってとまってじっと川の微光《びこう》を受けているのでした。

「かささぎですねえ、頭のうしろのとこに毛がぴんと延びてますから。」青年はとりなすように云《い》いました。

向うの青い森の中の三角標はすっかり汽車の正面に来ました。そのとき汽車のずうっとうしろの方からあの聞きなれた〔約二字分空白〕番の讃美歌《さんびか》のふしが聞えてきました。よほどの人数で合唱しているらしいのでした。青年はさっと顔いろが青ざめ、たって一ぺんそっちへ行きそうにしましたが思いかえしてまた座《すわ》りました。かおる子はハンケチを顔にあててしまいました。ジョバンニまで何だか鼻が変になりました。けれどもいつともなく誰《たれ》ともなくその歌は歌い出されだんだんはっきり強くなりました。思わずジョバンニもカムパネルラも一緒《いっしょ》にうたい出したのです。

そして青い橄欖《かんらん》の森が見えない天の川の向うにさめざめと光りながらだんだんうしろの方へ行ってしまいそこから流れて来るあやしい楽器の音ももう汽車のひびきや風の音にすり耗《へ》らされてずうっとかすかになりました。

「あ孔雀《くじゃく》が居るよ。」

「ええたくさん居たわ。」女の子がこたえました。

ジョバンニはその小さく小さくなっていまはもう一つの緑いろの貝ぼたんのように見える森の上にさっさっと青じろく時々光ってその孔雀がはねをひろげたりとじたりする光の反射を見ました。

「そうだ、孔雀の声だってさっき聞えた。」カムパネルラがかおる子に云いました。
「ええ、三十疋《びき》ぐらいはたしかに居たわ。ハープのように聞えたのはみんな孔雀よ。」女の子が答えました。ジョバンニは俄《にわ》かに何とも云えずかなしい気がして思わず
「カムパネルラ、ここからはねおりて遊んで行こうよ。」とこわい顔をして云おうとしたくらいでした。

川は二つにわかれました。そのまっくらな島のまん中に高い高いやぐらが一つ組まれてその上に一人の寛《ゆる》い服を着て赤い帽子《ぼうし》をかぶった男が立っていました。そして両手に赤と青の旗をもってそらを見上げて信号しているのでした。ジョバンニが見ている間その人はしきりに赤い旗をふっていましたが俄かに赤旗をおろしてうしろにかくすようにし青い旗を高く高くあげてまるでオーケストラの指揮者のように烈《はげ》しく振《ふ》りました。すると空中にざあっと雨のような音がして何かまっくらなものがいくかたまりもいくかたまりも鉄砲丸《てっぽうだま》のように川の向うの方へ飛んで行くのでした。ジョバンニは思わず窓からからだを半分出してそっちを見あげました。美しい美しい桔梗《ききょう》いろのがらんとした空の下を実に何万という小さな鳥どもが幾組《いくくみ》も幾組もめいめいせわしくせわしく鳴いて通って行くのでした。
「鳥が飛んで行くな。」ジョバンニが窓の外で云いました。

「どら、」カムパネルラもそらを見ました。そのときあのやぐらの上のゆるい服の男は俄かに赤い旗をあげて狂気《きょうき》のようにふりうごかしました。するとぴたっと鳥の群は通らなくなりそれと同時にぴしゃぁんという潰《つぶ》れたような音が川下の方で起ってそれからしばらくしいんとしました。と思ったらあの赤帽の信号手がまた青い旗をふって叫《さけ》んでいたのです。

「いまこそわたれわたり鳥、いまこそわたれわたり鳥。」その声もはっきり聞えました。それといっしょにまた幾万という鳥の群がそらをまっすぐにかけたのです。二人の顔を出しているまん中の窓からあの女の子が顔を出して美しい頰《ほほ》をかがやかせながらそらを仰《あお》ぎました。

「まあ、この鳥、たくさんですわねえ、あらまあそらのきれいなこと。」女の子はジョバンニにはなしかけましたけれどもジョバンニは生意気ないやだいと思いながらだまって口をむすんでそらを見あげていました。女の子は小さくほっと息をしてだまって席へ戻《もど》りました。カムパネルラが気の毒そうに窓から顔を引っ込《こ》めて地図を見ていました。

「あの人鳥へ教えてるんでしょうか。」女の子がそっとカムパネルラにたずねました。

「わたり鳥へ信号してるんです。きっとどこからかのろしがあがるためでしょう。」

カムパネルラが少しおぼつかなそうに答えました。そして車の中はしぃんとなりました。ジョバンニはもう頭を引っ込めたかったのですけれども明るいとこへ顔を出すのがつらかったのでだまってこらえてそのまま立って口笛《くちぶえ》を吹《ふ》いていました。

(どうして僕《ぼく》はこんなにかなしいのだろう。僕はもっとこころもちをきれいに大きくもたなければいけない。あすこの岸のずうっと向うにまるでけむりのような小さな青い火が見える。あれはほんとうにしずかでつめたい。僕はあれをよく見てこころもちをしずめるんだ。)ジョバンニは熱《ほて》って痛いあたまを両手で押《おさ》えるようにしてそっちの方を見ました。(ああほんとうにどこまでもどこまでも僕といっしょに行くひとはないだろうか。カムパネルラだってあんな女の子とおもしろそうに談《はな》しているし僕はほんとうにつらいなあ。)ジョバンニの眼はまた泪《なみだ》でいっぱいになり天の川もまるで遠くへ行ったようにぼんやり白く見えるだけでした。

そのとき汽車はだんだん川からはなれて崖《がけ》の上を通るようになりました。向う岸もまた黒いいろの崖が川の岸を下流に下るにしたがってだんだん高くなって行くのでした。そしてちらっと大きなとうもろこしの木を見ました。その葉はぐるぐるに縮れ葉の下にはもう美しい緑いろの大きな苞《ほう》が赤い毛を吐《は》いて真珠のような実もちらっと見えたのでした。それはだんだん数を増して来てもういまは列のように崖と線路との間にならび思わずジョバンニが窓から顔を引っ込めて向う側の窓を見ましたときは美しいそらの野原の地平線のはてまでその大きなとうもろこしの木がほとんどいちめんに植えられてさやさや風にゆらぎその立派なちぢれた葉のさきからはまるでひるの間にいっぱい日光を吸った金剛石《こんごうせき》のように露《つゆ》がいっぱいについて赤や緑やきらきら燃えて光っているのでした。カムパネルラが「あれとうもろこしだねえ」とジョバンニに云いましたけれどもジョバンニはどうしても気持がなおりませんでしたからただぶっきり棒に野原を見たまま「そうだろう。」と答えました。そのとき汽車はだんだんしずかになっていくつかのシグナルとてんてつ器の灯を過ぎ小さな停車場にとまりました。

その正面の青じろい時計はかっきり第二時を示しその振子《ふりこ》は風もなくなり汽車もうごかずしずかなしずかな野原のなかにカチッカチッと正しく時を刻んで行くのでした。

そしてまったくその振子の音のたえまを遠くの遠くの野原のはてから、かすかなかすかな旋律《せんりつ》が糸のように流れて来るのでした。「新世界交響楽《こうきょうがく》*だわ。」姉がひとりごとのようにこっちを見ながらそっと云いました。全くもう車の中ではあの黒服の丈高《たけたか》い青年も誰《たれ》もみんなやさしい夢《ゆめ》を見ているのでした。

（こんなしずかないいとこで僕はどうしてもっと愉快《ゆかい》になれないだろう。どうしてこんなにひとりさびしいのだろう。けれどもカムパネルラなんかあんまりひどい、僕といっしょに汽車に乗っていながらまであんな女の子とばかり談《はな》しているんだもの。僕はほんとうにつらい。）ジョバンニはまた両手で顔を半分かくすようにして向うの窓のそとを見つめていました。すきとおった硝子《ガラス》のような笛が鳴って汽車はしずかに動き出し、カムパネルラもさびしそうに星めぐりの口笛を吹きました。

「ええ、ええ、もうこの辺はひどい高原ですから。」うしろの方で誰《たれ》かとしよりらしい人のいま眼《め》がさめたという風ではきはき談していう声がしました。

「とうもろこしだって棒で二尺も孔《あな》をあけておいてそこへ播《ま》かないと生えないんです。」

「そうですか。川まではよほどありましょうかねえ、」

「ええええ河までは二千尺から六千尺あります。もうまるでひどい峡谷《きょうこく》になっているんです。」

そうそうここはコロラドの高原じゃなかったろうか、ジョバンニは思わずそう思いました。カムパネルラはまださびしそうにひとり口笛を吹き、女の子はまるで絹で包んだ苹果《りんご》のような顔いろをしてジョバンニの見る方を見ているのでした。突然《とつぜん》とうもろこしがなくなって巨《おお》きな黒い野原がいっぱいにひらけました。新世界交響楽はいよいよはっきり地平線のはてから湧《わ》きそのまっ黒な野原のなかを一人のインデアンが白い鳥の羽根を頭につけたくさんの石を腕《うで》と胸にかざり小さな弓に矢を番《つが》えて一目散《いちもくさん》に汽車を追って来るのでした。

「あら、インデアンですよ。インデアンですよ。ごらんなさい。」

黒服の青年も眼をさましました。ジョバンニもカムパネルラも立ちあがりました。

「走って来るわ、あら、走って来るわ。追いかけているんでしょう。」

「いいえ、汽車を追ってるんじゃないんですよ。猟《りょう》をするか踊《おど》るかしてるんですよ。」

青年はいまどこに居るか忘れたという風にポケットに手を入れて立ちながら云いました。

まったくインデアンは半分は踊っているようでした。第一かけるにしても足のふみようがもっと経済もとれ本気にもなれそうでした。にわかにくっきり白いその羽根は前の方へ倒《たお》れるようになりインデアンはぴたっと立ちどまってすばやく弓を空にひきました。そこから一羽の鶴《つる》がふらふらと落ちて来てまた走り出したインデアンの大きくひろげた両手に落ちこみました。インデアンはうれしそうに立ってわらいました。そしてその鶴をもってこっちを見ている影《かげ》ももうどんどん小さく遠くなり電しんばしらの碍子《がいし》がきらっきらっと続いて二つばかり光ってまたとうもろこしの林になってしまいました。こっち側の窓を見ますと汽車はほんとうに高い高い崖《がけ》の上を走っていてその谷の底には川がやっぱり幅《はば》ひろく明るく流れていたのです。

「ええ、もうこの辺から下りです。何せこんどは一ぺんにあの水面までおりて行くんですから容易じゃありません。この傾斜《けいしゃ》があるもんですから汽車は決して向うからこっちへは来ないんです。そら、もうだんだん早くなったでしょう。」さっきの老人らしい声が云いました。

どんどんどんどん汽車は降りて行きました。崖のはじに鉄道がかかるときは川が明るく下にのぞけたのです。ジョバンニはだんだんこころもちが明るくなって来ました。汽車が小さな小屋の前を通ってその前にしょんぼりひとりの子供が立ってこっちを見ているときなどは思わずほうと叫びました。

どんどんどんどん汽車は走って行きました。室中《へやじゅう》のひとたちは半分うしろの方へ倒れるようになりながら腰掛《こしかけ》にしっかりしがみついていました。ジョバンニは思わずカムパネルラとわらいました。もうそして天の川は汽車のすぐ横手をいままでよほど激《はげ》しく流れて来たらしくときどきちらちら光ってながれているのでした。うすあかい河原《かわら》なでしこの花があちこち咲いていました。汽車はようやく落ち着いたようにゆっくりと走っていました。

向うとこっちの岸に星のかたちとつるはしを書いた旗がたっていました。

「あれ何の旗だろうね。」ジョバンニがやっとものを云いました。

「さあ、わからないねえ、地図にもないんだもの。鉄の舟がおいてあるねえ。」

「ああ。」

「橋を架《か》けるとこじゃないんでしょうか。」女の子が云いました。

「ああれ工兵の旗だねえ。架橋《かきょう》演習をしてるんだ。けれど兵隊のかたちが見えないねえ。」

その時向う岸ちかくの少し下流の方で見えない天の川の水がぎらっと光って柱のように高くはねあがりどぉと烈《はげ》しい音がしました。

「発破《はっぱ》だよ、発破だよ。」カムパネルラはこおどりしました。

その柱のようになった水は見えなくなり大きな鮭《さけ》や鱒《ます》がきらっきらっと白く腹を光らせて空中に抛《ほう》り出されて円い輪を描いてまた水に落ちました。ジョバンニはもうはねあがりたいくらい気持が軽くなって云いました。

「空の工兵大隊だ。どうだ、鱒やなんかがまるでこんなになってはねあげられたねえ。僕こんな愉快な旅はしたことない。いいねえ。」

「あの鱒なら近くで見たらこれくらいあるねえ、たくさんさかな居るんだな、この水の中に。」

「小さなお魚もいるんでしょうか。」女の子が談《はなし》につり込《こ》まれて云いました。

「居るんでしょう。大きなのが居るんだから小さいのもいるんでしょう。けれど遠くだからいま小さいの見えなかったねえ。」ジョバンニはもうすっかり機嫌《きげん》が直って面白《おもしろ》そうにわらって女の子に答えました。

「あれきっと双子《ふたご》のお星さまのお宮だよ。」男の子がいきなり窓の外をさして叫《さけ》びました。

右手の低い丘《おか》の上に小さな水晶《すいしょう》ででもこさえたような二つのお宮がならんで立っていました。

「双子のお星さまのお宮って何だい。」

「あたし前になんべんもお母さんから聴《き》いたわ。ちゃんと小さな水晶のお宮で二つならんでいるからきっとそうだわ。」

「はなしてごらん。双子のお星さまが何したっての。」

「ぼくも知ってらい。双子のお星さまが野原へ遊びにでてからすと喧嘩《けんか》したんだろう。」

「そうじゃないわよ。あのね、天の川の岸にね、おっかさんお話なすったわ、……」

「それから彗星《ほうきぼし》がギーギーフーギーギーフーて云って来たねえ。」

「いやだわたあちゃんそうじゃないわよ。それはべつの方だわ。」

「するとあすこにいま笛《ふえ》を吹《ふ》いて居るんだろうか。」

「いま海へ行ってらあ。」

「いけないわよ。もう海からあがっていらっしゃったのよ。」

「そうそう。ぼく知ってらあ、ぼくおはなししよう。」

川の向う岸が俄《にわ》かに赤くなりました。楊《やなぎ》の木や何かもまっ黒にすかし出され見えない天の川の波もときどきちらちら針のように赤く光りました。まったく向う岸の野原に大きなまっ赤な火が燃されその黒いけむりは高く桔梗《ききょう》いろのつめたそうな天をも焦《こ》がしそうでした。ルビーよりも赤くすきとおりリチウムよりもうつくしく酔《よ》ったようになってその火は燃えているのでした。

「あれは何の火だろう。あんな赤く光る火は何を燃やせばできるんだろう。」ジョバンニが云《い》いました。

「蝎《さそり》の火だな。」カムパネルラが又《また》地図と首っ引きして答えました。

「あら、蝎の火のことならあたし知ってるわ。」

「蝎の火って何だい。」ジョバンニがききました。

「蝎がやけて死んだのよ。その火がいまでも燃えてるってあたし何べんもお父さんから聴いたわ。」

「蝎って、虫だろう。」

「ええ、蝎は虫よ。だけどいい虫だわ。」

「蝎いい虫じゃないよ。僕博物館でアルコールにつけてあるの見た。尾にこんなかぎがあってそれで螫《さ》されると死ぬって先生が云《こ》ったよ。」

「そうよ。だけどいい虫だわ、お父さん斯う云ったのよ。むかしのバルドラの野原に一ぴきの蝎がいて小さな虫やなんか殺してたべて生きていたんですって。するとある日いたちに見附《みつ》かって食べられそうになったんですって。さそりは一生けん命遁《に》げて遁げたけどとうとういたちに押《おさ》えられそうになったわ、そのときいきなり前に井戸があってその中に落ちてしまったわ、もうどうしてもあがられないでさそりは溺《おぼ》れはじめたのよ。そのときさそりは斯う云ってお祈《いの》りしたというの、
ああ、わたしはいままでいくつのものの命をとったかわからない、そしてその私がこんどいたちにとられようとしたときはあんなに一生けん命にげた。それでもとうとうこんなになってしまった。ああなんにもあてにならない。どうしてわたしはわたしのからだをだまっていたちに呉《く》れてやらなかったろう。そしたらいたちも一日生きの

びたろうに。どうか神さま。私の心をごらん下さい。こんなにむなしく命をすてずどうかこの次にはまことのみんなの幸《さいわい》のために私のからだをおつかい下さい。って云ったというの。そしたらいつか蝎はじぶんのからだがまっ赤なうつくしい火になって燃えてよるのやみを照らしているのを見たって。いまでも燃えてるってお父さん仰《おっしゃ》ったわ。ほんとうにあの火それだわ。」

「そうだ。見たまえ。そこらの三角標はちょうどさそりの形にならんでいるよ。」

ジョバンニはまったくその大きな火の向うに三つの三角標がちょうどさそりの腕《うで》のようにこっちに五つの三角標がさそりの尾やかぎのようにならんでいるのを見ました。そしてほんとうにそのまっ赤なうつくしいさそりの火は音なくあかるくあかるく燃えたのです。

その火がだんだんうしろの方になるにつれてみんなは何とも云えずにぎやかなさまざまの楽の音《ね》や草花の匂《におい》のようなもの口笛や人々のざわざわ云う声やらを聞きました。それはもうじきちかくに町か何かがあってそこにお祭でもあるというような気がするのでした。

「ケンタウル露《つゆ》をふらせ。」いきなりいままで睡《ねむ》っていたジョバンニのとなりの男の子が向うの窓を見ながら叫んでいました。

ああそこにはクリスマストリイのようにまっ青な唐檜《とうひ》かもみの木がたってその中にはたくさんのたくさんの豆電燈《まめでんとう》がまるで千の蛍《ほたる》でも集ったようについていました。

「ああ、そうだ、今夜ケンタウル祭だねえ。」

「ああ、ここはケンタウルの村だよ。」カムパネルラがすぐ云いました。〔以下原稿一枚？なし〕

「ボール投げなら僕《ぼく》決してはずさない。」

男の子が大威張《おおいば》りで云いました。

「もうじきサウザンクロス*です。おりる支度《したく》をして下さい。」青年がみんなに云いました。

「僕も少し汽車へ乗ってるんだよ。」男の子が云いました。カムパネルラのとなりの女の子はそわそわ立って支度をはじめましたけれどもやっぱりジョバンニたちとわかれたくないようなようすでした。

「ここでおりなけぁいけないのです。」青年はきちっと口を結んで男の子を見おろしながら云いました。

「厭《いや》だい。僕もう少し汽車へ乗ってから行くんだい。」

ジョバンニがこらえ兼ねて云いました。

「僕たちと一緒《いっしょ》に乗って行こう。僕たちどこまでだって行ける切符《きっぷ》持ってるんだ。」

「だけどあたしたちもうここで降りなけぁいけないのよ。ここ天上へ行くとこなんだから。」女の子がさびしそうに云いました。

「天上へなんか行かなくたっていいじゃないか。ぼくたちここで天上よりももっといいとこをこさえなけぁいけないって僕の先生が云ったよ。」

「だっておっ母さんも行ってらっしゃるしそれに神さまが仰《お》っしゃるんだわ。」

「そんな神さまうその神さまだい。」

「あなたの神さまうその神さまよ。」

「そうじゃないよ。」

「あなたの神さまってどんな神さまですか。」青年は笑いながら云いました。

「ぼくほんとうはよく知りません、けれどもそんなんでなしにほんとうのたった一人の神さまです。」

「ほんとうの神さまはもちろんたった一人です。」

「ああ、そんなんでなしにたったひとりのほんとうのほんとうの神さまです。」

「だからそうじゃありませんか。わたくしはあなた方がいまにそのほんとうの神さまの前にわたくしたちとお会いになることを祈ります。」青年はつつましく両手を組みました。女の子もちょうどその通りにしました。みんなほんとうに別れが惜《お》しそうでその顔いろも少し青ざめて見えました。ジョバンニはあぶなく声をあげて泣き出そうとしました。

「さあもう仕度はいいんですか。じきサウザンクロスですから。」

ああそのときでした。見えない天の川のずうっと川下に青や橙《だいだい》やもうあらゆる光でちりばめられた十字架《じゅうじか》がまるで一本の木という風に川の中から立ってかがやきその上には青じろい雲がまるい環《わ》になって後光のようにかかっているのでした。汽車の中がまるでざわざわしました。みんなあの北の十字のときのようにまっすぐに立ってお祈りをはじめました。あっちにもこっちにも子供が瓜《うり》に飛びついたときのようなよろこびの声や何とも云いようない深いつつましいためいきの音ばかりきこえました。そしてだんだん十字架は窓の正面になりあの苹果《りんご》の肉のような青じろい環の雲もゆるやかにゆるやかに繞《めぐ》っているのが見えました。

「ハルレヤハルレヤ。」明るくたのしくみんなの声はひびきみんなはそのそらの遠くからつめたいそらの遠くからすきとおった何とも云えずさわやかなラッパの声をききました。そしてたくさんのシグナルや電燈の灯《あかり》のなかを汽車はだんだんゆるやかになりとうとう十字架のちょうどま向いに行ってすっかりとまりました。

「さあ、下りるんですよ。」青年は男の子の手をひきだんだん向うの出口の方へ歩き出しました。

「じゃさよなら。」女の子がふりかえって二人に云いました。

「さよなら。」ジョバンニはまるで泣き出したいのをこらえて怒《おこ》ったようにぶっきり棒に云いました。女の子はいかにもつらそうに眼《め》を大きくしてもう一度こっちをふりかえってそれからあとはもうだまって出て行ってしまいました。汽車の中はもう半分以上も空いてしまい俄《にわ》かにがらんとしてさびしくなり風がいっぱいに吹《ふ》き込《こ》みました。

そして見ているとみんなはつつましく列を組んであの十字架の前の天の川のなぎさにひざまずいていました。そしてその見えない天の川の水をわたってひとりの神々《こうごう》しい白いきものの人が手をのばしてこっちへ来るのを二人は見ました。けれどもそのときはもう硝子《ガラス》の呼子《よびこ》は鳴らされ汽車はうごき出しと思ううちに銀いろの霧《きり》が川下の方からすうっと流れて来てもうそっちは何も見えなくなりました。ただたくさんのくるみの木が葉をさんさんと光らしてその霧の中に立ち黄金《きん》の円光をもった電気栗鼠《りす》が可愛《あい》い顔をその中からちらちらのぞいているだけでした。

そのときすうっと霧がはれかかりました。どこかへ行く街道らしく小さな電燈の一列についた通りがありました。それはしばらく線路に沿って進んでいました。そして二人がそのあかしの前を通って行くときはその小さな豆いろの火はちょうど挨拶《あいさつ》でもするようにぽかっと消え二人が過ぎて行くときまた点《つ》くのでした。

ふりかえって見るとさっきの十字架はすっかり小さくなってしまいほんとうにもうそのまま胸にも吊《つる》されそうになり、さっきの女の子や青年たちがその前の白い渚《なぎさ》にまだひざまずいているのかそれともどこか方角もわからないその天上へ行ったのかぼんやりして見分けられませんでした。

ジョバンニはああと深く息しました。

「カムパネルラ、また僕たち二人きりになったねえ、どこまでもどこまでも一緒に行こう。僕はもうあのさそりのようにほんとうにみんなの幸《さいわい》のためならば僕のからだなんか百ぺん灼《や》いてもかまわない。」

「うん。僕だってそうだ。」カムパネルラの眼にはきれいな涙《なみだ》がうかんでいました。

「けれどもほんとうのさいわいは一体何だろう。」ジョバンニが云いました。

「僕わからない。」カムパネルラがぼんやり云いました。

「僕たちしっかりやろうねえ。」ジョバンニが胸いっぱい新らしい力が湧《わ》くようにふうと息をしながら云いました。

「あ、あすこ石炭袋《ぶくろ》＊だよ。そらの孔《あな》だよ。」カムパネルラが少しそっちを避《さ》けるようにしながら天の川のひとところを指さしました。ジョバンニはそっちを見てまるでぎくっとしてしまいました。天の川の一とこに大きなまっくらな孔がどほんとあいているのです。その底がどれほど深いかその奥《おく》に何があるかいくら眼をこすってのぞいてもなんにも見えずただ眼がしんしんと痛むのでした。ジョバンニが云いました。

「僕もうあんな大きな暗《やみ》の中だってこわくない。きっとみんなのほんとうのさいわいをさがしに行く。どこまでもどこまでも僕たち一緒に進んで行こう。」

「ああきっと行くよ。ああ、あすこの野原はなんてきれいだろう。みんな集ってるねえ。あすこがほんとうの天上なんだ。あっあすこにいるのぼくのお母さんだよ。」カムパネルラは俄《にわ》かに窓の遠くに見えるきれいな野原を指して叫《さけ》びました。

ジョバンニもそっちを見ましたけれどもそこはぼんやり白くけむっているばかりどうしてもカムパネルラが云ったように思われませんでした。何とも云えずさびしい気がしてぼんやりそっちを見ていましたら向うの河岸に二本の電信ばしらが丁度両方から腕《うで》を組んだように赤い腕木をつらねて立っていました。

「カムパネルラ、僕たち一緒に行こうねえ。」ジョバンニが斯《こ》う云いながらふりかえって見ましたらそのいままでカムパネルラの座《すわ》っていた席にもうカムパネルラの形は見えずただ黒いびろうどばかりひかっていました。ジョバンニはまるで鉄砲丸《てっぽうだま》のように立ちあがりました。そして誰《たれ》にも聞えないように窓の外へからだを乗り出して力いっぱいはげしく胸をうって叫びそれからもう咽喉《のど》いっぱい泣きだしました。もうそこらが一ぺんにまっくらになったように思いました。

ジョバンニは眼をひらきました。もとの丘《おか》の草の中につかれてねむっていたのでした。胸は何だかおかしく熱《ほて》り頰《ほほ》にはつめたい涙がながれていました。

ジョバンニはばねのようにはね起きました。町はすっかりさっきの通りに下でたくさんの灯を綴《つづ》ってはいましたがその光はなんだかさっきよりは熱したという風でした。そしてたったいま夢《ゆめ》であるいた天の川もやっぱりさっきの通りに白くぼんやりかかりまっ黒な南の地平線の上では殊《こと》にけむったようになってその右には蠍座《さそりざ》の赤い星がうつくしくきらめき、そらぜんたいの位置はそんなに変ってもいないようでした。

ジョバンニは一さんに丘を走って下りました。まだ夕ごはんをたべないで待っているお母さんのことが胸いっぱいに思いだされたのです。どんどん黒い松《まつ》の林の中を通ってそれからほの白い牧場の柵《さく》をまわってさっきの入口から暗い牛舎の前へまた来ました。そこには誰かがいま帰ったらしくさっきなかった一つの車が何かの樽《たる》を二つ乗っけて置いてありました。

「今晩は、」ジョバンニは叫びました。

「はい。」白い太いずぼんをはいた人がすぐ出て来て立ちました。

「何のご用ですか。」

「今日牛乳がぼくのところへ来なかったのですが」

「あ済みませんでした。」その人はすぐ奥へ行って一本の牛乳瓶《ぎゅうにゅうびん》をもって来てジョバンニに渡《わた》しながらまた云いました。

「ほんとうに、済みませんでした。今日はひるすぎうっかりしてこうしの柵をあけて置いたもんですから大将早速親牛のところへ行って半分ばかり呑《の》んでしまいましてね……」その人はわらいました。

「そうですか。ではいただいて行きます。」

「ええ、どうも済みませんでした。」

「いいえ。」

ジョバンニはまだ熱い乳の瓶を両方のてのひらで包むようにもって牧場の柵を出ました。

そしてしばらく木のある町を通って大通りへ出てまたしばらく行きますとみちは十文字になってその右手の方、通りのはずれにさっきカムパネルラたちのあかりを流しに行った川へかかった大きな橋のやぐらが夜のそらにぼんやり立っていました。

ところがその十字になった町かどや店の前に女たちが七八人ぐらいずつ集って橋の方を見ながら何かひそひそ談《はな》しているのです。それから橋の上にもいろいろなあかりがいっぱいなのでした。

ジョバンニはなぜかさあっと胸が冷たくなったように思いました。そしていきなり近くの人たちへ

「何かあったんですか。」と叫ぶようにききました。

「こどもが水へ落ちたんですよ。」一人が云いますとその人たちは一斉《いっせい》にジョバンニの方を見ました。ジョバンニはまるで夢中で橋の方へ走りました。橋の上は人でいっぱいで河が見えませんでした。白い服を着た巡査《じゅんさ》も出ていました。

ジョバンニは橋の袂《たもと》から飛ぶように下の広い河原へおりました。

その河原の水際《みずぎわ》に沿ってたくさんのあかりがせわしくのぼったり下ったりしていました。向う岸の暗いどてにも火が七つ八つうごいていました。そのまん中をもう烏瓜《からすうり》のあかりもない川が、わずかに音をたてて灰いろにしずかに流れていたのでした。

河原のいちばん下流の方へ洲《す》のようになって出たところに人の集りがくっきりまっ黒に立っていました。ジョバンニはどんどんそっちへ走りました。するとジョバンニはいきなりさっきカムパネルラといっしょだったマルソに会いました。マルソがジョバンニに走り寄ってきました。

「ジョバンニ、カムパネルラが川へはいったよ。」

「どうして、いつ。」

「ザネリがね、舟の上から烏うりのあかりを水の流れる方へ押《お》してやろうとしたんだ。そのとき舟がゆれたもんだから水へ落っこったろう。するとカムパネルラがすぐ飛びこんだんだ。そしてザネリを舟の方へ押してよこした。ザネリはカトウにつかまった。けれどもあとカムパネルラが見えないんだ。」

「みんな探してるんだろう。」

「ああすぐみんな来た。カムパネルラのお父さんも来た。けれども見附《みつ》からないんだ。ザネリはうちへ連れられてった。」

ジョバンニはみんなの居るそっちの方へ行きました。そこに学生たち町の人たちに囲まれて青じろい尖《とが》ったあごをしたカムパネルラのお父さんが黒い服を着てまっすぐに立って右手に持った時計をじっと見つめていたのです。

みんなもじっと河を見ていました。誰《たれ》も一言も物を云う人もありませんでした。ジョバンニはわくわくわくわく足がふるえました。魚をとるときのアセチレンランプがたくさんせわしく行ったり来たりして黒い川の水はちらちら小さな波をたてて流れているのが見えるのでした。

下流の方は川はば一ぱい銀河が巨《おお》きく写ってまるで水のないそのままのそらのように見えました。

ジョバンニはそのカムパネルラはもうあの銀河のはずれにしかいないというような気がしてしかたなかったのです。

けれどもみんなはまだ、どこかの波の間から、

「ぼくずいぶん泳いだぞ。」と云いながらカムパネルラが出て来るか或《ある》いはカムパネルラがどこかの人の知らない洲にでも着いて立っていて誰かの来るのを待っているかというような気がして仕方ないらしいのでした。けれども俄《にわ》かにカムパネルラのお父さんがきっぱり云いました。

「もう駄目《だめ》です。落ちてから四十五分たちましたから。」

ジョバンニは思わずかけよって博士の前に立って、ぼくはカムパネルラの行った方を知っていますぼくはカムパネルラといっしょに歩いていたのですと云おうとしまし

たがもうのどがつまって何とも云えませんでした。すると博士はジョバンニが挨拶《あいさつ》に来たとでも思ったものですか、しばらくしげしげジョバンニを見ていましたが
「あなたはジョバンニさんでしたね。どうも今晩はありがとう。」と叮《てい》ねいに云いました。

ジョバンニは何も云えずにただおじぎをしました。

「あなたのお父さんはもう帰っていますか。」博士は堅《かた》く時計を握《にぎ》ったまままたききました。

「いいえ。」ジョバンニはかすかに頭をふりました。

「どうしたのかなあ。ぼくには一昨日《おととい》大へん元気な便りがあったんだが。今日あたりもう着くころなんだが。船が遅《おく》れたんだな。ジョバンニさん。あした放課後みなさんとうちへ遊びに来てくださいね。」

そう云いながら博士はまた川下の銀河のいっぱいにうつった方へじっと眼を送りました。

ジョバンニはもういろいろなことで胸がいっぱいでなんにも云えずに博士の前をはなれて早くお母さんに牛乳を持って行ってお父さんの帰ることを知らせようと思うともう一目散に河原を街の方へ走りました。

セロ弾《ひ》きのゴーシュ

ゴーシュは町の活動写真館*でセロ*を弾く係りでした。けれどもあんまり上手でないという評判でした。上手でないどころではなく実は仲間の楽手のなかではいちばん下手でしたから、いつでも楽長にいじめられるのでした。

ひるすぎみんなは楽屋に円くならんで今度の町の音楽会へ出す第六交響曲《こうきょうきょく》*の練習をしていました。

トランペットは一生けん命歌っています。

ヴァイオリンも二いろ風のように鳴っています。

クラリネットもボーボーとそれに手伝っています。

ゴーシュも口をりんと結んで眼《め》を皿《さら》のようにして楽譜《がくふ》を見つめながらもう一心に弾いています。

にわかにぱたっと楽長が両手を鳴らしました。みんなぴたりと曲をやめてしんとしました。楽長がどなりました。

「セロがおくれた。トォテテ　テテテイ、ここからやり直し。はいっ。」

みんなは今の所の少し前の所からやり直しました。ゴーシュは顔をまっ赤にして額に汗《あせ》を出しながらやっといま云《い》われたところを通りました。ほっと安心しながら、つづけて弾いていますと楽長がまた手をぱっと拍《う》ちました。

「セロっ。糸が合わない。困るなあ。ぼくはきみにドレミファを教えてまでいるひまはないんだがなあ。」

みんなは気の毒そうにしてわざとじぶんの譜をのぞき込《こ》んだりじぶんの楽器をはじいて見たりしています。ゴーシュはあわてて糸を直しました。これはじつはゴーシュも悪いのですがセロもずいぶん悪いのでした。

「今の前の小節から。はいっ。」

みんなはまたはじめました。ゴーシュも口をまげて一生けん命です。そしてこんどはかなり進みました。いいあんばいだと思っていると楽長がおどすような形をしてまたぱたっと手を拍ちました。またかとゴーシュはどきっとしましたがありがたいことにはこんどは別の人でした。ゴーシュはそこでさっきじぶんのときみんながしたようにわざとじぶんの譜へ眼を近づけて何か考えるふりをしていました。

「ではすぐ今の次。はいっ。」

そらと思って弾き出したかと思うといきなり楽長が足をどんと踏《ふ》んでどなり出しました。

「だめだ。まるでなっていない。このへんは曲の心臓なんだ。それがこんながさがさしたことで。諸君。演奏までもうあと十日しかないんだよ。音楽を専門にやっているぼくらがあの金沓鍛冶《かなぐつかじ》だの砂糖屋の丁稚《でっち》なんかの寄り集りに負けてしまったらいったいわれわれの面目《めんもく》はどうなるんだ。おいゴーシュ君。君には困るんだがなあ。表情ということがまるでできてない。怒《おこ》るも喜ぶも感情というものがさっぱり出ないんだ。それにどうしてもぴたっと外の楽器と合わないもなあ。いつでもきみだけとけた靴《くつ》のひもを引きずってみんなのあとをついてあるくようなんだ、困るよ、しっかりしてくれないとねえ。光輝《こうき》あるわが金星音楽団がきみ一人のために悪評をとるようなことでは、みんなへもまったく気の毒だからな。では今日は練習はここまで、休んで六時にはかっきりボックスへ入ってくれ給《たま》え。」

みんなはおじぎをして、それからたばこをくわえてマッチをすったりどこかへ出て行ったりしました。ゴーシュはその粗末《そまつ》な箱《はこ》みたいなセロをかかえて壁《かべ》の方へ向いて口をまげてぼろぼろ泪《なみだ》をこぼしましたが、気をとり直してじぶんだけたったひとりいまやったところをはじめからしずかにもいちど弾きはじめました。

その晩遅《おそ》くゴーシュは何か巨《おお》きな黒いものをしょってじぶんの家へ帰ってきました。家といってもそれは町はずれの川ばたにあるこわれた水車小屋で、ゴーシュはそこにたった一人ですんでいて午前は小屋のまわりの小さな畑でトマトの枝《えだ》をきったり甘藍《キャベジ》の虫をひろったりしてひるすぎになるといつも出て行っていたのです。ゴーシュがうちへ入ってあかりをつけるとさっきの黒い包みをあけました。それは何でもない。あの夕方のごつごつしたセロでした。ゴーシュはそれを床《ゆか》の上にそっと置くと、いきなり棚《たな》からコップをとってバケツの水をごくごくのみました。

それから頭を一つふって椅子《いす》へかけるとまるで虎《とら》みたいな勢《いきおい》でひるの譜を弾きはじめました。譜をめくりながら弾いては考え考えては弾き一生けん命しまいまで行くとまたはじめからなんべんもなんべんもごうごうごうごう弾きつづけました。

夜中もとうにすぎてしまいはもうじぶんが弾いているのかもわからないようになって顔もまっ赤になり眼もまるで血走ってとても物凄《ものすご》い顔つきになりいまにも倒《たお》れるかと思うように見えました。

そのとき誰《たれ》かうしろの扉《と》をとんとんと叩《たた》くものがありました。

「ホーシュ君か。」ゴーシュはねぼけたように叫《さけ》びました。ところがすうと扉を押《お》してはいって来たのはいままで五六ぺん見たことのある大きな三毛猫《みけねこ》でした。

ゴーシュの畑からとった半分熟したトマトをさも重そうに持って来てゴーシュの前におろして云いました。

「ああくたびれた。なかなか運搬《うんぱん》はひどいやな。」

「何だと」ゴーシュがききました。

「これおみやです。たべてください。」三毛猫が云いました。

ゴーシュはひるからのむしゃくしゃを一ぺんにどなりつけました。

「誰がきさまにトマトなど持ってこいと云った。第一おれがきさまらのもってきたものなど食うか。それからそのトマトだっておれの畑のやつだ。何だ。赤くもならないやつをむしって。いままでもトマトの茎《くき》をかじったりけちらしたりしたのはおまえだろう。行ってしまえ。ねこめ。」

すると猫は肩《かた》をまるくして眼をすぼめてはいましたが口のあたりでにやにやわらって云いました。

「先生、そうお怒りになっちゃ、おからだにさわります。それよりシューマンのトロメライをひいてごらんなさい。きいてあげますから。」

「生意気なことを云うな。ねこのくせに。」

セロ弾きはしゃくにさわってこのねこのやつどうしてくれようとしばらく考えまし

た。

「いやご遠慮《えんりょ》はありません。どうぞ。わたしはどうも先生の音楽をきかないとねむれないんです。」

「生意気だ。生意気だ。生意気だ。」

ゴーシュはすっかりまっ赤になってひるま楽長のしたように足ぶみしてどなりましたがにわかに気を変えて云いました。

「では弾くよ。」

ゴーシュは何と思ったか扉《と》にかぎをかって窓もみんなしめてしまい、それからセロをとりだしてあかしを消しました。すると外から二十日過ぎの月のひかりが室《へや》のなかへ半分ほどはいってきました。

「何をひけと。」

「トロメライ、*ロマチックシューマン作曲。*」猫は口を拭《ふ》いて済まして云いました。

「そうか。トロメライというのはこういうのか。」

セロ弾きは何と思ったかまずはんけちを引きさいてじぶんの耳の穴へぎっしりつめました。それからまるで嵐《あらし》のような勢《いきおい》で「印度《インド》の虎狩《とらがり》*」という譜を弾きはじめました。

すると猫はしばらく首をまげて聞いていましたがいきなりパチパチパチッと眼をし

たかと思うとぱっと扉の方へ飛びのきました。そしていきなりどんと扉へからだをぶっつけましたが扉はあきませんでした。猫はさあこれはもう一生一代の失敗をしたという風にあわてだして眼や額からぱちぱち火花を出しました。するとこんどは口のひげからも鼻からも出ましたから猫はくすぐったがってしばらくくしゃみをするような顔をしてそれからまたさあこうしてはいられないぞというようにはせあるきだしました。ゴーシュはすっかり面白《おもしろ》くなってますます勢よくやり出しました。

「先生もうたくさんです。たくさんですよ。ご生ですからやめてください。これからもう先生のタクトなんかとりませんから。」

「だまれ。これから虎をつかまえる所だ。」

猫はくるしがってはねあがってまわったり壁にからだをくっつけたりしましたが壁についたあとはしばらく青くひかるのでした。しまいは猫はまるで風車のようにぐるぐるぐるぐるゴーシュをまわりました。

ゴーシュもすこしぐるぐるして来ましたので、

「さあこれで許してやるぞ」と云いながらようようやめました。

すると猫もけろりとして
「先生、こんやの演奏はどうかしてますね。」と云いました。

　セロ弾きはまたぐっとしゃくにさわりましたが何気ない風で巻たばこを一本だして口にくわえそれからマッチを一本とって
「どうだい。工合《ぐあい》をわるくしないかい。舌を出してごらん。」

　猫はばかにしたように尖《とが》った長い舌をベロリと出しました。

「ははあ、すこし荒《あ》れたね。」セロ弾きは云いながらいきなりマッチを舌でシュッとすってじぶんのたばこへつけました。さあ猫は愕《おどろ》いたの何の舌を風車のようにふりまわしながら入口の扉《と》へ行って頭でどんとぶっつかってはよろよろとしてまた戻《もど》って来てどんとぶっつかってはよろよろまた戻って来てまたぶっつかってはよろよろにげみちをこさえようとしました。

　ゴーシュはしばらく面白そうに見ていましたが
「出してやるよ。もう来るなよ。ばか。」

　セロ弾きは扉をあけて猫が風のように萱《かや》のなかを走って行くのを見てちょっとわらいました。それから、やっとせいせいしたというようにぐっすりねむりました。

　次の晩もゴーシュがまた黒いセロの包みをかついで帰ってきました。そして水をごくごくのむとそっくりゆうべのとおりぐんぐんセロを弾きはじめました。十二時は間もなく過ぎ一時もすぎ二時もすぎてもゴーシュはまだやめませんでした。それからもう何時だかもわからず弾いているかもわからずごうごうやっていますと誰《たれ》か屋根裏をこっこっと叩くものがあります。

「猫、まだこりないのか。」

ゴーシュが叫びますといきなり天井《てんじょう》の穴からぼろんと音がして一疋《ぴき》の灰いろの鳥が降りて来ました。床へとまったのを見るとそれはかっこうでした。

「鳥まで来るなんて。何の用だ。」ゴーシュが云いました。

「音楽を教わりたいのです。」

かっこう鳥はすまして云いました。

ゴーシュは笑って
「音楽だと。おまえの歌は、かっこう、かっこうというだけじゃあないか。」

するとかっこうが大へんまじめに
「ええ、それなんです。けれどもむずかしいですからねえ。」と云いました。

「むずかしいもんか。おまえたちのはたくさん啼《な》くのがひどいだけで、なきようは何でもないじゃないか。」

「ところがそれがひどいんです。たとえばかっこうとこうなくのとかっこうとこうなくのとでは聞いていてもよほどちがうでしょう。」

「ちがわないね。」

「ではあなたにはわからないんです。わたしらのなかまならかっこうと一万云えば一万みんなちがうんです。」

「勝手だよ。そんなにわかってるなら何もおれの処《とこ》へ来なくてもいいではないか。」

「ところが私はドレミファを正確にやりたいんです。」

「ドレミファもくそもあるか。」

「ええ、外国へ行く前にぜひ一度いるんです。」

「外国もくそもあるか。」

「先生どうかドレミファを教えてください。わたしはついてうたいますから。」

「うるさいなあ。そら三べんだけ弾《ひ》いてやるからすんだらさっさと帰るんだぞ。」

ゴーシュはセロを取り上げてボロンボロンと糸を合せてドレミファソラシドとひきました。するとかっこうはあわてて羽をばたばたしました。

「ちがいます、ちがいます。そんなんでないんです。」

「うるさいなあ。ではおまえやってごらん。」

「こうですよ。」かっこうはからだをまえに曲げてしばらく構えてから
「かっこう」と一つなきました。

「何だい。それがドレミファかい。おまえたちには、それではドレミファも第六交《こう》響楽《きょうがく》も同じなんだな。」

「それはちがいます。」

「どうちがうんだ。」

「むずかしいのはこれをたくさん続けたのがあるんです。」

「つまりこうだろう。」セロ弾きはまたセロをとって、かっこうかっこうかっこうかっこうかっこうとつづけてひきました。

するとかっこうはたいへんよろこんで途中《とちゅう》からかっこうかっこうかっこうかっこうとついて叫《さけ》びました。それももう一生けん命からだをまげていつまでも叫ぶのです。

ゴーシュはとうとう手が痛くなって
「こら、いいかげんにしないか。」と云いながらやめました。するとかっこうは残念そうに眼《め》をつりあげてまだしばらくないていましたがやっと
「……かっこうかくうかっかっかっかっか」と云ってやめました。

ゴーシュがすっかりおこってしまって、

「こらとり、もう用が済んだらかえれ」と云いました。

「どうかもういっぺん弾いてください。あなたのはいいようだけれどもすこしちがう

んです。」

「何だと、おれがきさまに教わってるんではないんだぞ。帰らんか。」

「どうかたったもう一ぺんおねがいです。どうか。」かっこうは頭を何べんもこんこん下げました。

「ではこれっきりだよ。」

ゴーシュは弓をかまえました。かっこうは「くっ」とひとつ息をして
「ではなるべく永くおねがいいたします。」といってまた一つおじぎをしました。

「いやになっちまうなあ。」ゴーシュはにが笑いしながら弾きはじめました。するとかっこうはまたまるで本気になって「かっこうかっこうかっこう」とからだをまげてじつに一生けん命叫びました。ゴーシュははじめはむしゃくしゃしていましたがいつまでもつづけて弾いているうちにふっと何だかこれは鳥の方がほんとうのドレミファにはまっているかなという気がしてきました。どうも弾けば弾くほどかっこうの方がいいような気がするのでした。

「えいこんなばかなことしていたらおれは鳥になってしまうんじゃないか。」とゴーシュはいきなりぴたりとセロをやめました。

するとかっこうはどしんと頭を叩《たた》かれたようにふらふらっとしてそれからまたさっ

きのように
「かっこうかっこうかっこうかっかっかっかっかっ」と云《い》ってやめました。それから恨《うら》めしそうにゴーシュを見て
「なぜやめたんですか。ぼくらならどんな意気地ないやつでものどから血が出るまでは叫ぶんですよ。」と云いました。

「何を生意気な。こんなばかなまねをいつまでしていられるか。もう出て行け。見ろ。夜があけるんじゃないか。」ゴーシュは窓を指さしました。

東のそらがぼうっと銀いろになってそこをまっ黒な雲が北の方へどんどん走っています。

「ではお日さまの出るまでどうぞ。もう一ぺん。ちょっとですから。」

かっこうはまた頭を下げました。

「黙《だま》れっ。いい気になって。このばか鳥め。出て行かんとむしって朝飯に食ってしまうぞ。」ゴーシュはどんと床をふみました。

するとかっこうはにわかにびっくりしたようにいきなり窓をめがけて飛び立ちました。そして硝子《ガラス》にはげしく頭をぶっつけてばたっと下へ落ちました。

「何だ、硝子へばかだなあ。」ゴーシュはあわてて立って窓をあけようとしましたが

元来この窓はそんなにいつでもするする開く窓ではありませんでした。ゴーシュが窓のわくをしきりにがたがたしているうちにまたかっこうがばっとぶっつかって下へ落ちました。見ると嘴《くちばし》のつけねからすこし血が出ています。

「いまあけてやるから待っていろったら。」ゴーシュがやっと二寸ばかり窓をあけたとき、かっこうは起きあがって何が何でもこんどこそというようにじっと窓の向うの東のそらをみつめて、あらん限りの力をこめた風でぱっと飛びたちました。もちろんこんどは前よりひどく硝子につきあたってかっこうは下へ落ちたまましばらく身動きもしませんでした。つかまえてドアから飛ばしてやろうとゴーシュが手を出しましたらいきなりかっこうは眼をひらいて飛びのきました。そしてまたガラスへ飛びつきそうにするのです。ゴーシュは思わず足を上げて窓をばっとけりました。ガラスは二三枚物すごい音して砕《くだ》け窓はわくのまま外へ落ちました。そのがらんとなった窓のあとをかっこうが矢のように外へ飛びだしました。そしてもうどこまでもどこまでもまっすぐに飛んで行ってとうとう見えなくなってしまいました。ゴーシュはしばらく呆《あき》れたように外を見ていましたが、そのまま倒《たお》れるように室《へや》のすみへころがって睡《ねむ》ってしまいました。

次の晩もゴーシュは夜中すぎまでセロを弾いてつかれて水を一杯《いっぱい》のんでいますと、

また扉《と》をこつこつと叩《たた》くものがあります。

今夜は何が来てもゆうべのかっこうのようにはじめからおどかして追い払《はら》ってやろうと思ってコップをもったまま待ち構えて居《お》りますと、扉がすこしあいて一疋の狸《たぬき》の子がはいってきました。ゴーシュはそこでその扉をもう少し広くひらいて置いてどんと足をふんで、

「こら、狸、おまえは狸汁《たぬきじる》ということを知っているかっ。」とどなりました。すると狸の子はぼんやりした顔をしてきちんと床へ座《すわ》ったままどうもわからないというように首をまげて考えていましたが、しばらくたって

「狸汁ってぼく知らない。」と云いました。ゴーシュはその顔を見て思わず吹《ふ》き出そうとしましたが、まだ無理に恐《こわ》い顔をして、

「では教えてやろう。狸汁というのはな。おまえのような狸をな、キャベジや塩とまぜてくたくたと煮《に》ておれさまの食うようにしたものだ。」と云いました。すると狸の子はまたふしぎそうに

「だってぼくのお父さんがね、ゴーシュさんはとてもいい人でこわくないから行って習えと云ったよ。」と云いました。そこでゴーシュもとうとう笑い出してしまいました。

「何を習えと云ったんだ。おれはいそがしいんじゃないか。それに睡いんだよ。」

狸の子は俄《にわか》に勢《いきおい》がついたように一足前へ出ました。

「ぼくは小太鼓《こだいこ》の係りでねえ。セロへ合せてもらって来いと云われたんだ。」

「どこにも小太鼓がないじゃないか。」

「そら、これ」狸の子はせなかから棒きれを二本出しました。

「それでどうするんだ。」

「ではね、『愉快《ゆかい》な馬車屋』*を弾いてください。」

「何だ愉快な馬車屋ってジャズか。」

「ああこの譜《ふ》だよ。」狸の子はせなかからまた一枚の譜をとり出しました。ゴーシュは手にとってわらい出しました。

「ふう、変な曲だなあ。よし、さあ弾くぞ。おまえは小太鼓を叩くのか。」ゴーシュは狸の子がどうするのかと思ってちらちらそっちを見ながら弾きはじめました。

すると狸の子は棒をもってセロの駒《こま》の下のところを拍子《ひょうし》をとってぽんぽん叩きはじめました。それがなかなかうまいので弾いているうちにゴーシュはこれは面白《おもしろ》いぞと思いました。

おしまいまでひいてしまうと狸の子はしばらく首をまげて考えました。

それからやっと考えついたというように云いました。

「ゴーシュさんはこの二番目の糸をひくときはきたいに遅《おく》れるねえ。なんだかぼくがつまずくようになるよ。」

ゴーシュははっとしました。たしかにその糸はどんなに手早く弾いてもすこしたってからでないと音が出ないような気がゆうべからしていたのでした。

「いや、そうかもしれない。このセロは悪いんだよ。」とゴーシュはかなしそうに云いました。すると狸は気の毒そうにしてまたしばらく考えていましたが

「どこが悪いんだろうなあ。ではもう一ぺん弾いてくれますか。」

「いいとも弾くよ。」ゴーシュははじめました。狸の子はさっきのようにとんとん叩きながら時々頭をまげてセロに耳をつけるようにしました。そしておしまいまで来たときは今夜もまた東がぼうと明るくなっていました。

「あ、夜が明けたぞ。どうもありがとう。」狸の子は大へんあわてて譜や棒きれをせなかへしょってゴムテープでぱちんととめておじぎを二つ三つすると急いで外へ出て行ってしまいました。

ゴーシュはぼんやりしてしばらくゆうべのこわれたガラスからはいってくる風を吸っていましたが、町へ出て行くまで睡って元気をとり戻《もど》そうと急いでねどこへもぐり

込《こ》みました。

　次の晩もゴーシュは夜通しセロを弾いて明方近く思わずつかれて楽器をもったままうとうとしていますとまた誰《たれ》か扉《と》をこつこつと叩くものがあります。それもまるで聞えるか聞えないかの位でしたが毎晩のことなのでゴーシュはすぐ聞きつけて「おはいり。」と云いました。するとすきまからはいって来たのは一ぴきの野ねずみでした。そして大へんちいさなこどもをつれてちょろちょろとゴーシュの前へ歩いてきました。そのまた野ねずみのこどもと来たらまるでけしごむのくらいしかないのでゴーシュはおもわずわらいました。すると野ねずみは何をわらわれたろうというようにきょろきょろしながらゴーシュの前に来て、青い栗《くり》の実を一つぶ前においてちゃんとおじぎをして云いました。

「先生、この児《こ》があんばいがわるくて死にそうでございますが先生お慈悲《じひ》になおしてやってくださいまし。」

「おれが医者などやれるもんか。」ゴーシュはすこしむっとして云いました。すると野ねずみのお母さんは下を向いてしばらくだまっていましたがまた思い切ったように云いました。

「先生、それはうそでございます。先生は毎日あんなに上手にみんなの病気をなおしておいでになるではありませんか。」

「何のことだかわからんね。」

「だって先生先生のおかげで、兎《うさぎ》さんのおばあさんもなおりましたし狸さんのお父さんもなおりましたしあんな意地悪のみみずくまでなおしていただいたのにこの子ばかりお助けをいただけないとはあんまり情ないことでございます。」

「おいおい、それは何かの間ちがいだよ。おれはみみずくの病気なんどなおしてやったことはないからな。もっとも狸の子はゆうべ来て楽隊のまねをして行ったがね。ははん。」ゴーシュは呆《あき》れてその子ねずみを見おろしてわらいました。

すると野鼠《のねずみ》のお母さんは泣きだしてしまいました。

「ああこの児《こ》はどうせ病気になるならもっと早くなればよかった。さっきまであれ位ごうごうと鳴らしておいでになったのに、病気になるといっしょにぴたっと音がとまってもうあとはいくらおねがいしても鳴らしてくださらないなんて。何てふしあわせな子どもだろう。」

ゴーシュはびっくりして叫《さけ》びました。

「何だと、ぼくがセロを弾けばみみずくや兎の病気がなおると。どういうわけだ。それは。」

野ねずみは眼《め》を片手でこすりこすり云いました。

「はい、ここらのものは病気になるとみんな先生のおうちの床下にはいって療《なお》すのでございます。」

「すると療るのか。」

「はい。からだ中とても血のまわりがよくなって大へんいい気持ちですぐに療る方もあればうちへ帰ってから療る方もあります。」

「ああそうか。おれのセロの音がごうごうひびくと、それがあんまの代りになっておまえたちの病気がなおるというのか。よし。わかったよ。やってやろう。」ゴーシュはちょっとギウギウと糸を合せてそれからいきなりのねずみのこどもをつまんでセロの孔《あな》から中へ入れてしまいました。

「わたしもいっしょについて行きます。どこの病院でもそうですから。」おっかさんの野ねずみはきちがいのようになってセロに飛びつきました。

「おまえさんもはいるかね。」セロ弾きはおっかさんの野ねずみをセロの孔からくぐしてやろうとしましたが顔が半分しかはいりませんでした。

野ねずみはばたばたしながら中のこどもに叫びました。

「おまえそこはいいかい。落ちるときいつも教えるように足をそろえてうまく落ちたかい。」

「いい。うまく落ちた。」こどものねずみはまるで蚊《か》のような小さな声でセロの底で返事しました。

「大丈夫《だいじょうぶ》さ。だから泣き声出すなというんだ。」ゴーシュはおっかさんのねずみを下におろしてそれから弓をとって何とかラプソディとかいうものをごうごうがあがあ弾きました。するとおっかさんのねずみはいかにも心配そうにその音の工合《ぐあい》をきいていましたがとうとうこらえ切れなくなったふうで

「もう沢山《たくさん》です。どうか出してやってください。」と云いました。

「なあんだ、これでいいのか。」ゴーシュはセロをまげて孔のところに手をあてて待っていましたら間もなくこどものねずみが出てきました。ゴーシュは、だまってそれをおろしてやりました。見るとすっかり目をつぶってぶるぶるぶるぶるふるえていました。

「どうだったの。いいかい。気分は。」

こどものねずみはすこしもへんじもしないでまだしばらく眼をつぶったままぶるぶるぶるぶるふるえていましたがにわかに起きあがって走りだした。

「ああよくなったんだ。ありがとうございます。ありがとうございます。」おっかさ

んのねずみもいっしょに走っていましたが、まもなくゴーシュの前に来てしきりにおじぎをしながら
「ありがとうございますありがとうございます」と十ばかり云いました。
ゴーシュは何がなかあいそうになって
「おい、おまえたちはパンはたべるのか。」とききました。
すると野鼠はびっくりしたようにきょろきょろあたりを見まわしてから
「いえ、もうおパンというものは小麦の粉をこねたりむしたりしてこしらえたもので ふくふく膨《ふく》らんでいておいしいものなそうでございますが、そうでなくても私どもは おうちの戸棚《とだな》へなど参ったこともございませんし、ましてこれ位お世話になりながら どうしてそれを運びになんど参れましょう。」と云いました。
「いや、そのことではないんだ。ただたべるのかときいたんだ。ではたべるんだな。ちょっと待てよ。その腹の悪いこどもへやるからな。」
ゴーシュはセロを床へ置いて戸棚からパンを一つまみむしって野ねずみの前へ置きました。
野ねずみはもうまるでばかのようになって泣いたり笑ったりおじぎをしたりしてから大じそうにそれをくわえてこどもをさきに立てて外へ出て行きました。

「あああ。鼠と話するのもなかなかつかれるぞ。」ゴーシュはねどこへどっかり倒《たお》れてすぐぐうぐうねむってしまいました。

それから六日目の晩でした。金星音楽団の人たちは町の公会堂のホールの裏にある控室《ひかえしつ》へみんなぱっと顔をほてらしてめいめい楽器をもって、ぞろぞろホールの舞台《ぶたい》から引きあげて来ました。首尾よく第六交響曲を仕上げたのです。ホールでは拍手《はくしゅ》の音がまだ嵐《あらし》のように鳴って居《お》ります。楽長はポケットへ手をつっ込んで拍手なんかどうでもいいというようにのそのそみんなの間を歩きまわっていましたが、じつはどうして嬉《うれ》しさでいっぱいなのでした。みんなはたばこをくわえてマッチをすったり楽器をケースへ入れたりしました。

ホールではまだぱちぱち手が鳴っています。それどころではなくいよいよそれが高くなって何だかこわいような手がつけられないような音になりました。大きな白いリボンを胸につけた司会者がはいって来ました。

「アンコールをやっていますが、何かみじかいものでもきかせてやってくださいませんか。」

すると楽長がきっとなって答えました。

「いけませんな。こういう大物のあとへ何を出したってこっちの気の済むようには行くもんでないんです。」

「では楽長さん出て一寸挨拶《ちょっとあいさつ》して下さい。」

「だめだ。おい、ゴーシュ君、何か出て弾いてやってくれ。」

「わたしがですか。」ゴーシュは呆気《あっけ》にとられました。

「君だ、君だ。」ヴァイオリンの一番の人がいきなり顔をあげて云いました。

「さあ出て行きたまえ。」楽長が云いました。みんなもセロをむりにゴーシュに持たせて扉《と》をあけるといきなり舞台へゴーシュを押《お》し出してしまいました。ゴーシュがその孔のあいたセロをもってじつに困ってしまって舞台へ出るとみんなはそら見ろというように一そうひどく手を叩《たた》きました。わあと叫んだものもあるようでした。

「どこまでひとをばかにするんだ。よし見ていろ。印度《インド》の虎狩《とらがり》をひいてやるから。」ゴーシュはすっかり落ちついて舞台のまん中へ出ました。

それからあの猫《ねこ》の来たときのようにまるで怒《おこ》った象のような勢《いきおい》で虎狩りを弾きました。ところが聴衆《ちょうしゅう》はしいんとなって一生けん命聞いています。ゴーシュはどんどん弾きました。猫が切ながってぱちぱち火花を出したところも過ぎました。扉へからだを何べんもぶっつけた所も過ぎました。

曲が終るとゴーシュはもうみんなの方などは見もせずちょうどその猫のようにすば

やくセロをもって楽屋へ遁《に》げ込みました。すると楽屋では楽長はじめ仲間がみんな火事にでもあったあとのように眼をじっとしてひっそりとすわり込んでいます。ゴーシュはやぶれかぶれだと思ってみんなの間をさっさとあるいて行って向うの長椅子《ながいす》へどっかりとからだをおろして足を組んですわりました。

するとみんなが一ぺんに顔をこっちへ向けてゴーシュを見ましたがやはりまじめでべつにわらっているようでもありませんでした。

「こんやは変な晩だなあ。」

ゴーシュは思いました。ところが楽長は立って云いました。

「ゴーシュ君、よかったぞお。あんな曲だけれどもここではみんなかなり本気になって聞いてたぞ。一週間か十日の間にずいぶん仕上げたなあ。十日前とくらべたらまるで赤ん坊と兵隊だ。やろうと思えばいつでもやれたんじゃないか、君。」

仲間もみんな立って来て「よかったぜ」とゴーシュに云いました。

「いや、からだが丈夫だからこんなこともできるよ。普通《ふつう》の人なら死んでしまうからな。」楽長が向うで云っていました。

その晩遅《おそ》くゴーシュは自分のうちへ帰って来ました。

そしてまた水をがぶがぶ呑《の》みました。それから窓をあけていつかかっこうの飛んで

行ったと思った遠くのそらをながめながら

「ああかっこう。あのときはすまなかったなあ。おれは怒ったんじゃなかったんだ。」

と云いました。

饑《き》餓《が》陣《じん》営《えい》　一幕

人物　バナナン大将。
特務曹長《そうちょう》、＊
曹長、＊
兵士、一、二、三、四、五、六、七、八、九、十。

場処　不明なるも劇中マルトン原＊と呼ばれたり。

時　不明。

幕あく。
砲弾《ほうだん》にて破損せる古き穀倉の内部、辛《から》くも全滅《ぜんめつ》を免《まぬ》かれしバナナン軍団、マルトン原の臨時幕営《ばくえい》。
右手より曹長先頭にて兵士一、二、三、四、五、登場、一列四壁《しへき》に沿いて行進。

曹長「一時半なのにどうしたのだろう。
　バナナン大将はまだやってこない
　胃時計《ストマクウオッチ》はもう十時なのに
　バナナン大将は帰らない。」
　正面壁に沿い左向き足踏《あしぶ》み。
（銅鑼《どら》の音）
　左手より、特務曹長並《ならび》に兵士六、七、八、九、十　五人登場、一列、壁に沿いて行進、右隊足踏みつつ挙手の礼　左隊答礼。
特務曹長「もう二時なのにどうしたのだろう、
　ストマクウオッチはまだ来ていない
　バナナン大将はもう十時なのに
　バナナン大将は帰らない。」
　左隊右壁に沿い足踏み（銅鑼）
曹長特務曹長（互《たがい》に進み寄り足踏みつつ唱《うた》う）
「糧食《りょうしょく》はなし　四月の寒さ
　ストマクウオッチもうめちゃめちゃだ。」

合唱「どうしたのだろう、バナナン大将
　もう一遍《いっぺん》だけ見て来よう。」別々に退場
（銅鑼《どら》）
右隊登場、総《すべ》て始めのごとし。可成《かなり》疲《つか》れたり。
曹長「もう四時なのにどうしたのだろう、
　バナナン大将はまだ来ていない
　もう四時なのにどうしたのだろう。
　バナナン大将は帰らない。」
左隊登場
「もう四時半なのにどうしたのだろう、
　バナナン大将はまだ来ていない
　もう五時なのにどうしたのだろう
　バナナン大将は　帰らない。」
（銅鑼）
曹長特務曹長
「大将ひとりでどこかの並木《なみき》の

　苹果《りんご》を叩《たた》いているかもしれない
大将いまごろどこかのはたけで
人蔘《にんじん》ガリガリ　噛《か》んでるぞ。」
（銅鑼）
右隊入場、著《いちじる》しく疲れ辛《かろ》うじて歩行す。
曹長「七時半なのにどうしたのだろう
バナナン大将はまだ来ていない
七時半なのにどうしたのだろう
バナナン大将は　帰らない。」
左隊登場　最労《つか》れたり。
曹長特務曹長
「もう八時なのにどうしたのだろう
バナナン大将は　まだ来ていない。
もう八時なのにどうしたのだろう
バナナン大将は　帰らない。」
（銅鑼）

立てるもの合唱（きれぎれに）

「いくさで死ぬならあきらめもするが

いまごろ餓《う》えて死にたくはない

ああただひとときれこの世のなごりに

バナナかなにかを　食いたいな。」

（共に倒《たお》る）（銅鑼《どら》）

バナナン大将登場。バナナのエボレット＊を飾《かざ》り菓子《かし》の勲章《くんしょう》を胸に満《み》せり。

バナナン大将

「つかれたつかれたすっかりつかれた

脚《あし》はまるっきり二本のステッキ

いったいすこぅし飲み過ぎたのだし

馬肉もあんまり食いすぎた。」

（叫《さけ》ぶ。）「何だ。まっくらじゃないか。今ごろになってまだあかりも点《つ》けんのか。」

兵士等辛うじて立ちあがり挙手の礼。

大将「灯《あかり》をつけろ、間抜《まぬ》けめ。」

曹長点燈す。兵士等大将のエボレット勲章等を見て食せんとするの衝動甚《しょうどうはなはだ》し。

大将「間抜けめ、どれもみんなまるで泥《どろ》人形だ。」

脚を重ねて椅子《いす》に座す。ポケットより新聞と老眼鏡とを取り出し殊更《ことさら》に顔をしかめつつこれを読む。しきりにゲップす。やがて睡《ねむ》る。

曹長（低く。）「大将の勲章は実に甘《うま》そうだなあ。」

特務曹長「それは甘そうだ。」

曹長「食べるというわけには行かないものでありますか。」

特務曹長「それは蓋《けだ》しいかない。軍人が名誉《めいよ》ある勲章を食ってしまうという前例はない。」

曹長「食ったらどうなるのでありますか。」

特務曹長「軍法会議だ。それから銃殺《じゅうさつ》にきまっている。」間、兵卒一同再び倒る。

曹長（面《おもて》をあぐ。）「上官。私は決心いたしました。この饑餓陣営の中に於《お》きましては最早《もはや》私共の運命は定《さだ》まってあります。戦争の為《ため》にでなく飢餓の為に全滅《ぜんめつ》するばかりであります。かの巨大なるバナナン軍団のただ十六人の生存者われわれもまた死ぬばかりであります。この際私が将軍の勲章とエボレットとを盗《ぬす》みこれを食しますれば私共は死ななくても済みます。そして私はその責任を負って軍法会議にかかりまた銃殺されようと思います。」
特務曹長「曹長、よく云《い》って呉《く》れた。貴様だけは殺さない。おれもきっと一緒《いっしょ》に行くぞ。十の生命の代りに二人の命を投げ出そう。よし。さあやろう。集まれっ。気を付けっ。右ぃおい。直れっ。番号。」
兵士「一、二、三、四、五、六、七、八、九、十、十一、」
特務曹長「よし。閣下はまだおやすみだ。いいか。われわれは軍律上少しく変則ではあるがこれから食事を始める。」兵士悦《よろこ》ぶ。
曹長（一足進む。）
特務曹長「いや、盗むというのはいかん。もっと正々堂々とやらなくちゃいけない。いいか。おれがやろう。」
特務曹長バナナン大将の前に進み直立す。曹長以下これに従い一列に並《なら》ぶ。
特務曹長（挙手、叫ぶ。）「閣下！」
バナナン大将（徐《おもむろ》に眼《め》を開く。）「何じゃ、そうぞうしい。」
特務曹長「閣下の御勲功は実に四海を照すのであります。」
大将「ふん、それはよろしい。」
特務曹長「閣下の御名誉は則《すなわ》ち私共の名誉であります。」

大将「うん。それはよろしい。」
特務曹長「閣下の勲章は皆《みな》実に立派であります。私共は閣下の勲章を仰《あお》ぎますごとに実に感激《かんげき》してなみだがでたりのどが鳴ったりするのであります。」
大将「ふん、それはそうじゃろう。」
特務曹長「然《しか》るに私共は未《いま》だ不幸にしてその機会を得ず充分《じゅうぶん》適格に閣下の勲章を拝見するの光栄を所有しなかったのであります。」
大将「それはそうじゃ、今までは忙《いそ》がしかったじゃからな。」
特務曹長「閣下。この機会をもちまして私共一同にとくとお示しを得たいものでありま す。」
大将「それはよろしい。どの勲章を見たいのだ。」
特務曹長「一番大きなやつから。」
大将「これが一番大きいじゃ。ロンテンプナルール勲章じゃ。」胸より最大なる勲章を外し特務曹長に渡《わた》す。
特務曹長「これはどの戦役《せんえき》でご受領なされましたのでありますか。」
大将「印度《インド》戦争だ。」
特務曹長「このまん中の青い所はほんもののザラメでありますか。」

大将「ほんとうのザラメとも。」
特務曹長「実に立派であります。」（曹長に渡す。曹長兵卒一に渡す。兵卒一直ちにこれを嚥下《えんか》す。）
大将特務曹長「次のは何でありますか。」
「ファンテプラーク章じゃ。」外す。
大将「そうじゃ。あまり光って眼がくらむようであります。」
特務曹長「そうじゃ。それは支那《しな》戦のニコチン戦役にもらったのじゃ。」
特務曹長「立派であります。」
大将「それはそうじゃろう」（兵卒二これを嚥下す。）
大将「どうじゃ、これはチベット戦争じゃ。」
特務曹長「なるほど西蔵《チベット》馬のしるしがついて居《お》ります。」（兵卒三これを嚥下す。）
大将「これは普仏《ふふつ》戦争じゃ、」
特務曹長「なるほどナポレオンポナパルド＊の首のしるしがついて居ります。然《しか》し閣下は普仏戦争に御参加になりましたのでありますか。」
大将「いいや、六十銭で買ったよ。」
特務曹長「なるほど、実に立派であります。六十銭では安すぎます。」

大将「うん、」（兵卒四これを嘸下す。）
特務曹長「その次の勲章はどれでありますか。」
大将「これじゃ、」
特務曹長「これはどちらから贈《おく》られたのでありますか。」
大将「それはアメリカだ。ニュウヨウクのメリケン粉株式会社から贈られたのだ。」
特務曹長「そうでありますか。愕《おどろ》くべきであります。」
（兵卒五これを嘸下す。）
特務曹長「次はどれでありますか。」
大将「これじゃ、」
特務曹長「実にめずらしくあります。やはり支那戦争でありますか。」
大将「いいや。支那の大将と豚《ぶた》を五匹《ひき》でとりかえたのじゃ。」
特務曹長「なるほど、ハムサンドウィッチですな。」（兵卒六これを嘸下す。）
大将「これはどうじゃ。」
特務曹長「立派であります。何勲章でありますか。」
大将「むすこからとりかえしたのじゃ。」（兵卒七嘸下。）
特務曹長「その次は、」

大将「これはモナコ王国に於《おい》てばくちの番をしたとき貰《もら》ったのじゃ。」
特務曹長「はあ実に恐《おそ》れ入ります。」（兵卒八嘸下。）
大将「これはどうじゃ。」
特務曹長「どこの勲章でありますか。」
大将「手製じゃ手製じゃ。わしがこさえたのじゃ。」
特務曹長「なるほど、立派なお作であります。次のを拝見ねがいます。」（兵卒九嘸下。）
大将「これはなアフガニスタンでマラソン競走をやってとったのじゃ。」（兵卒十嘸下。）
特務曹長「なるほど次はどれでありますか。」
大将「もう二つしかないぞ。」
特務曹長（兵卒を検して）「もう二つで丁度いいようであります。」
大将「何が。」
特務曹長（烈《はげ》しくごまかす。）「そうであります。」
大将「勲章か。よろしい。」（外す。）
特務曹長「これはどちらから贈られましたのでありますか。」

大将「イタリヤごろつき組合だ。」
特務曹長「なるほど、ジゴマ*と書いてあります。」（曹長に）「おい、やれ。」（曹長嚥《えん》下《か》す。）
特務曹長「実に立派であります。」
大将「これはもっと立派だぞ。」
特務曹長「これはどちらからお受けになりましたのでありますか。」
大将「ベルギ戦役マイナス十五里進軍の際スレンジングトンの街道で拾ったよ。」
特務曹長「なるほど。」（嚥下す。）「少し馬の糞《ふん》はついて居りますが結構であります。」
大将「どうじゃ、どれもみんな立派じゃろう。」
一同「実に結構でありました。」
大将「結構でありました？　いかんな。物の云いようもわからない。結構でありますと云うもんじゃ。ありましたと云えば過去になるじゃ。」
一同「結構であります。」
特務曹長「ええ、只今《ただいま》のは実は現在完了《かんりょう》のつもりであります。ところで閣下、この好機会をもちまして更《さら》に閣下の燦爛《さんらん》たるエボレットを拝見いたしたいものであります。」

大将「ふん、よかろう。」

（エボレットを渡す。）

特務曹長「実に甚《はなはだ》しくあります。」

大将「うん。金無垢《きんむく》だからな。溶《と》かしちゃいかんぞ。」

特務曹長「はい大丈夫《だいじょうぶ》であります。後列の方の六人でよく拝見しろ。」（渡す。最後の六人これを受けとり直ちに一箇ずつちぎる。）

大将「いかん、いかん、エボレットを壊《こわ》しちゃいかん。」

特務曹長「いいえ、すぐ組み立てます。もう片っ方拝見いたしたいものであります。」

大将「ふん、あとですっかり組み立てるならまあよかろう。」

特務曹長「なるほど金無垢であります。すぐ組み立てます。」（一箇をちぎり曹長に渡す。以下これに倣《なら》う。各《おのおの》皮を剝《む》く。）

大将（愕く。）「あっいかんいかん。皮を剝いてはいかんじゃ。」

特務曹長「急ぎ呑《の》み下せいおいっ。」（一同嚥下。）

大将（泣く。）「ああ情けない。犬め、畜生《ちくしょう》ども。泥《どろ》人形ども、勲章《くんしょう》をみんな食い居ったな。どうするか見ろ。情けない。うわあ。」

（泣く。）（兵卒悄然《しょうぜん》たり。）

（兵卒らこの時漸《ようや》く饑餓《きが》を回復し良心の苛責《かしゃく》に勝《た》えず。）
兵卒三「おれたちは恐ろしいことをしてしまったなあ。」
兵卒十「全く夢中《むちゅう》でやってしまったなあ。」
兵卒一「勲章と胃袋《いぶくろ》とにゴム糸がついていたようだったなあ」
兵卒九「将軍と国家とにどうおわびをしたらいいかなあ。」
兵卒七「おわびの方法が無い。」
兵卒五「死ぬより仕方ない。」
兵卒三「みんな死のう、自殺しよう。」
曹長「いいや、みんなおれが悪いんだ。おれがこんなことを発案したのだ。」
特務曹長「いいや、おれが責任者だ。おれは死ななければならない。」
曹長「上官、私共二人はじめの約束《やくそく》の通りに死にましょう。」
特務曹長「そうだ。おいみんな。おまえたちはこの事件については何も知らなかった。悪いのはおれ達二人だ。おれ達はこの責任を負って死ぬからな、お前たちは決して短気なことをして呉《く》れるな。これからあともよく軍律を守って国家のためにつくしてくれ」
兵卒一同「いいえ、だめであります。だめであります。」

特務曹長「いかん。貴様たちに命令する。将軍のお詞《ことば》のあるうち動いてはならん。気を付けっ。」兵卒等直立。
特務曹長「曹長、さあ支度《したく》しよう。」（ピストルを出す。）「祈《いの》ろう。一所に。」
特務曹長「饑餓陣営のたそがれの中
　犯《おか》せる罪はいとも深し
　ああ夜のそらの青き火もて
　われらがつみをきよめたまえ。」
曹長「マルトン原のかなしみのなか
　ひかりはつちにうずもれぬ
　ああみめぐみのあめを下し
　われらがつみをゆるしたまえ。」
合唱「ああ、みめぐみの雨をくだし
　われらがつみをゆるしたまえ。」
（特務曹長ピストルを擬《ぎ》し将《まさ》に自殺せんとす。）
（バナナン大将この時まで瞑目《めいもく》したるも忽《たちま》ちにして立ちあがり叫《さけ》ぶ。）
大将「止まれ、やめぃ。」

(特務曹長ピストルを擬したるまま呆然《ぼうぜん》として佇立《ちょりつ》す。大将ピストルを奪《うば》う。)
バナナン大将「もうわかった。お前たちの心底は見届けた。お前たちの誠心に較《くら》べてはおれの勲章などは実に何でもないじゃ。
おお神はほめられよ。実におん眼《め》からみそなわすならば勲章やエボレットなどは瓦《が》礫《れき》にも均《ひと》しいじゃ。」
特務曹長「将軍、お申し訳けのないことを致《いた》しました。」
曹長「将軍、私に死を下されませ。」
バナナン大将「いいや、ならん。」
特務曹長「けれどもこれから私共は毎日将軍の軍装《ぐんそう》拝しますごとに烈《はげ》しく良心に責められなければなりません。」
大将「いいや、今わしは神のみ力を受けて新らしい体操を発明したじゃ。それは名づけて生産体操となすべきじゃ。従来の不生産式体操と自《おのず》から撰《せん》を異にするじゃ。」
特務曹長「閣下、何とぞその訓練をいただきたくあります。」
大将「ふん。それはもちろんよろしい。いいか。
では、集れっ。(総《すべ》て号令のごとく行わる。)ション。*右ぃ習え。直れっ。番号。」
兵士「一、二、三、四、五、六、七、八、九、十、十一、十二、」

兵士伍《ご》を組む。

大将「前列二歩前へおいっ。偶数《ぐうすう》一歩前へおいっ。」

大将「よろしいか。これから生産体操をはじめる。第一果樹整枝《せいし》法、わかったか。三番。」

兵卒三「わかりました。果樹整枝法であります。」

大将「よろしい。果樹整枝法、その一、ピラミッド、一の号令でこの形をつくる。二で直るいいか」

大将両腕《りょううで》を上げ整枝法のピラミッド形をつくる。

大将「いいか。果樹整枝法、その一、ピラミッド。一、よろし。二、よろし、一、二、一、二、一、やめい。」

大将「いいか次はベース。ベース、一、の号令でこの形をつくる。二で直る。いいか。わかったか。五番。」

兵卒五「はいっわかりました。ベース。盃状仕立《はいじょう》であります。」

大将「よろしい。果樹整枝法その二、ベース一。」

兵卒「一、」

大将「二、一、二、一、二、やめい。」

大将「次は果樹整枝法その三、カンデラーブル。ここでは二枝カンデラーブル、U字形をつくる。この時には両肩《りょうかた》と両腕とでUの字になることが要領じゃ、徒《いたずら》にここが直角になることは血液循環《じゅんかん》の上からも又《また》樹液運行の上からも必要としない。この形になることが要領じゃ。わかったか。六番」
兵卒六「わかりました。カンデラーブル、U字形であります。」
大将「よろしい。果樹整枝法その三、カンデラーブル、はじめっ一、二、一、二、一、二、一、二、やめい。」
大将「よろしい。果樹整枝法その四、又その一、水平コルドン。はじめっ。一、二、一、二、一、二、一、二、一、やめい。」
大将「次はその又二、直立コルドン。これはこのままでよろしい。ただ呼称だけを用うる。一、二、一、二、よろしいか。八番。」
兵卒八「直立コルドンであります。」
大将「よろしい。果樹整枝法、その四、又その二、直立コルドン、はじめっ、一、二、一、二、一、二、一、二、一、やめい。」
大将「次は、エーベンタール、扇状仕立《せんじょう》、この形をつくる。このエーベンタールのベースとちがう所は手とからだとが一平面内にあることにある。よろしいか。九番。」

兵士九「はいっ。果樹整枝法その五、エーベンタールであります。」
大将「よろしい。果樹整枝法、その五、エーベンタール、はじめっ、一、二、一、二、一、二、一、やめい。」
大将「次は果樹整枝法、その六、棚《たな》仕立、これは日本に於《おい》て梨葡萄《なしぶどう》等の栽培《さいばい》に際して行われるじゃ。棚をつくる。棚を。わかったか。十番。」
兵士十「果樹整枝法第六、棚仕立であります。」
大将「よろしい。果樹整枝法第六棚仕立、はじめっ。一」
（兵士ら腕を組み棚をつくる。バナナン大将手籠《てかご》を持ちてその下を潜《くぐ》りしきりに果実を収む。）
バナナン大将「実に立派じゃ、この実はみな琥珀《こはく》でつくってある。それでいて琥珀のようにおかしな匂《におい》でもない。甘《あま》いつめたい汁《しる》でいっぱいじゃ。新鮮なエステルにみちている。しかもこの宝石は数も多く人をもなやまさないじゃ。来年もまたみのるじゃ。ありがたい。又この葉の美しいことはまさに黄金《きん》じゃ。日光来りて葉緑を照《しょう》徹《てつ》すれば葉緑黄金を生ずるじゃ。讃《たた》うべきかな神よ。」
（将軍籠にくだものを盛《も》りて出《い》で来る。手帳を出しすばやく何か書きつく、特務曹長に渡《わた》す、順次列中に渡る、唱《うた》いつつ行進す。兵士これに続く。）

バナナン大将の行進歌

合唱「いさおかがやく　バナナン軍
マルトン原に　たむろせど
荒《す》さびし山河《さんが》の　すべもなく
饑餓《きが》の　陣営《じんえい》　日にわたり
夜をもこむれば　つわものの
ダムダム弾や　葡萄弾
毒瓦斯《どくガス》タンクは　恐《おそ》れねど
うえとつかれを　いかにせん。
やむなく食《は》みし　将軍の
かがやきわたる　勲章と
ひかりまばゆき　エボレット
そのまがつみは　録《しる》されぬ。
あわれ二人の　つわものは
責に死なんと　したりしに
このとき雲の　かなたより

神ははるかに　みそなわし
くだしたまえる　みめぐみは
新式生産体操ぞ。
ベースピラミッド　カンデラブル
またパルメット　エーベンタール
ことにも二つのコルドンと
棚の仕立に　いたりしに
ひかりのごとく　降《くだ》り来し
天の果実を　いかにせん。
みさかえはあれ　かがやきの
あめとしめりの　くろつちに
みさかえはあれ　かがやきの
あめとしめりの　くろつちに。」

幕。

ビジテリアン大祭

私は昨年九月四日、ニュウファウンドランド島*の小さな山村、ヒルテイで行われた、ビジテリアン大祭*に、日本の信者一同を代表して列席して参りました。

全体、私たちビジテリアンというのは、ご存知の方も多いでしょうが、実は動物質のものを食べないという考《かんがえ》のものの団結でありまして、日本では菜食主義者と訳しますが主義者というよりは、も少し意味の強いことが多いのであります。菜食信者と訳したら、或《あるい》は少し強すぎるかも知れませんが、主義者というよりは、よく実際に適《かな》っていると思います。もっともその中にもいろいろ派がありますが、まあその精神について大きくわけますと、同情派と予防派との二つになります。

この名前は横からひやかしにつけたのですが、大へんうまく要領を云《い》いあらわしていますから、かまわず私どもも使うのです。

同情派と云いますのは、私たちもその方でありますが、恰度《ちょうど》仏教の中でのように、あらゆる動物はみな生命を惜《おし》むこと、我々と少しも変りはない、それを一人が生きるために、ほかの動物の命を奪《うば》って食べるそれも一日に一つどころではなく百や千のこともある、これを何とも思わないでいるのは全く我々の考が足らないので、よくよく喰《た》べられる方になって考えて見ると、とてもかあいそうでそんなことはできないとこう云う思想なのであります。ところが予防派の方は少しちがうのでありまして、これは実は病気予防のために、なるべく動物質をたべないというのであります。則《すなわ》ち、肉類や乳汁を、あんまりたくさんたべると、リウマチスや痛風や、悪性の腫脹《しゅちょう》や、いろいろいけない結果が起るから、その病気のいやなもの、又《また》その病気の傾向《けいこう》のあるものは、この団結の中に入るのであります。それですからこの派の人たちはバターやチーズも豆《まめ》からこしらえたり、又菜食病院というものを建てたり、いろいろなことをしています。

以上は、まあ、ビジテリアンをその精神から大きく二つにわけたのでありますが、又一方これをその実行の方法から分類しますと、三つになります。第一に、動物質のものは全く喰べてはいけないと、則ち獣《けもの》や魚やすべて肉類はもちろん、ミルクや、またそれからこしらえたチーズやバター、お菓子《かし》の中でも鶏卵《けいらん》の入ったカステーラなど、一切いけないという考の人たち、日本ならばまあ、一寸鰹《ちょっとかつお》のだしの入ったものもいけないという考のであります。この方法は同情派にも予防派にもありますけれども大部分は予防派の人たちがやります。第二のは、チーズやバターやミルク、それから卵などならば、まあものの命をとるというわけではないから、さし支《つか》えない、また大してからだに毒になるまいというので、割合穏健《おんけん》な考であります。第三は私たちもこの中でありますが、いくら物の命をとらない、自分ばかりさっぱりしていると云ったところで、実際にほかの動物が辛《つら》くては、何にもならない、結局はほかの動物がかあいそうだからたべないのだ、小さな小さなことまで、一一吟味《ぎんみ》して大へんな手数をしたり、ほかの人にまで迷惑《めいわく》をかけたり、そんなにまでしなくてもいい、もしたくさんのいのちの為《ため》に、どうしても一つのいのちが入用なときは、仕方ないから泣きながらでも食べていい、そのかわりもしその一人が自分になった場合でも敢《あえ》て避《さ》けないとこう云うのです。けれどもそんな非常の場合は、実に実に少いから、ふだんはもちろん、なるべく植物をとり、動物を殺さないようにしなければならない、くれぐれも自分一人気持ちをさっぱりすることにばかりかかわって、大切の精神を忘れてはいけないと斯《こ》う云うのであります。

そこで、大体ビジテリアンというものの性質はおわかりでしょうから、これから昨年のその大祭のときのもようをお話いたします。

私がニュウファウンドランドの、トリニテイの港に*着きましたのは、恰度《ちょうど》大祭の前々日でありました。事によると、間に合わないと思ったのが、うまい工合《ぐあい》に参りましたので、大へんよろこびました。トルコからの六人の人たちと、船の中で知り合いになりました。その団長は、地学博士でした。大祭に参加後、すぐ六人ともカナダの北境を探険するという話でした。私たちは、船を下りると、すぐ旅装《りょそう》を調えて、ヒルテイの村に出発したのであります。実は私は日本から出ました際には、ニュウファウンドランドへさえ着いたら、誰《たれ》の眼《め》もみなそのヒルテイという村の方へ向いてるだろう、世界中から集った旅人が、ぞろぞろそっちへ行くのだろうから、もうすぐ路《みち》なんかわかるだろうと思って居《お》りました。ところが、船の中でこそ、偶然《ぐうぜん》トルコ人六人とも知り合いになったようなもの、実際トリニテイの町に下りて見ると、どこにもそんなビラが張ってあるでもなし、ヒルテイという名を云う人も一人だってあるでなし、実は私も少し意外に感じたので〔以下原稿数枚なし〕

は町をはなれて、海岸の白い崖《がけ》の上の小さなみちを行きました、そらが曇《くも》って居りましたので大西洋がうすくさびたブリキのように見え、秋風は白いなみがしらを起し、小さな漁船はたくさんならんで、その中を行くのでした。落葉松《からまつ》の下枝《したえだ》は、もう褐色《かっしょく》に変っていたのです。

トルコ人たちは、みちに出ている岩にかなづちをあてたり、がやがや話し合ったりして行きました。私はそのあとからひとり空虚《から》のトランクを持って歩きました。一時間半ばかり行ったとき、私たちは海に沿った一つの峠《とうげ》の頂上に来ました。

「もうヒルテイの村が見える筈《はず》です。」団長の地学博士が私の前に来て、地図を見ながら英語で云いました。私たちは向うを注意してながめました。ひのきの一杯《いっぱい》にしげっている谷の底に、五つ六つ、白い壁《かべ》が見えその谷には海が峡湾《きょうわん》のような風にまっ蒼《さお》に入り込《こ》んでいました。

「あれがヒルテイの村でしょうか。」私は団長にたずねました。団長は、しきりに地図と眼の前の地形とくらべていましたが、しばらくたって眼鏡《めがね》をちょっと直しながら、

「そうです。あれがヒルテイの村です。私たちの教会は、多分あの右から三番目に見える平屋根の家でしょう。旗か何か立っているようです。あすこにデビスさんが、住んでいられるんですね。」

デビスというのは、ご存知の方もありましょうが、私たちの派のまあ長老です、ビジテリアン月報の主筆で、今度の大祭では祭司長になった人であります。そこで、私たちは、俄《にわ》かに元気がついて、まるで一息にその峠をかけ下りました。トルコ人たちは脚《あし》が長いし、背嚢《はいのう》を背負って、まるで磁石《じしゃく》に引かれた砂鉄とい〔以下原稿数枚なし〕

そうにあたりの風物をながめながら、三人や五人ずつ、ステッキをひいているのでした。婦人たちも大分ありました。又支那《しな》人かと思われる顔の黄いろな人とも会いました。私はじっとその顔を見ました。向うでも立ちどまってしまいました。けれどもその日はとうとう話しかけるでもなく、別れてしまいましたが、その人がやはりビジテリアンで、大祭に来たものなことは疑《うたがい》もありませんでした。私たちは教会に来ました。教会は粗末《そまつ》な漆喰造《しっくいづく》りで、ところどころ裂罅《ひび》割れていました。多分はデビスさんの自分の家だったのでしょうが、ずいぶん大きいことは大きかったのです。旗や電燈が、ひのきの枝ややどり木などと、上手に取り合せられて装飾《そうしょく》され、まだ七八人の人が、せっせと明後日《あさって》の仕度《したく》をして居りました。

私たちは教会の玄関《げんかん》に立って、ベルを押《お》しました。すぐ赭《あか》ら顔の白髪《はくはつ》の元気のよさそうなおじいさんが、かなづちを持ってよこの室《へや》から顔〔以下原稿数枚なし〕

が、桃《もも》いろの紙に刷られた小さなパンフレットを、十枚ばかり持って入って来ました。

「お早うございます。なあに却《かえ》って御愛嬌《ごあいきょう》ですよ。」

のです。

「お早うございます。どうか一枚拝見。」

私はパンフレットを手にとりました。それは今ももっていますが斯《こ》う書いてあった

「◎偏狭《へんきょう》非文明的なるビジテリアンを排《はい》す。

マルサスの人口論*は、今日定性的には誰も疑うものがない。その要領は人類の居住すべき世界の土地は一定である、又その食料品は等差級数的に増加するだけである、然《しか》るに人口は等比級数的に多くなる。則《すなわ》ち人類の食料はだんだん不足になる。人類の食料と云えば蓋《けだ》し動物植物鉱物の三種を出《い》でない。そのうち鉱物では水と食塩とだけである。残りは植物と動物とが約半々を占《し》める。ところが、茲《ここ》にごく偏狭な陰《いん》気《き》な考の人間の一群があって、動物は可哀《かあい》そうだからたべてはならんといい、世界中にこれを強《し》いようとする。これがビジテリアンである。この主張は、実に、人類の食物の半分を奪おうと企《くわだ》てるものである。換言《かんげん》すれば、この主張者たちは、世界人類の半分、則ち十億人を饑餓《きが》によって殺そうと計画するものではないか。今日いずれの国の法律を以《もっ》てしても、殺人罪は一番重く罰《ばっ》せられる。間接ではあるけれども、ビジテリアンたちも又この罪を免《まぬか》れない。近き将来、各国から委員が集って充《じゅう》分《ぶん》商議の上厳重に処罰されるのはわかり切ったことである。又この事実は、ビジテ

リアンたちの主張が、畢竟自家撞着《ひっきょうじかどうちゃく》に終ることを示す。則ちビジテリアンは動物を愛するが故《ゆえ》に動物を食べないのであろう。何が故にその為に食物を得ないで死亡する、十億の人類を見殺しにするのであるか。人類も又動物ではないか。」

「こいつは面白《おもしろ》い。実に名論だ。文章も実に珍無類《ちんむるい》だ。実に面白い。」トルコの地学博士はその肥《ふと》った顔を、まるで張り裂《さ》けるようにして笑いました。みんなも笑いました。とにかくみんな寝巻《ねまき》をぬいで、下に降りて、口を漱《すす》いだり顔を洗ったりしました。

それから私たちは、簡単に朝飯を済まして、式が九時から始まるのでしたから、しばらくバルコンでやすんで待っていました。

不意に教会の近くから、のろしが一発昇《のぼ》りました。そらがまっ青に晴れて、一枚の瑠璃《るり》のように見えました。その冴《す》みきったよく磨《みが》かれた青ぞらで、まっ白なけむりがパッとたち、それから黄いろな長いけむりがうねうね下って来ました。それはたしかに、日本でやる下り竜《りゅう》の仕掛《しか》け花火です。そこで私ははっと気がつきました。こののろしは陳《ちん》氏があげているのだ、陳氏が支那式黄竜の仕掛け花火をやったのだと気がつきましたので、大悦《おおよろこ》びでみんなにも説明しました。

その時又、今朝のすてきなラッパの声が遠くから響《ひび》いて参りました。

「来た来た。さあどんな顔ぶれだか、一つ見てやろうじゃないか。」地学博士を先登《せんとう》に、私たちは、どやどや、玄関へ降りて行きました。たちまち一台の大きな赤い自働車がやって来ました。それには白い字でシカゴ畜産《ちくさん》組合と書いてありました。六人の、髪《かみ》をまるで逆立てた人たちが、シャツだけになって、顔をまっ赤にして、何か叫《さけ》びながら鼠色《ねずみいろ》や茶いろのビラを撒《ま》いて行きました。その鼠いろのを私は一枚手にとりました。それには赤い字で斯《こ》う書いてありました。

「◎偏狭非学術的なるビジテリアンを排せ。

ビジテリアンの主張は全然誤謬《ごびゅう》である。今この陰気な非学術的思想を動物心理学的に批判して見よう。

ビジテリアンたちは動物が可哀そうだから食べないという。動物が可哀そうだということがどうしてわかるか。ただこっちが可哀そうだと思うだけである。全体豚《ぶた》などが死というような高等な観念を持っているものではない。あれはただ腹が空《へ》った、かぶらの茎《くき》、嚙《か》みつく、うまい、厭《あ》きた、ねむり、起きる、鼻がつまる、ぐうと鳴らす、腹がへった、麦糠《むぎぬか》、たべる、うまい、つかれた、ねむる、という工合《ぐあい》に一つずつの小さな現在が続いて居るだけである。殺す前にキーキー叫ぶのは、それは引っぱられたり、たたかれたりするからだ、その証拠《しょうこ》には、殺すつもりでなしに、何か鶏卵《けいらん》の三十も少し遠くの方でご馳走《ちそう》をするつもりで、豚の足に縄《なわ》をつけて、ひっぱって見るがいいやっぱり豚はキーキー云う。こんな訳だから、ほんとうに豚を可哀そうと思うなら、そうっと怒《おこ》らせないように、うまいものをたべさせて置いて、にわかに熱湯にでもたたき込んでしまうがいい、豚は大悦びだ、くるっと毛まで剥《む》けてしまう。われわれの組合では、この方法によって、沢山《たくさん》の豚を悦ばせている。ビジテリアンたちは、それを知らない。自分が死ぬのがいやだから、ほかの動物もみんなそうだろうと思うのだ。あんまり子供らしい考である。」

私は無理に笑おうと思いましたが何だか笑えませんでした。地学博士も黄いろなパンフレットを読んでしまって少し変な顔をしていました。私たちは目を見合せました。それからだまってお互《たがい》のパンフレットをとりかえました。黄色なパンフレットには斯う書いてあったのです。

「◎偏狭非学術的なビジテリアンを排せ。

ビジテリアンの主張は全然誤謬《ごびゅう》である。今これを生物分類学的に簡単に批判して見よう。ビジテリアンたちは、動物が可哀そうだという、一体どこ迄《まで》が動物でどこからが植物であるか、牛やアミーバーは動物だからかあいそう、バクテリヤは植物だから大丈夫《だいじょうぶ》というのであるか。バクテリヤを植物だ、アミーバーを動物だとするのは、ただ研究の便宜《べんぎ》上、勝手に名をつけたものである。動物には意識があって食うのは気の毒だが、植物にはないから差し支《つか》えないというのか。なるほど植物には意識がないようにも見える。けれどもないかどうかわからない、あるようだと思って見ると又《また》実にあるようである。元来生物界は、一つの連続である、動物に考があれば、植物にもきっとそれがある。ビジテリアン諸君、植物をたべることもやめ給《たま》え。諸君は餓死する。又世界中にもそれを宣伝したまえ。二十億人がみんな死ぬ。大へんさっぱりして諸君の御希望に叶《かな》うだろう。そして、そのあとで動物や植物が、お互同志食ったり食われたりしていたら、丁度いいではないか。」

私はなおさら変な気がしました。

もう一枚茶いろのもあったのです。

「ごらんになったらとりかえましょうか。」

私は隣《とな》りの人に云いました。

「ええ、」その人はあわただしく茶いろのパンフレットをよこしました。私も私のをやったのです。それには黒くこう書いてありました。

「◎偏狭非学術的なるビジテリアンを排せ。

ビジテリアンの主張は全然誤謬である、今これを比《ひ》較解剖《かくかいぼう》学の立場からごく通俗的に説明しよう。人類は動物学上混食に適するようにできている。歯の形状から見てもわかる。草食獣《そうしょくじゅう》にある臼歯《きゅうし》もあれば肉食類の犬歯もある。混食をしているのが人類には一番自然である。そう出来てるのだから仕方ない。それをどう斯《こ》う云うのは恩恵《おんけい》深き自然に対して正しく叛旗《はんき》をひるがえすものである。よしたまえ、ビジテリアン諸君、あんまり陰気なおまけに子供くさい考は。」

「ふん。今度のパンフレットはどれもかなりしっかりしてるね。いかにも誰《たれ》もやりそうな議論だ。しかしどっかやっぱり調子が変だね。」地学博士が少し顔色が青ざめて斯う云いました。

「調子が変なばかりじゃない、議論がみんな都合のいいようにばかり仕組んであるよ。どうせ畜産組合の宣伝書だ。」と一人のトルコ人が云いました。

そのとき又向うからラッパが鳴って来ました。ガソリンの音も聞えます。正直を云いますと私もこの時は少し胸がどきどきしました。さっそく又一台の赤自動車がやって来て小さな白い紙を撒いて行ったのです。

そのパンフレットを私たちはせわしく読みました。それには赤い字で斯う書いてあったのです。

「ビジテリアン諸氏に寄す。

諸君がどんなに頑張《がんば》って、馬鈴薯《ばれいしょ》とキャベジ、メリケン粉ぐらいを食っていようと、海岸ではあんまりたくさん魚がとれて困る。折角《せっかく》死んでも、それを食べて呉《く》れる人もなし、可哀そうに、魚はみんなシャベルで釜《かま》になげ込《こ》まれ、煮えるとすくわれて、締木《しめぎ》にかけて圧搾《あっさく》される。釜に残った油の分は魚油です。今は一缶《かん》十セントです。鰯《いわし》なら一缶がまあざっと七百疋《ぴき》分ですねえ、締木にかけた方は魚粕《うおかす》です、一キログラム六セントです、一キログラムは鰯ならまあ五百疋ですねえ、みなさん海岸へ行ってめまいをしてはいけません。また農場へ行ってめまいをしてもいけません、なぜなら、その魚粕をつかうとキャベジでも麦でもずいぶんよく穫《と》れます。おまけにキャベジ一つこさえるには、百疋からの青虫を除《と》らなければならないのですぜ。それからみなさんこの町で何か煮《に》たものをめしあがったり、お湯をお使いになるときに、めまいを起さないように願います。この町のガスはご存知の通り、石炭でなしに、魚油を乾溜《かんりゅう》してつくっているのですから。いずれ又お目にかかって詳《くわ》しく申しあげましょう。」

この宣伝書を読んでしまったときは、白状しますが、私たちはしばらくしんとしてしまったのです。どうも理論上この反対者の主張が勝っているように思われたのであります。それとて、私も、又トルコから来たその六人の信者たちも、ビジテリアンをやめようとか、全く向うの主張に賛成だとかいうのでもなく、ただ何となくこの大祭のはじまりに、けちをつけられたのが不愉快《ふゆかい》だったのであります。余興として笑ってしまうには、あんまり意地が悪かったのであります。

ところが、又もやのろしが教会の方であがりました。まっ青なそらで、白いけむりがパッと開き、それからトントンと音が聞えました。けむりの中から出て来たのは、今度こそ全く支那《しな》風の五色の蓮華《れんげ》の花でした。なるほどやっぱり陳氏だ、お経《きょう》にある青色青光、黄色黄光、赤色赤光、白色白光をやったんだなと、私はつくづく感心してそれを見上げました。全くその蓮華のはなびらは、ニュウファウンドランド島、ヒルテイ村ビジテリアン大祭の、新鮮な朝のそらを、かすかに光って舞《ま》い降りて来るのでした。

それから教会の方で、賑《にぎ》やかなバンドが始まりました。それが風下でしたから、手にとるように聞えました。それがいかにも本式なのです。私たちは、はじめはこれはよほど費用をかけて大陸から頼《たの》んで来たんだなと思いましたが、あとで聞きましたら、あの有名なスナイダー*が私たちの仲間だったんです。スナイダーは、自分のバンド(尤《もっと》もその半数は、みんなビジテリアンだったのです、)を、そっくりつれてやはり一昨日《おととい》、ここへ着いたのだそうです。とにかく、式の始まるまでは、まだ一時間もありましたけれども、斯《こ》うにぎやかにやられては、とてもじっとして居られません、私たちは、大急ぎで二階に帰って、礼装《れいそう》をしたのです。土耳古《トルコ》人たちは、みんなまっ赤なターバンと帯とをかけ、殊《こと》に地学博士はあちこちからの勲章《くんしょう》やメタルを、その漆黒《しっこく》の上着にかけましたので全くまばゆい位でした。私は三越でこさえた白い麻《あさ》のフロックコートを着ましたが、これは勿論《もちろん》、私の好みで作法ではありません。けれども元来きものというものは、東洋風に寒さをしのぐという考《かんがえ》も勿論ですが、一方また、カーライルの云う通り、*装飾《そうしょく》が第一なので結局その人にあった相当のものをきちんとつけているのが一等ですから、私は一向何とも思いませんでした。実際きものは自分のためでなく他人の為《ため》です。自分には自分の着ているものが全体見えはしませんからほかの人がそれを見て、さっぱりした気持ちがすればいいのであります。

さて私たちは宿を出ました。すると式の時間を待ち兼ねたのは、あながち私たちだけではありませんでした。教会へ行く途中《とちゅう》、あっちの小路からも、こっちの広場からも、三人四人ずついろいろな礼装をした人たちに、私たちは会いました。燕尾服《えんびふく》もあれば厚い粗羅紗《そらしゃ》を着た農夫もあり、綬《じゅ》をかけた人もあれば、スラッと瘠《や》せた若い軍医もありました。すべてこれらは、私たちの兄弟でありましたから、もう私たちは国と階級、職業とその名とをとわず、ただ一つの大きなビジテリアンの同朋《どうぼう》として、「お早う、」と挨拶《あいさつ》し「おめでとう、」と答えたのです。そして私たちは、いつかぞろぞろ列になっていました。列になって教会の門を入ったのです。一昨日《おととい》別段気にもとめなかった、小さなその門は、赤いいろの藻《そう》類と、暗緑の栂《つが》とで飾《かざ》られて、すっかり立派に変っていました。門をはいると、すぐ受付があって私たちはみんな求められて会員証を示しました。これはいかにも偏狭《へんきょう》なやり方のようにどなたもお考えでしょうが、実際今朝の反対宣伝のような訳で、どんなものがまぎれ込んで来て、何をするかもわからなかったのですから、全く仕方なかったのでありましょう。

式場は、教会の広庭に、大きな曲馬用の天幕《テント》を張って、テニスコートなどもそのまま中に取り込んでいたようでした。とてもその人数の入るような広間は、恐《おそ》らくニュウファウンドランド全島にもなかったでしょう。

もう気の早い信徒たちが二百人ぐらい席について待っていました。笑い声が波のように聞えました。やっぱり今朝のパンフレットの話などが多かったのでしょう。

その式場を覆《おお》う灰色の帆布《はんぷ》は、黒い樅《もみ》の枝《えだ》で縦横に区切られ、所々には黄や橙《だいだい》の石楠花《しゃくなげ》の花をはさんでありました。何せそう云ういい天気で、帆布が半透明《はんとうめい》に光っているのですから、実にその調和のいいこと、もうここそやがて完成さるべき、世界ビジテリアン大会堂の、陶製《とうせい》の大天井《だいてんじょう》かと思われたのであります。向うには勿論花で飾られた高い祭壇《さいだん》が設けられていました。そのとき、私は又、あの狼煙《のろし》の音を聞きました。はっと気がついて、私は急いでその音の方教会の裏手へ出て行って見ました。やっぱり陳氏でした。陳氏は小さな支那の子供の狼煙の助手も二人も連れて来ているのでした。そして三人とも、今日はすっかり支那服でした。私は支那服の立派さを、この朝ぐらい感じたことはありません。陳氏はすっかり黒の支度《したく》をして、袖口《そでぐち》と沓《くつ》だけ、まばゆいくらいまっ白に、髪は昨日《きのう》の通りでしたが、支那の勲章を一つつけていました。

それから助手の子供らは、まるで絵にある唐児《からこ》です。あたまをまん中だけ残して、くりくり剃《そ》って、恭《うやうや》しく両手を拱《こまね》いて、陳氏のうしろに立っていました。陳氏は私の行ったのを見ると本当に嬉《うれ》しかったと見えて、いきなり手を出して、

「おめでとう。お早う。いいお天気です。天の幸、君にあらんことを。」とつづけざまにべらべら挨拶しました。

「お早う。」私たちは手を握《にぎ》りました。二人の子供の助手も、両手を拱いたまま私に一揖《いちゆう》しました。私も全く嬉しかったんです。ニュウファウンドランド島の青ぞらの下で、この叮重《ていちょう》な東洋風の礼を受けたのです。

陳氏は云いました。

「さあ、もう一発やりますよ。あとは式がすんでからです。今度のは、私の郷国の名

前では、柳雲飛鳥《りゅううんひちょう》といいます。柳はサリックス、バビロニカ、です。飛鳥は燕《スワロウ》です。
日本でも、柳と燕《つばめ》を云いますか。」
「云います。そしてよく覚えませんが、たしか私の方にも、その狼煙はあった筈《はず》です
よ。いや花火だったかな。それとも柳にけまりだったかな。」
「日本の花火の名所は、東京両国橋ですね。」
「ええそのほか岩国とか石の巻とか、あちこちにもあります。」
「なるほど。さあ、支度。」陳氏は二人の子供に向きました。一人の子は恭しくバス
ケットから、狼煙玉を持ち出しました。陳氏はそれを受けとってよく調べてから、
「よろしい。口火。」と云いました。も一人の子は、もう手に口火を持って待ってい
ました。陳氏はそれを受けとりました。はじめの子は、シュッとマッチをすりました。
陳氏はそれに口火をあてて、急いでのろし筒《づつ》に投げ込みました。しばらくたって、
「ドーン」けむりと一緒《いっしょ》に、さっきの玉は、汽車ぐらいの速さで青ぞらにのぼって行
きました。二人の子供も、恭しく腕《うで》を拱いて、それを見上げていました。たちまち空
で白いけむりが起り、ポンポンと音が下って来それから青い柳のけむりが垂れ、その
間を燕の形の黒いものが、ぐるぐる縫《ぬ》って進みました。
「さあ式場へ参りましょう。お前たち此処《ここ》で番をしておいで。」陳氏は英語で云って、

それから私らは、その二人の子供らの敬礼をうしろに式場の天幕《テント》へ帰りました。もう式の始まるに、六分しかありませんでした。天幕の入口で、私たちはプログラムを受け取りました。それには表に

ビジテリアン大祭次第

挙祭挨拶
論難反駁《はんばく》
祭歌合唱
祈禱《きとう》
閉式挨拶
会食
会員紹介
余興
以上

と刷ってあり私たちがそれを受け取った時丁度九時五分前でした。

式場の中はぎっしりでした。それに人数もよく調べてあったと見えて、空いた椅子《いす》とてもあんまりなく、勿論腰《もちろんこし》かけないで立っている人などは一人もありませんでした。みんなで五百人はあったでしょう。その中には婦人たちも三分の一はあったでしょう。

いろいろな服装や色彩《しきさい》が、処々《ところどころ》に配置された橙や青の盛花《もりばな》と入りまじり、秋の空気はすきとおって水のよう、信者たちも又《また》さっきとは打って変って、しいんとして式の始まるのを待っていました。

アーチになった祭壇《さいだん》のすぐ下には、スナイダーを楽長とするオーケストラバンドが、半円陣《はんえんじん》を採り、その左には唱歌隊の席がありました。唱歌隊の中にはカナダのグロッコも居たそうですが、どの人かわかりませんでした。

ところが祭壇の下オーケストラバンドの右側に、「異教徒席」「異派席」という二つの陶製の標札《ひょうさつ》が出て、どちらにも二十人ばかりの礼装をした人たちが座って居りました。中には今朝の自働車で見たような人も大分ありました。

私もそこで陳氏と並んで一番うしろに席をとりました。陳氏はしきりに向うの異教徒席や異派席とプログラムとを比較《ひかく》しながらよほど気にかかる模様でした。とうとう、そっと私にささやきました。

「このプログラムの論難というのは向うのあの連中がやるのですね。」

「きっとそうでしょうね。」

「どうです、異派席の連中は、私たちの仲間にくらべては少し風采《ふうさい》でも何でも見劣《みおと》りするようですね。」

私も笑いました。

「どうもそうのようですよ。」

陳氏が又云いました。

「けれども又異教席のやつらと、異派席の連中とくらべて見たんじゃ又ずっと違《ちが》ってますね。異教席のやつらときたら、実際どうも醜悪《しゅうあく》ですね。」

「全くです。」私はとうとう吹《ふ》き出しました。実際異教席の連中ときたらどれもみんな醜悪だったのです。

俄《にわ》かに澄《す》み切った電鈴《でんれい》の音が式場一杯《いっぱい》鳴りわたりました。

拍手《はくしゅ》が嵐《あらし》のように起りました。

白髯赭顔《はくぜんしゃがん》のデビス長老が、質素な黒のガウンを着て、祭壇に立ったのです。そして何か云おうとしたようでしたが、あんまり嬉しかったと見えて、もうなんにも云えず、ただおろおろと泣いてしまいました。信者たちはまるで熱狂《ねっきょう》して、歓呼拍手しました。デビス長老は、手を大きく振《ふ》って又何か云おうとしましたが、今度も声が咽喉《のど》につまって、まるで変な音になってしまい、とうとう又泣いてしまったのです。

みんなは又熱狂的に拍手しました。長老はやっと気を取り直したらしく、大きく手を三度ふって、何か叫《さけ》びかけましたけれども、今度だってやっぱりその通り、崩《くず》れるように泣いてしまったのです。祭司次長、ウィリアム・タッピング*という人で、爪哇《ジャワ》の宣教師なそうですが、せいの高い立派なじいさんでした、が見兼ねて出て行って、祭司長にならんで立ちました。式場はしいんと静まりました。

「諸君、祭司長は、只今《ただいま》既《すで》に、無言を以《もっ》て百千万言を披瀝《ひれき》した。是《こ》れ、げにも尊き祭始の宣言である。然《しか》しながら、未《いま》だ祭司長の云《い》わざる処もある。これ実に祭司長が述べんと欲するものの中の糟粕《そうはく》である。これをしも、祭司次長が諸君に告げんと欲《ほっ》して、敢《あえ》て咎《とが》めらるべきでない。諸君、吾人《ごじん》は内外多数の迫害《はくがい》に耐《た》えて、今日迄《まで》ビジテリアン同情派の主張を維持《いじ》して来た。然もこれ未だ社会的に無力なる、各個人個人に於《お》いてである。然るに今日は既にビジテリアン同情派の堅《かた》き結束《けっそく》を見、その光輝《こうき》ある八面体の結晶《けっしょう》とも云うべきビジテリアン大祭を、この清澄《せいちょう》なるニュウファウンドランド島、九月の気圏《きけん》の底に於て析出《せきしゅつ》した。殊《こと》にこの大祭に於て、多少の愉快《ゆかい》なる刺戟《しげき》を吾人が所有するということは、最《もっと》も天意のある所である。多少の愉快なる刺戟とは何であるか、これプログラム中にある異教及《および》異派の諸氏の論難である。是等《これら》諸氏はみな信者諸氏と同じく、各自の主義主張の為《ため》に、世界各地より集り来《きた》った真理の友である。恐《おそ》らく諸氏の論難は、最痛烈辛辣《つうれつしんらつ》なものであろう。その愈々鋭利《いよいよえいり》なるほど、愈々公明に我等はこれに答えんと欲する。これ大祭開式の辞、最後糟粕の部分である。祭司次長ウィリアム・タッピング祭司長ヘンリー・デビスに代ってこれを述べる。」

拍手は天幕《テント》もひるがえるばかり、この間デビスはただよろよろと感激《かんげき》して頭をふるばかりでありました。

その拍手の中でデビス長老は祭司次長に連れられて壇を下り透明《とうめい》な電鈴が式場一杯に鳴りました。祭司次長が又祭壇に上って壇の隅《すみ》の椅子にかけ、それから一寸《ちょっと》立って異教徒席の方を軽くさし招きました。

異教徒席の中からせいの高い肥《ふと》ったフロックの人が出て卓子《テーブル》の前に立ち一寸会釈《えしゃく》してそれからきぱきぱした口調で斯《こ》う述べました。

「私はビジテリアン諸氏の主張に対して二個条の疑問がある。

第一植物性食品の消化率が動物性食品に比して著《いちじる》しく小さいこと。尤《もっと》も動物性食品には含水炭素《がんすいたんそ》が殆《ほと》んどないからこれは当然植物から採らなければならない。然しながらもし蛋白質《たんぱくしつ》と脂肪《しぼう》とについて考えるならば何といっても植物性のものは消化が悪い。単に分析表を見て牛肉と落花生と営養価が同じだと云って牛肉の代りにそっくり豆《まめ》を喰《た》べるというわけにはいかない。人によっては植物蛋白を殆んど消化しないじゃないかと思われることもあるのだ。ビジテリアン諸氏はこれらのことは充分《じゅうぶん》ご承知であろうが尚《なお》これを以て多くの病弱者や老衰者並《ろうすいしゃならび》に嬰児《えいじ》にまで及ぼそうとするのはどう云うものであろうか。

第二は植物性食品はどう考えても動物性食品より美味《おい》しくない。これは何としても否定することができない。元来食事はただ営養をとる為のものでなく又一種の享楽《きょうらく》である。享楽と云うよりは欠くべからざる精神爽快剤《レフレッシュメント》である。労働に疲《つか》れ種々の患難《かんなん》に包まれて意気銷沈《いきしょうちん》した時には或《あるい》は小さな歌謡《かよう》を口吟《くちずさ》む、談笑する音楽を聴《き》く観劇や小遠足にも出ることが大へん効果あるように食事も又一の心身回復剤である。この快楽を菜食ならば著しく減ずると思う。殊に愉快に食べたものならば実際消化もいいのだ。これをビジテリアン諸氏はどうお考《かんがえ》であるか伺《うかが》いたい。」

大へん温和《おとな》しい論旨《ろんし》でしたので私たちは実際本気に拍手しました。すると私たちの席から三人ばかり祭司次長の方へ手をあげて立った人がありましたが祭司次長は一番前の老人を招きました。その人は白髯《しろひげ》でやはり牧師らしい黒い服装《ふくそう》をしていましたが壇に昇《のぼ》って重い調子で答えたのでした。

「只今《ただいま》の御質疑に答えたいと存じます。

植物性の脂肪や蛋白質の消化があまりよくないことは明かであります。さればといって甚《はなはだ》不良なのではなく、ただ動物質の食品に比して幾分《いくぶん》劣るというのであります。全然植物性蛋白や脂肪を消化しないという人はまああありますまい、あるとすればその人は又動物性の蛋白や脂肪も消化しないのです。さてどう云うわけで植物性のものが消化がよくないかと云えば蛋白質の方はどうもやっぱりその蛋白質分子の構造によるようでありますが脂肪の消化率の少いのはそれが多く繊維素《せんいそ》の細胞壁《さいぼうへき》に包まれている関係のようであります。どちらも次第《しだい》に菜食になれて参りますと消化もだんだん良くなるのであります。色々実験の成績もございますから後でご覧を願います。又病弱者老衰者嬰児等の中には全く菜食ではいけない人もありましょう、私どもの派ではそれらに対してまで菜食を強《し》いようと致《いた》すのではありません。ただなるべく動物互《たがい》に相喰《あいは》むのは決して当然のことでない何とかしてそうでなくしたいという位の意味でありま す。尤も老人病弱者にても若《も》し肉食を嫌《きら》うものがあればこれに適するような消化のいい食品をつくる事に就《つい》ては私共只今充分努力を致して居るのであります。仮令《たとえ》ば蛋白質をば少しく分解して割合簡単な形の消化し易《やす》いものを作る等であります。

第二に食事は一つの享楽である菜食によってその多分は奪《うば》われるとこれはやはり肉食者よりのお考であります。なるほど普通《ふつう》混食をしているときは野菜は肉類より美味しくないのですが、けれどももし肉類を食べるときその動物の苦痛を考えるならば到《とう》底《てい》美味しくはなくなるのであります。従って無理に食べても消化も悪いのであります。勿論《もちろん》菜食を一年以上もしますなれば仲々肉類は不愉快な臭《におい》や何かありまして好ましくないのであります。元来食物の味というものはこれは他の感覚と同じく対象よりはその感官自身の精粗《せいそ》によるものでありまして、精粗というよりは善悪によるものでありまして、よい感官はよいものを感じ悪い感官はいいものも悪く感ずるのであります。同じ水を呑《の》んでも徳のある人とない人とでは大へんにちがって感じます。パンと塩と水とをたべている修道院の聖者たちにはパンの中の糊精《こせい》や蛋白質酵素《こうそ》単糖類脂肪などみな微妙《びみょう》な味覚となって感ぜられるのであります。もしパンがライ麦のならばライ麦のいい所を感じて喜びます。これらは感官が静寂《せいじゃく》になっているからです。水を呑んでも石灰の多い水、炭酸の入った水、冷たい水、又川の柔《やわ》らかな水みなしずかにそれを享楽することができるのであります。これらは感官が澄《す》んで静まっているからです。まあ大《たい》ところが感官が荒《す》さんで来るとどこ迄《まで》でも限りなく粗《あら》く悪くなって行きます。則《すなわ》ち享楽は必らず肉食にばかりあるのではない。寧《むし》ろ清らかな透明な限りのない愉快と安静とが菜食にあるということを申しあげるのであります。」老人は会釈して壇を下り拍手は天幕《テント》もひるがえるようでした。祭司次長は立って異教席の方を見ました。異教席から瘠《や》せた顔色の悪いドイツ刈《が》りの男が立ちました。祭司次長は軽く会釈しました。その人も答礼して壇に上ったのです。その人は大へん皮肉な目付きをして式場全体をきろきろ見下してから云いました。

「今朝私どもがみなさんにさしあげて置いた五六枚のパンフレットはどなたも大抵お読み下すった事と思う。私はたしかに評判の通りシカゴ畜産《ちくさん》組合の理事で又屠畜《またとちく》会社の技師です。ところが正直のところシカゴ畜産組合がこのビジテリアン大祭を決して苦にするわけはない。何となれば只今前論者の云われたようなトラピスト風の人間というものは今日全人類の一万分一もあるもんじゃない。やっぱりあたり前の人間には肉類は食料として滋養《じよう》も多く美味である。ビジテリアン諸氏が折角《せっかく》菜食を実行し又宣伝するのを見た処《ところ》で感服はしても容易に真似《まね》はしない。則ち肉類の需要が減ずるものでもなし又私たちの組合がこわれたり会社が破産したりするものではない。だから一向反対宣伝も要《い》らなければこの軽業《かるわざ》テントの中に入って異教席というこの光栄ある場所に私が数時間窮屈《きゅうくつ》をする必要もない。然しながら実は私は六月からこちらへ避暑《ひしょ》に来て居《お》りました。そしてこの大祭にぶっつかったのですから職業柄《がら》私の方ではほんの余興のつもりでしたが少し邪魔《じゃま》を入れて見ようかと本社へ云ってやりましたら社長や何かみな大へん面白《おもしろ》がって賛成して運動費などもよこし慰労旁々《いろうかたがた》技師も五人寄越《よこ》しました。そこで私たちは大急ぎで銘々《めいめい》一つずつパンフレットも作り自働車などまで雇《やと》ってそれを撒《ま》きちらしましたが実は、なあに、一向あなた方が菜っ葉や何かばかりお上がりになろうと痛くもかゆくもないのです。然しまあやりかけた事ですからこれからも一度あのパンフレットを銘々一人ずつご説明して苦しいご返答を伺おうと思います。実は私の方でもあの通り速記者もたのんであります、ご答弁は私の方の機関雑誌畜産之友《の》に載せますからご承知を願います。で私のおたずね致したいことはパンフレットにもありました通り動物がかあいそうだからたべないとあなた方は仰《お》っしゃるが動物というものは一種の器械です。消化吸収排泄循環生殖《はいせつじゅんかんせいしょく》と斯《こ》う云うことをやる器械です。死ぬのが恐《こわ》いとか明日病気になって困るとか誰《たれ》それと絶交しようとかそんな面倒《めんどう》なことを考えては居りません。動物の神経だなんというものはただ本能と衝動《しょうどう》のためにあるです。神経なんというのはほんの少ししか働きません。その証拠《しょうこ》にはご覧なさい鶏《にわとり》では強制肥育ということをやる、鶏の咽喉《のど》にゴム管をあてて食物をぐんぐん押《お》し込《こ》んでやる。ふだんの五倍も十倍も押し込む、それでちゃんと肥《ふと》るのです、面白い位肥《ふと》るのです。又犬の胃液の分泌《ぶんぴつ》や何かの工合《ぐあい》を見るには犬の胸を切って胃の後部を露《ろ》出《しゅっ》して幽門《ゆうもん》の所を腸と離《はな》してゴム管に結ぶそして食物をやる、どうです犬は食べると思いますか食べないと思いますか。あっ、どうかしましたか。」

実際どうかしたのでした。あんまり話がひどかった為《ため》に婦人の中で四五人卒倒者がありの他《ほか》の婦人たちも大抵《たいてい》歯を食いしばって泣いたり耳をふさいで縮まったりしていたのです。式場は俄《にわか》に大騒《おおさわ》ぎになりシカゴの畜産技師も祭壇《さいだん》の上で困って立っていました。正気を失った人たちはみんなの手で私たちのそばを通って外に担《かつ》ぎ出され職業の医者な人たちは十二三人も立って出て行きました。しばらくたって式場はしいんとなりました。婦人たちはみんなひどく激昂《げっこう》していましたが何分相手が異教の論難者でしたので卑怯《ひきょう》に思われない為に誰も異議を述べませんでした。シカゴの技師ははんけちで叮寧《ていねい》に口を拭《ぬぐ》ってから又云いました。

「なるほど実にビジテリアン諸氏の動物に対する同情は大きなものであります。も少し言辞に気をつけて申し上げます。ええ、犬はそれを食べます。ぐんぐん喰べます。お判《わか》りですか。又家畜を去勢します。即ち生殖に対する焦燥《しょうそう》や何かの為に費される勢力《エネルギー》を保存するようにします。さあ、家畜は肥りますよ、全く動物は一つの器械でその脚《あし》を疾《はや》くするには走らせる、肥らせるには食べさせる、卵をとるにはつるませる、乳汁をとるには子を近くに置いて子に呑ませないようにする、どうでも勝手次第なんです。決して心配はありません。まだまだ述べたいのですが又卒倒されると困りますからここまでに致《いた》して置きます。」

その人は壇を下りました。拍手《はくしゅ》と一処に六七人の人が私どもの方から立ちましたが祭司次長が割合前の方のモオニングの若い人をさしまねきました。その人は落ち着いた風で少し微笑《わら》いながら演説しました。

「只今《ただいま》のご質問はいかにもご尤《もっとも》であります。多少御実験などもお話になりましたが実は遺憾《いかん》乍《なが》らそれはみな実験になって居りません。

動物は衝動と本能ばかりだと仰っしゃいましたがまあそうして置きます。その本能や衝動が生きたいということで一杯《いっぱい》です。それを殺すのはいけないとこれだけでお答には充分《じゅうぶん》であります。然《しか》しながら更《さら》に詳しいことは動物心理学の沢山《たくさん》の実験がこれを提供致すだろうと思います。又実は動物は本能と衝動ばかりではないのであります。今朝のパンフレットで見ましても生物は一つの大きな連続であると申されました。人間の心もちがだんだん人間に近いものから遠いものに行われて居ります。人間の苦しいことは感覚のあるものはやっぱりみんな苦しい人間の悲しいことは強い弱いの区別はあってもやっぱりどの動物も悲しいのです。仲々あのパンフレットにある豚《ぶた》のように愉快《ゆかい》には行かないのであります。飼犬《かいいぬ》が主人の少年の病死の時その墓を離れず食物もとらずとうとう餓死《がし》した有名な例、鹿《しか》や猿《さる》の子が殺されたときそれを慕《した》って親もわざと殺されることなど誰《たれ》でも知っています。馬が何年もその主人を覚えていて偶《たま》に会ったとき涙《なみだ》を流したりするのです。前論者の、ビジテリアンは人間の感情を以《もっ》て強て動物を律しようとするというのに対して、私は実に反対者たちは動物が人間と少しばかり形が違っているのに眼を欺《あざむ》かれてその本心から起って来る哀憐《あいれん》の感情をなくしているとご忠告申し上げたいのであります。誰だって自分の都合《つごう》のいいように物事を考えたいものではありますがどこ迄もそれで通るものではありません。元来私どもの感情はそう無茶苦茶に間違っているものではないのでありましてどうしても本心から起って来る心持は全く客観的に見てその通りなのであります。動物は全く可哀《かあい》そうなもんです。人もほんとうに哀《あわ》れなものです。私は全論士にも少し深く上調子でなしに世界をごらんになることを望みます。」

拍手が強く起りました。拍手の中から髪《かみ》を長くしたせいの低い男がいきなり異教席を立って壇に登りました。

「私はやはりシカゴ畜産組合の技師です。諸君、今朝のマルサス人口論を基とした議論は読んで下すったでしょう。どうですそれにちがいありますまい。地球上の人類の食物の半分は動物で半分は植物です。そのうち動物を喰《た》べないじゃ食物が半分になる。たださえ食物が足りなくて戦争だのいろいろ騒動《そうどう》が起ってるのに更にそれを半分に縮減しようというのはどんなほかに立派な理くつがあっても正気の沙汰《さた》と思われない。人間の半分十億人が食物がなくて死んでしまう、死ぬ前にはいろいろ大騒ぎが起るその時ビジテリアンたちはどうします。自分たちの起した戦争の中へはいってわれらの敵国を打ち亡《ほろ》ぼせと云って鉄砲《てっぽう》や剣を持って突貫《とっかん》しますか。それともああこんな筈《はず》じゃなかった神よと云ってみんな一緒《いっしょ》にナイヤガラかどこかへ飛び込みますか。そんなことをしたって追い付きません。いや、それよりもこんなことになるのはどこの国の政治家でもすぐわかる、これはいかんと云うわけでお気の毒ながら諸君をみんな終身懲役《ちょうえき》にしちまいます。まさか死刑《しけい》にはなりますまいが終身懲役だってそんないいもんじゃありませんよ。どうです。今のうち懺悔《ざんげ》してやめてしまっては。」

拍手も笑声も起りました。私たちの方から若い背広の青年が立って行きました。

「あの人は私は知ってますよ。ニュウヨウクで二三遍《べん》話したんです。大学生です。」

その青年は少し激昂《げっこう》した風で演説し始めました。

「ご質問に対してできるだけ簡単にお答えしようと思います。

人類の食料は動物と植物と約半々だ。そのうち動物を食べないじゃ食料が半分に減る。いかにもご尤なお考ではありますが大分乱暴な処もある様であります。動物と植物と半々だ、これがまずいけません。半々というのは何が半々ですか。多分は目方でお測りになるおつもりか知れませんが目方で比較《ひかく》なさるのは大へんご損です。食物の中で消化される分の熱量ででもご比較になったら割合正確だろうと存じます。そう云うふうにしますと一般に動物質の方が消化率も大きいのでありますからよほどお得になります。お得にはなりますがとてもとても半々なんというわけには参りますまい。こんな珍《めず》らしい議論の必要が従来あんまりありませんでしたので恐《おそ》らくこの計算はまだ誰《たれ》も致しますまいが計算法だけ申し上げて置きましょう。どうぞシカゴ畜産組合の事務所でゆっくり御計算を願います。即《すなわ》ち世界中の小麦と大麦米や燕麦《オート》蕪菁《かぶら》や甘藍《キャベジ》あらゆる食品の産額を発見して先《ま》ず第一にその中から各々家畜の喰べる分をさし引きます。その際あんまりびっくりなさいませんように。次にその残りの各々から蛋白質脂肪含水炭素《たんぱくしつしぼうがんすいたんそ》の可消化量を計算してそれから各《おのおの》の発する熱量を計算して合計します。四千三百兆大カロリーとか何とか大体出て参りましょう。今度は牛羊、豚、馬、鶏鯨《くじら》という工合に今の通りやります。合計二千三百兆大カロリーとか何とか出て来ましょう。両方合せてそれをざっと二十億で割って三百六十五で割って営養研究所の方にでも見てお貰《もら》いなさい。計算がちがっているかどうか多分ご返事なさるでしょう。

さて、ところが只今までの議論は一向私には何でもないのでありまして第一のご質問の答弁の要点はこの次です。則《すなわ》ち論難者は、そのうち動物を食べないじゃ食料が半分に減ずるということです。冗談じゃありませんぜ。一体その動物は何を食って生きていますか。空気や岩石や水を食べているのじゃないのです。牛や馬や羊は燕麦《オート》や牧草をたべる。その為《ため》に作った南瓜《かぼちゃ》や蕪菁もたべる。ごらんなさい。人間が自分のたべる穀物や野菜の代りに家畜の喰べるものを作っているのです。牛一頭を養うには八エーカーの牧草地が要《い》ります。そこに一番計算の早い小麦を作って見ましょうか。十人の人の一年の食糧《しょくりょう》が毎年とれます。牛ならどうです。一年の間に肥《ふと》る分左様百六十キログラムの牛肉で十人の人が一年生きていられますか。一人一日五十グラムですよ。親指三本の大さですよ。腹が空《へ》りはしませんか。よくおわかりにならないようですがもっと手短かに云《い》いますともし人間が自然と相談して牛肉や豚肉の代りに何か損にならないものをよこして呉《く》れと云えば今よりもっとたくさんの人間が生きて行かれる位多くの喰べものを向うではよこすと斯《こ》う云うことです。但《ただ》しこれは海産物と廃物《はいぶつ》によって養う分の家畜は論外であります。然しながらそれを計算に入れても又大丈夫《まただいじょうぶ》です。家畜だってみんな喰べるものばかりでなく羊のように毛を貰うもの馬や牛のように労働をして貰うものいろいろあります。

次に食料が半分になっちゃ人間も半分になる、いかにも面白《おもしろ》いですが仲々その食料が半分にならない。減るどころか事によると少し増えるかも知れません。ですから大丈夫戦争も起らなければ無期徒刑をご心配して下さらなくても大丈夫です。却《かえ》って菜食はみんなの心を平和にし互《たがい》に正しく愛し合うことができるのです。多くの宗教で肉食を禁ずることが大切の儀式《ぎしき》にはつきものになっているのでもわかりましょう。戦争どこじゃない菜食はあなた方にも永遠の平和を齎《もたら》してせっかく避暑《ひしょ》に来ていながら自働車まで雇《やと》って変な宣伝をやったり大祭へ踏《ふ》み込んで来ていやな事を云って婦人たちを卒倒させたりしなくてもいいようになります。又我々だって無期徒刑じゃない、人類の仲間からと哺乳《ほにゅう》動物組合、鳥類連盟、魚類事務所などからまで勲章《くんしょう》や感謝状を沢山贈られる訳です。どうです。おわかりになったらあなたもビジテリアンにおなりなさい。」

するとは前の論士が立ちあがりました。大へん悔悟《かいご》したような顔はしていましたが何だかどこか噴《ふ》き出したいのを堪《こら》えていたようにも見えました。しょんぼり壇《だん》に登って来て

「悔悟します。今日から私もビジテリアンになります。」と云って今の青年の手をとったのでした。みんなは実にひどく拍手しました。二人は連れ立って私たちの方へ下り技師もその空いた席へ腰《こし》かけて肩《かた》ですうすう息をしていました。ところが勿論《もちろん》この事の為に異教席の憤懣《ふんまん》はひどいものでした。一人のやっぱり技師らしい男がずいぶん粗暴《そぼう》な態度で壇に昇《のぼ》りました。

「諸君、私の疑問に答えたまえ。動物と植物との間には確たる境界がない。パンフレットにも書いて置いた通りそれ

は人類の勝手に設けた分類に過ぎない。動物がかあいそうならいつの間にか植物もかあいそうになる筈だ。動物の中の原生動物と植物の中の細菌《さいきん》類とは殆《ほと》んど相密接せるものである。又動物の中にだってヒドラや珊瑚《さんご》類のように植物に似たやつもあれば植物の中にだって食虫植物もある、睡眠《すいみん》を摂《と》る植物もある、睡《ねむ》る植物などは毎晩邪魔《じゃま》して睡らせないと枯《か》れてしまう、食虫植物には小鳥を捕《と》るのもあり人間を殺すやつさえあるぞ。殊《こと》にバクテリアなどは先頃《せんころ》まで度々《たびたび》分類学者が動物の中へ入れたんだ。今はまあ植物の中へ入れてあるがそれはほんのはずみなのだ。そんな曖昧《あいまい》な動物かも知れないものは勿論仁慈《じんじ》に富めるビジテリアン諸氏は食べたり殺したりしないだろう。ところがどうだ諸君諸君が一寸《ちょっと》菜っ葉へ酢《す》をかけてたべる、そのとき諸君の胃袋《いぶくろ》に入って死んでしまうバクテリアの数は百億や二百億じゃ利《き》けゃしない。諸君が一寸葡萄《ぶどう》をたべるその一房《ふさ》にいくらの細菌や酵母《こうぼ》がついているか、もっと早いとこ諸君が町の空気を吸う一回に多いときなら一万ぐらいの細菌が殺される。そんな工合《ぐあい》で毎日生きていながら私はビジテリアンですから牛肉はたべません。なんて、牛肉はいくら喰べたって一つの命の百分の一にもならないのだ、偽善《ぎぜん》と云おうか無智と云おうかとても話にならない。本とうに動物が可あいそうなら植物を喰べたり殺したりするのも廃《よ》し給《たま》え。動物と植物とを殺すのをやめるためにまず水と食塩だけ呑《の》み給え。水はごくいい湧水《わきみず》にかぎる、それも新鮮な処《ところ》にかぎる、すこし置いたんじゃもうバクテリアが入るからね、空気は高山や森のだけ吸い給え、町のはだめだ。さあ諸君みんなどこかしんとした山の中へ行っていい空気といい水と岩塩でもたべながらこのビジテリアン大祭をやるようにし給え。ここの空気は吸っちゃいけないよ。吸っちゃいけないよ。」

拍手は起り、笑声も起りましたが多くの人はだまって考えていました。その男はもう大得意でチラッとさっき懺悔《ざんげ》してビジテリアンになった友人の方を見て自分の席へ帰りました。すると私の愕《おどろ》いたことはこの時まで腕《うで》を拱《こまね》いてじっと座《すわ》っていた陳《ちん》氏がいきなり立って行ったことでした。支那《しな》服で祭壇に立ってはじめて私の顔を見て一寸かすかに会釈《えしゃく》しました。それから落ち着いて流暢《りゅうちょう》な英語で反駁《はんばく》演説をはじめたのです。

「只今《ただいま》のご論旨《ろんし》は大へん面白いので私も早速空気を吸うのをやめたいと思いましたがその前に一寸一言ご返事をしたいと存じます。どうぞその間空気を吸うことをお許し下さい。

さて只今のご論旨ではビジテリアンたるものすべからく無菌の水と岩石ぐらいを喰べて海抜《かいばつ》二千尺以上ぐらいの高い処に生活すべしというのでありましたが、なるほど私共の中には一酸化炭素と水とから砂糖を合成する事をしきりに研究している人もあります。けれども茲《ここ》ではまず生物連続が面白かったようですからそれを色々応用して見ます。則ち人類から他の哺乳類鳥類爬虫《はちゅう》類魚類それから節足動物とか軟体《なんたい》動物とか乃至《ないし》原生動物それから一転して植物、の細菌類、それから多《た》細胞《さいぼう》の羊歯《しだ》類顕花《けんか》植物と斯《こ》う連続しているからもし動物がかあいそうなら生物みんな可哀《かあい》そうになれ、顕花植物なども食べても切ってもいかんというのですが、連続をしているものはまだいろいろあります。仮令《たとえ》ば人間の一生は連続している、嬰児《えいじ》期幼児期少年少女期青年処女期壮年期老年期とまあ斯うでしょう、ところが実はこれは便宜《べんぎ》上勝手に分類したので実は連続しているはっきりした堺《さかい》はない、ですから、若《も》し四十になる人が代議士に出るならば必ず生れたばかりの嬰児も代議士を志願してフロックコートを着て政見を発表したり燕尾《えんび》服《ふく》を着て交際したりしなければいけない、又小学校の一年生にエービースィーを教えるなら大学校でもなぜ文学より見たる理論化学とか、相対性学説の難点とかそんなことばかりやってエービースィーを教えないか、と斯う云うことになります。或《あるい》は他《ほか》の例を以《もっ》てするならば元来変態心理と正常な心理とは連続的でありますから人類は須《すべか》らく瘋癲《ふうてん》病院を解放するか或はみんな瘋癲病院に入らなければいけないと斯うなるのであります。この変てこな議論が一見菜食にだけ適用するように思われるのはそれは思う人がまだこの問題を真剣に考え真実に実行しなかった証拠《しょうこ》であります。斯んなことはよくあるのです。

いくら連続していてもその両端《りょうたん》では大分ちがっています。太陽スペクトルの七色をごらんなさい。これなどは両端に赤と菫《すみれ》とがありまん中に黄があります。ちがっていますからどうも仕方ないのです。植物に対してだってそれはあわれみいたましく思うことは勿論です。印度《インド》の聖者たちは実際故《ゆえ》なく草を伐《き》り花をふむことも戒《いまし》めました。然《しか》しながらこれは牛を殺すのと大へんな距離《きょり》がある。それは常識でわかります。人間から身体の構造が遠ざかるに従ってだんだん意識が薄《うす》くなるかどうかそれは少しもわかりませんがとにかくわれわれは植物を食べるときそんなにひどく煩悶《はんもん》しません。そこはそれ相応にうまくできているのであります。バクテリヤの事が大へんやかましいようでしたが一体バクテリヤがそこにあるのを殺すというようなことは馬を殺すというようなのと非常なちがいです。バクテリヤは次から次と分裂《ぶんれつ》し死滅《しめつ》しまるで速《すみや》かに速かに変化してるのです。それを殺すと云ったところで馬を殺すというようのとは大分ちがいます。又バクテリヤの意識だってよくはわかりませんがとにかく私共が生れつきバクテリヤについては殺すとかかあいそうだとかあんまりひどく考えない。それでいいのです。又仕方ないのです。但《ただ》しこれも人類の文化が進み人類の感情が進んだときどう変るかそれはわかりません。印度の聖者たちは濾《こ》さない水は呑みません。普《ふ》通《つう》の布の水濾しでは原生動物は通りますまいがバクテリヤは通りましょう。まあこれらについてはいくら理論上何と云われても私たちにそう思えないとお答え致《いた》すより仕方ありません。やがて理論的にも又その通り証明されるにちがいありません。私の国の孟子《メンシアス》と云う人は徳の高い人は家畜《かちく》の殺される処又料理される処を見ないと云いました。ごく穏健《おんけん》な考であります。自然はそんなおとしあなみたいなことはしませんから。私共は私共に具《そな》わった感官の状態私共をめぐった条件に於《おい》て菜食をしたいと斯《こ》う云うのであります。ここに於て私は敢《あえ》て高山に遁《に》げません。」陳氏は嵐《あらし》のような拍手《はくしゅ》と一緒《いっしょ》に私の処へ帰って来ました。私が陳氏に立って敬意を示している間に演壇にはもう次の論士が立っていました。

「諸君、しずかにし給え。まだそんなによろこぶには早い。なぜならビジテリアン諸君の主張は比較解剖学《ひかくかいぼう》の見地からして正に根底から顛覆《てんぷく》するからである。見給え諸君の歯は何枚あります。三十二枚、そうです。でその中四枚が門歯四枚が犬歯それから残りが臼歯《きゅうし》と智歯です。でそんなら門歯は何のため、門歯は食物を噛《か》み取る為《ため》臼歯は何のため植物を擦《す》り砕《くだ》くため、犬歯はそんなら何のためこれは肉を裂《さ》くためです。これでお判《わか》りでしょう。臼歯は草食動物にあり犬歯は肉食類にある。人類に混食が一番適当なことはこれで見てもわかるのです。則《すなわ》ち人類は混食しているのが一番自然なのです。ですから我々は肉食をやめるなんて考えてはいけません。」

ずいぶんみんな堪《こら》えたのでしたがあんまりその人の身振《みぶ》りが滑稽《こっけい》でおまけにいかにも小学校の二年生に教えるように云うもんですからとうとうみんなどっと吹《ふ》き出しました。私共の席から一人がすぐ出て行きました。

「只今の比較解剖学からのご説はどうも腑《ふ》に落ちないのであります。まず第一に人類の歯に混食が丁度適当だというのにいろいろ議論も起りましょうがまあこれは大体その通りとしていいかがです、その次に、人類に混食が一番自然だから菜食してはいかんというのは。

自然だからその通りでいいということはよく云いますがこれは実はいいことも悪いこともあります。たとえば我々は畑をつくります。そしてある目的の作物を育てるのでありますがこの際一番自然なことは畑一杯《いっぱい》草が生えて作物が負けてしまうことです。これは一番自然です。前論士がもし農場を経営なすった際には参観さして戴《いただ》きたい。又人間には盗《ぬす》むというような考《かんがえ》があります。これは極《きわ》めて自然のことであります。そんならそのままでいいではないか。と斯うなります。又異教派の方にも大分諸方から鉄道などでお出《い》でになった方もあるようでありますが鉄道で一番自然なこと則ちなるべく人力を加えないようにしますならば衝突《しょうとつ》や脱線や人を轢《ひ》いたりするなどがいいようであります。そんならそれでいいではないかポイントマンだのタブレットだの面《めん》倒臭《どうくさ》いことやめてしまえと斯う云うことになりますがどなたもご異議はありませんか。」斯う云ってその人はさっさっと席に戻《もど》ってしまいました。すると異教席からすぐ又一人立ちました。

「私は実は宣伝書にも云って置いた通り充分《じゅうぶん》詳しく論じようと思ったがさっきからのくしゃくしゃしたつまらない議論で頭が痛くなったからほんの一言申し上げる、魚などは諸君が喰《た》べないたって死ぬ、鰯《いわし》なら人間に食われるか鯨《くじら》に呑《の》まれるかどっちかだ。つぐみなら人に食べられるか鷹《たか》にとられるかどっちかだ。そのとき鰯もつぐみもまっ黒な鯨やくちばしの尖《とが》ったキスも出来ないような鷹に食べられるよりも仁慈あるビジテリアン諸氏に泪《なみだ》をほろほろそそがれて喰べられた方がいいと云わないだろうか。それから今度は菜食だからって一向安心にならない。農業の方では害虫の学問があって薬をかけたり焼いたり潰《つぶ》したりして虫を殺すことを考えている。百姓《ひゃくしょう》はみんなそれをやる。鯨を食べるならば一疋《ぴき》を一万人でも食べられ、又その為に百万疋の鰯を助けることになるのだが甘藍《キャベジ》を一つたべるとその為に青虫を百疋も殺していることになる。まるで諸君の考と反対のことばかり行われているのです。いかがです。」

すぐ又一人立ちました。

「私はただ一分でお答えする。第一に魚がどんなに死ぬからってそれが私たちの必ずそれを喰べる理由にはならない。又私たちが魚をたべたからって魚が喜ぶかどうかそんなこともわからない。どうせ何かに殺されるだろうからってこっちが殺してやろうと云う訳には参りません。人間が魚をとらなければ海が魚で埋《う》まってしまうという勘定《かんじょう》さえあるがそんなめのこ勘定で往《い》くもんじゃない。結局こんな間接のことまで論じていたんじゃきりがない、ただわれわれはまっすぐにどうもいけないと思うことをしないだけだ。野菜も又犠牲《ぎせい》を払《はら》うというがそれはわれわれはよく知っている。だから物を浪費《ろうひ》しないことは大切なことなのだ。但し穀作や何かならばそんなにひどく虫を殺したりもしないのだ。極端《きょくたん》な例でだけ比較をすればいくらでもこんな変な議論は立つのです。結局我々はどうしても正しいと思うことをするだけなのだ。」

拍手が起りました。その人は壇を下りました。

異教徒席の中から赭《あか》い髪《かみ》を立てた肥《ふと》った丈《たけ》の高い人が東洋風に形容しましたら正に怒髪《どはつ》天を衝《つ》くという風で大股《おおまた》に祭壇に上って行きました。私たちは寛大《かんだい》に拍手しました。

祭司が一人出てその人と並《なら》んで紹介しました。

「このお方は神学博士ヘルシウス・マットン博士でありましてカナダ大学の教授であります。この度《たび》はシカゴ畜産組合の顧問《こもん》として本大祭に御出席を得只今より我々の主張の不備の点を御指摘《ごしてき》下さる次第であります。一寸《ちょっと》紹介申しあげます。」とこう云うのであります。私たちは寛大に拍手しました。

マットン博士はしずかにフラスコから水を呑《の》み肩《かた》をぶるぶるっとゆすり腹を抱《かか》えそれから極《きわ》めて徐《おもむ》ろに述べ始めました。

「ビジテリアン同情派諸君。本日はこの光彩ある大祭に出席の栄を得ましたことは私の真実光栄とする処《ところ》であります。

就《つい》てはこれより約五分間私の奉ずる神学の立場より諸氏の信条を厳正に批判して見たいと思うのであります。然《しか》るに私の奉ずる神学とは然《しか》く狭隘《きょうあい》なるものではない。私の奉ずる神学はただ二言にして尽《つく》す。ただ一なるまことの神はいまし給《たま》う、それから神の摂理《せつり》ははかるべからずと斯《こ》うである。これに賛せざる諸君よ、諸君は尚《なお》かの中世の煩瑣《はんさ》哲学《てつがく》の残骸《ざんがい》を以《もっ》てこの明るく楽しく流動止《や》まざる一千九百二十年代の人心に臨《のぞ》まんとするのであるか。今日宗教の最大要件は簡潔である。吾人《ごじん》の哲学はこの二語を以て既《すで》に千六百万人の世界各地に散在する信徒を得た。否《いな》、凡《およ》そ神を信ずる者にしてこの二語を奉ぜざるものありや、細部の諍論《そうろん》は暫《しば》らく措《お》け、凡そ何人《なんぴと》か神を信ずるものにしてこの二語を否定するものありや。」咆哮《ほうこう》し終ってマットン博士は卓を打ち式場を見廻《みまわ》しました。満場森《しん》として声もなかったのです。博士は続けました。

「讃《たた》うべきかな神よ。神はまことにして変り給わない、神はすべてを創《つく》り給うた。美しき自然よ。風は不断のオルガンを弾じ雲はトマトの如《ごと》く又馬鈴薯《ばれいしょ》の如くである。路《みち》のかたわらなる草花は或《あるい》は赤く或は白い。金剛石《こんごうせき》は硬《かた》く滑石《かっせき》は軟《やわ》らかである。牧場は緑に海は青い。その牧場にはうるわしき牛佇立《ちょりつ》し羊群馳《か》ける。その海には青く装《よそお》える鰯も泳ぎ大《おおい》なる鯨も浮《うか》ぶ。いみじくも造られたる天地よ、自然よ。どうです諸君ご異議がありますか。」

式場はしいんとして返事がありませんでした。博士は実に得意になってかかとで一つのびあがり手で円くぐるっと環《わ》を描《えが》きました。

「その中の出来事はみな神の摂理である。総《すべ》ては総てはみこころである。誠《まこと》に畏《かしこ》き極みである。主の恵み讃うべく主のみこころは測るべからざる哉《かな》。われらこの美しき世界の中にパンを食み《は》羊毛と麻《あさ》と木綿とを着、セルリイと蕪菁《ターニップ》とを食み又豚《ぶた》と鮭《さけ》とをたべる。すべてこれ摂理である。み恵みである。善である。どうです諸君。ご異議がありますか。」

博士は今度は少し心配そうに顔色を悪くしてそっと式場を見まわしました。それから、まるで脱兎《だっと》のような勢で結論にはいりました。

「私はシカゴ畜産組合の顧問でも何でもない。ただ神の正義を伝えんが為に玆《ここ》に来た。

諸君、諸君は神を信ずる。何が故《ゆえ》に神に従わないか。何故に神の恩恵《おんけい》を拒《こば》むのであるか。速《すみやか》にこれを悔悟《かいご》して従順なる神の僕《しもべ》となれ。」

博士は最後に大咆哮を一つやって電光のように自分の席に戻《もど》りそこから横目でじっと式場を見まわしました。拍手が起りましたが同時に大笑いも起りました。というのは私たちは式場の神聖を乱すまいと思ってできるだけこらえていたのでしたがあんまり博士の議論が面白いのでしまいにはとうとうこらえ切れなくなったのでした。一番前列に居た小さな信者が立ちあがって祭司次長に何か云《い》いました。次長は大きくうなずきました。

その人はこの村の小学校の先生なようでした。落ちついて祭壇《さいだん》に立ってそれから叮《てい》寧《ねい》にさっきのマットン博士に会釈《えしゃく》しました。博士はたしかに青くなってぶるぶる顫《ふる》えていました。その信者は次に式場全体に挨拶《あいさつ》しました。拍手《はくしゅ》は強く起りました。その人は少しニュウファウンドランドのなまりを入れて演説をはじめました。

「異教論難に対し私はプログラムに許されてある通り宗教演説を以て答えようと思うのであります。

ヘルシウス・マットン博士の御所説は実に三段論法の典型であります。まず博士の神学を挙げて二度これを満場に承認せしめこれを以て大前提とし次にビジテリアンがこれに背《そむ》くことを述べて小前提とし最後にビジテリアンが故に神に背《そむ》くことを断定し菜食なる小善の故に神に背くの大罪を犯《おか》すことを暗示致《いた》されました。実に簡潔明瞭《めいりょう》なる所論であります。

然《しか》るにこの典型的論理に私が多少疑問あることは最《もっとも》遺憾《いかん》に存ずる次第であります。

第一に博士の一九二〇年代に適するようにクリスト教旧神学中より抽出《ひきだ》されました簡潔の神学はただこの語《ことば》だけで見ますればこれいかにも適当であります。今日此処《ここ》に集まりました人人はあながちクリスト教徒ばかりではありません、されどいずれの宗教に於《おい》てもこれを云わんと欲《ほっ》するものであります。但《ただ》しこれ敢《あえ》て博士の神学でもありません。これ最普通《ふつう》のことであります。

第二にその神学の解釈に至《いた》っては私の最疑義を有する所であります。殊《こと》にも摂理の解釈に至っては到底《とうてい》博士は信者とは云われませぬ。摂理なる観念は敢てキリスト教に限らずこれ一般宗教通有のものでありますがその解釈を誤ること我が神学博士のごときもの孰《いず》れの宗教に於ても又実に多々あるのであります。今一度博士の所説を繰《く》り返すならば私は筆記して置きましたが、読んで見ます、その中の出来事はみな神の摂理である。総《すべ》ては総てはみこころである。誠に畏《かしこ》き極《きわ》みである。主の恵み讃うべく主のみこころは測るべからざる哉《かな》、すべてこれ摂理である。み恵みである。善である。と斯《こ》うです。これを更《さら》に約言するときは斯うなります。現象は総て神の摂理中なるが故に善なりと、まあよろしいようでありますが又ごくあぶないのであります。ここの善というのは神より見たる善であります。絶対善であります。それをもし私たちから見た善と解釈するとき始めて先刻のマットン博士の所説を生じます。現象はみな善である、私が牛を食う、摂理で善である、私が怒《おこ》ってマットン博士をなぐる、摂理で善である、なぜならこれは現象で摂理の中のでき事で神のみ旨《むね》は測るべからざる哉と、斯うなる、私が諸君にピストルを向けて諸君の帰国の旅費をみんな巻きあげる、大へんよろしい、私が誰《たれ》かにおどされて旅費を巻きあげ損《そこ》ねそうになる、一発やる、その人が死ぬ、摂理で善である。もっと面白いのはここにビジテリアンという一類が動物をたべないと云っている。神の摂理である善である然るに何故にマットン博士は東洋流に形容するならば怒髪天を衝《つ》いてこれを駁撃《ばくげき》するか。ここに至って畢竟《ひっきょう》マットン博士の所説は自家撞着《じかどうちゃく》に終るものなることを示す。この結論は実にいい語《ことば》であります。これ然しながら不肖《ふしょう》私の語ではない、実にシカゴ畜産組合の肉食宣伝のパンフレット中に今朝拝見したものである。終に臨んで勇敢《ゆうかん》なるマットン博士に深甚《しんじん》なる敬意を寄せます。」

拍手は天幕《テント》をひるがえしそうでありました。

「大分露骨《ろこつ》ですね、あんまり教育家らしくもないビジテリアンですね。」と陳さんが大笑いをしながら申しました。

ところがその拍手のまだ鳴りやまないうちにもう異教徒席の中から瘠《や》せぎすの神経質らしい人が祭壇にかけ上りました。その人は手をぶるぶる顫わせ眼もひきつっているように見えました。それでもコップの水を呑《の》んで少し落ち着いたらしく一足進んで演説をはじめました。

「マットン博士の神学はクリスト教神学である。且《か》つその摂理の解釈に於て少しく遺憾の点のあったことは全く前論士の如くである。然しながら玆《ここ》に集られたビジテリアン諸氏中約一割の仏教徒のあることを私は知っている。私も又実は仏教徒である。クリスト教国に生れて仏教を信ずる所以《ゆえん》はどうしても仏教が深遠だからである。自分は阿弥陀仏《あみだぶつ》の化身親鸞僧正《けしんしんらんそうじょう》によって啓示《けいじ》されたる本願寺派の信徒である。則《すなわ》ち私は一仏教徒として我が同朋《どうぼう》たるビジテリアンの仏教徒諸氏に一語を寄せたい。この世界は苦である、この世界に行わるるものにして一として苦ならざるものない、ここはこれみな矛盾《むじゅん》である。みな罪悪である。吾等《われら》の心象中微塵《みじん》ばかりも善の痕跡《こんせき》を発見することができない。この世界に行わるる吾等の善なるものは畢竟《ひっきょう》根のない木である。吾等の感ずる正義なるものは結局自分に気持がいいというだけの事である。これは斯《こ》うでなければいけないとかこれは斯うなればよろしいとかみんなそんなものは何にもならない。動物がかあいそうだから喰べないなんということは吾等には云えたことではない。実にそれどころではないのである。ただ遥《はる》かにかの西方の覚者救済者阿弥陀仏に帰してこの矛盾の世界を離《はな》るべきである。それ然る後に於て菜食主義もよろしいのである。この事柄《ことがら》は敢て議論ではない、吾等の大教師にして仏の化身たる親鸞僧正がまのあたり肉食を行い爾来《じらい》わが本願寺は代々これを行っている。日本信者の形容を以《もっ》てすれば一つの壺《つぼ》の水を他の一つの壺に移すが如くに肉食を継承《けいしょう》しているのである。次にまた仏教の創設者釈迦牟尼《しゃかむに》を見よ。釈迦は出離《しゅつり》の道を求めんが為《ため》に檀特山《だんどくせん》と名《なづ》くる林中に於て六年精進《しょうじん》苦行した。一日米の実一粒亜麻の実一粒《つぶ》を食したのである。されども遂《つい》にその苦行の無益を悟《さと》り山を下りて川に身を洗い村女の捧《ささ》げたるクリームをとりて食し遂に法悦《エクスタシー》を得たのである。今日《こんにち》牛乳や鶏卵《けいらん》チーズバターをさえとらざるビジテリアンがある。これらは若《も》し仏教徒ならば論を俟《ま》たず、仏教徒ならざるも又大《おおい》に参考に資すべきである。更に釈迦は集り来《きた》れる多数の信者に対して決して肉食を禁じなかった。五種浄肉《じょうにく》となづけてあまり残忍なる行為《こうい》によらずして得たる動物の肉はこれを食することを許したのである。今日のビジテリアンは実に印度《インド》の古《いにしえ》の聖者たちよりも食物のある点に就《つい》て厳格である。されどこれ畢竟不具である畸形《きけい》である、食物のみ厳格なるも釈迦の制定したる他の律法に一も従っていない。特にビジテリアン諸氏よくこれを銘記《めいき》せよ。釈迦はその晩年、その思想いよいよ円熟するに従て全く菜食主義者ではなかったようである。釈迦は最後に鍛工《たんこう》チェンダというものの捧げたる食物を受けた。その食物は豚肉を主としている、釈迦はこの豚肉の為に予《あらかじ》め害したる胃腸を全く救うべからざるものにしたらしい。その為にとうとう八十一歳にしてクシナガラという処に寂滅《じゃくめつ》したのである。仏教徒諸君、釈迦を見ならえ、釈迦の行為《こうい》を模範《もはん》とせよ。釈迦の相似形となれ、釈迦の諸徳をみなその二万分一、五万分一、或《あるい》は二十万分一の縮尺《スケール》に於てこれを習修せよ。然る後に菜食主義もよろしかろう。諸君の如《ごと》き畸形《きけい》の信者は恐らく地下の釈迦も迷惑《めいわく》であろう。」

拍手はテントもひるがえるばかりでした。

私はこの時あんまりひどい今の語《ことば》に頭がフラッとしました。そしてまるでよろよろ出て行きました。

何を云うんだったと思ったときはもう演壇に立ってみんなを見下していました。

陳氏が一番向うでしきりに拍手していました。みんなはまるで野原の花のように見えたのです。私は云いました。

「前論士は仏教徒として菜食主義を否定し肉食論を唱えたのでありますが遺憾《いかん》乍《なが》ら私

は又敬虔《またけいけん》なる釈尊の弟子《でし》として前論士の所説の誤謬《ごびゅう》を指摘せざるを得ないのであります。先《ま》ず予め茲《ここ》で述べなければならないことは前論士は要するに仏教特に腐敗《ふはい》せる日本教権に対して一種骨董《こっとう》的好奇心を有するだけで決して仏弟子でもなく仏教徒でもないということであります。これその演説中数多如来正徧知《あまたにょらいしょうへんち》に対してあるべからざる言辞を弄《ろう》したるによって明らかである。特にその最後の言を見よ、地下の釈迦も定めし迷惑であろうと、これ何たる言であるか、何人《なんぴと》か如来を信ずるものにしてこれを地下にありというものありや、我等は決して斯《かく》の如《ごと》き仏弟子の外皮を被《かぶ》り貢高邪曲《こうじゃきょく》の内心を有する悪魔《あくま》の使徒を許すことはできないのである。見よ、彼は自らの芥子《けし》の種子ほどの智識を以《もっ》てかの無上士を測ろうとする、その論を更に今私は繰り返すだも恥《は》ずる処であるが実証の為にこれを指摘《してき》するならば彼は斯う云っている。クリスト教国に生れて仏教を信ずる所以《ゆえん》はどうしても仏教が深遠だからであると。クリスト教信者諸氏、処を換《か》えて次の如き命題を諸氏は許容するか、仏教国に生れてクリスト教を信ずる所以はどうしてもクリスト教が深遠だからであると。諸君はその軽薄《けいはく》に不快を禁じ得ないだろう。私から云うならば前論士の如きにいずれの教理が深遠なるや見当も何もつくものではないのである。次に前論士は吾等《われら》の世界に於ける善について述べられた。この世界に行わるる吾等の善なるものは畢竟《ひっきょう》根のない木であると、これは恐《おそ》らくは如来のみ力を受けずして善はあることないという意味であろう私もそう信ずる。その次にこれは斯うなればよろしいとかこれはこうでなければいけないとかそんなものは何にもならない、とこれも私は如来のみ旨によらずして我等のみの計らいにてはそうであると思う。前論士も又その意味で云われたようである。但しただ速《すみや》かにかの西方の覚者に帰せよと、これは仏教の中に於て色々諍論《そうろん》のある処である。今はこれを避ける。ただ我等仏教徒はまず釈尊の所説の記録仏経に従うということだけを覚悟《かくご》しよう。仏経に従うならば五種浄肉は修業未熟のものにのみ許されたこと楞迦経《りょうがきょう》に明かである。これとても最後涅槃経《ねはんぎょう》中には今より以後汝等《なんじら》仏弟子の肉を食うことを許されずとされている。その五種浄肉とても前論士の云われた如き余り残忍なる行為《こうい》によらずしてというごとき簡単なるものではない。仏教中の様々の食制に関する考《かんがえ》は他に誰《たれ》か述べられる予定があったようであるから茲《ここ》にはこれを略する。但し最後に前論士は釈尊の終りに受けられた供養《くよう》が豚肉であるという、何という間違《まちが》いであるか豚肉ではない蕈《きのこ》の一種である。サンスクリットの両音相類似する所から軽率《けいそつ》にもあのような誤りを見たのである。茲に於《お》てか私は前論士の結論を以て前論士に酬《こた》える。仏教徒諸君、釈迦を見ならえ、釈迦の相似形となれ、釈迦の諸徳をみなその二万分一、五万分一、或《あるい》は二十万分一の縮尺《スケール》に於てこれを習修せよ。ああこの語気の軽薄《けいはく》なることよ。私はこれを自ら言いて更《さら》にそを口にした事を恥《は》じる。

私は次に宗教の精神より肉食しないことの当然を論じようと思う。キリスト教の精神は一言にして云わば神の愛であろう。神天地をつくり給《たも》うたとのつくるというような語《ことば》は要するにわれわれに対する一つの譬喩《ひゆ》である、表現である。マットン博士のように誤った摂理論《せつり》を出さなくてもよろしい。畢竟は愛である。あらゆる生物に対する愛である。どうしてそれを殺して食べることが当然のことであろう。

仏教の精神によるならば慈悲《じひ》である、如来の慈悲である完全なる智慧《ちえ》を具《そな》えたる愛である、仏教の出発点は一切《いっさい》の生物がこのように苦しくこのようにかなしい我等とこれら一切の生物と諸共《もろとも》にこの苦の状態を離れたいと斯《こ》う云うのである。その生物とは何であるか、そのことあまりに深刻にして諸氏の胸を傷つけるであろうがこれ真理であるから避け得ない、率直《そっちょく》に述べようと思う。総《すべ》ての生物はみな無量の劫《カルパ》の昔から流転《てん》に流転を重ねて来た。流転の階段は大きく分けて九つある。われらはまのあたりその二つを見る。一つのたましいはある時は人を感ずる。ある時は畜生《ちくしょう》、則《すなわ》ち我等が呼ぶ所の動物中に生れる。ある時は天上にも生れる。その間にはいろいろの他のたましいと近づいたり離れたりする。則ち友人や恋人《こいびと》や兄弟や親子やである。それらが互《たがい》にはなれ又生を隔《へだ》ててはもうお互に見知らない。無限の間には無限の組合せが可能である。だから我々のまわりの生物はみな永い間の親子兄弟である。異教の諸氏はこの考をあまり真剣で恐ろしいと思うだろう。恐ろしいまでこの世界は真剣な世界なのだ。私はこれだけを述べようと思ったのである。」

私は会釈《えしゃく》して壇《だん》を下り拍手《はくしゅ》もかなり起りました。異教徒席の神学博士たちももうこれ以上論じたいような景色も見えませんでした。けれども異教徒席の中にだってみんな神学博士ばかりではありませんでした。丁度ヘッケルのような風をした眉間《みけん》に大きな傷あとのある人が俄《にわ》かに椅子《いす》を立ちました。私は今朝のパンフレットから考えてきっとあれは動物学者だろうと考えたのです。

その人はまるで顔をまっ赤にしてせかせかと祭壇にのぼりました。我々は寛大《かんだい》に拍手しました。その人はぶるぶるふるえる手でコップに水をついでのみました。コップの外へも水がすこしこぼれました。そのふるえようがあんまりひどいので私は少し神経病の疑《うたがい》さえもちました。ところが水をのむとその人は俄かにピタッと落ち着きました。それからごくしずかに何か云いそうに口をしましたがその語《ことば》はなかなか出て来ませんでした。みんなはしんとなりました。その人は突然爆発《とつぜんばくはつ》するように叫《さけ》びました。

「な、な何が故《ゆえ》に、何が故に、君たちはど、ど、動物を食わないと云いながら、二三度どもりました。

ひ、ひ、ひ、羊、羊の毛のシャッポをかぶるか。」その人は興奮の為にガタガタふるえてそれからやけに水をのみました。さあ大へんです。テントの中は割《さ》けるばかりの笑い声です。

陳氏ももう手を叩《たた》いてころげまわってから云いました。

「まるでジョン・ヒルガードそっくりだ。」

「ジョン・ヒルガードって何です。」私は訊《たず》ねました。

「喜劇役者ですよ。ニュウヨーク座の。＊けれどもヒルガードには眉間にあんな傷痕《きずあと》がありません。」

「なるほど。」

そのあとはもう異教徒席も異派席もしいんとしてしまって誰《たれ》も演壇に立つものがありませんでした。祭司次長がしばらく式場を見まわして今のざわめきが静まってから落ちついて異教徒席へ行きました。ほかにお立ちの方はありませんかとでも云ったようでしたが誰もしんとして答えるものがありませんでしたので次長は一寸《ちょっと》礼をして引き下がりました。

「すっかり参ったようですね。」陳氏が私に云いました。私も実際嬉《うれ》しかったのです。あんなに頑強《がんきょう》に見えたシカゴ軍があんまりもろく粉砕《ふんさい》されたからです。斯《こ》う云ってはなんだか野球のようですが全くそうでした。そこで電鈴《でんれい》がずいぶん永く鳴りました。そのすきとおった音に私の興奮した心はもう一ぺん透明《とうめい》なニュウファウンドランドの九月というような気分に戻《もど》りました。みんなもそうらしかったのです。陳氏は「私はもう一発やって来ますから。」と云いながら立ちあがって出て行きました。

その時です。神学博士がまたしおしおと壇に立ちました。そしてしょんぼりと礼をして云ったのです。

「諸君、今日私は神の思召《おぼしめし》のいよいよ大きく深いことを知りました。はじめ私は混食のキリスト信者としてこの式場に臨《のぞ》んだのでありましたが今や神は私に敬虔《けいけん》なるビジテリアンの信者たることを命じたまいました。ねがわくは先輩諸氏愚昧《ぐまい》小生の如《ごと》きをも清き諸氏の集会の中に諸氏の同朋《どうぼう》として許したまえ。」

そして壇を下って頭を垂れて立ちました。

祭司次長がすぐ進んで握手《あくしゅ》しました。みんなは歓呼の声をあげ熱心に拍手してこの新らしい信者を迎《むか》えたのです。

すると異教席はもうめちゃめちゃでした。まっ黒になって一ぺんに立ちあがり一ぺんに壇にのぼって

「悔《く》い改めます。許して下さい。私どももみんなビジテリアンになります。」と声を

そろえて云ったのです。

祭司次長がすぐ進んで一人ずつ握手《あくしゅ》しました。そして一人ずつ壇を下ってこっちの椅子に座《すわ》りました。歓呼と拍手とで一杯《いっぱい》でした。椅子が丁度うまい工合《ぐあい》にあったのです。何だかあんまりみんなうまい工合でした。そのとき外ではどうんと又一発陳氏ののろしがあがりました。その陳氏がもう入って来て私に軽く会釈してまだ立ちながら向うを見て云いました。

「おやおやみんな改宗しましたね、あんまりあっけない、おや椅子も丁度いい、はてな一つあいてる、そうだ、さっきのヒルガードに似た人だけまだ頑張《がんば》ってる。」

なるほどさっきのおしまいの喜劇役者に肖《に》た人はたった一人異教徒席に座って腕《うで》を組んだり髪《かみ》を掻《か》きむしったりいかにも仰山《ぎょうさん》なのでみんなはとうとうひどく笑いました。

「あの男の煩悶《はんもん》なら一体何だかわからないですな。」陳氏が云いました。

ところがとうとうその人は立ちあがりました。そして壇にのぼりました。

「諸君、私は誤っていた。私は迷っていたのです。私は今日からビジテリアンになります。いや私は前からビジテリアンだったような気がします。どうもさっきまちがえて異教徒席に座りそのためにあんな反対演説をしたらしいのです。諸君許したまえ。且《か》つ私考えるに本日異教徒席に座った方はみんな私のように席をちがえたのだろうと思う。どうもそうらしい。その証拠《しょうこ》には今はみんな信者席に座っている。どうです、前異教徒諸氏そうでしょう。」

私の愕《おどろ》いたことは神学博士をはじめみんな一ぺんに立ちあがって「そうです。」と答えたことです。

「そうでしょう。して見ると私はいよいよ本心に立ち帰らなければならない。私は或《あるい》はご承知でしょう、ニュウヨウク座のヒルガードです。今日は私はこのお祭を賑《にぎ》やかにする為《ため》に祭司次長から頼《たの》まれて一つしばいをやったのです。このわれわれのやった大しばいについて不愉快《ふゆかい》なお方はどうか祭司次長にその攻撃《こうげき》の矢を向けて下さい。私はごく気の弱い一信者ですから。」

ヒルガードは一礼して脱兎《だっと》のように壇を下りただ一つあいた席にぴたっと座ってしまいました。

「やられたな、すっかりやられた。」陳氏は笑いころげ哄笑《こうしょう》歓呼拍手は祭場も破れるばかりでした。けれども私はあんまりこのあっけなさにぼんやりしてしまいました。あんまりぼんやりしましたので愉快なビジテリアン大祭の幻想《げんそう》はもうこわれました。どうかあとの所はみなさんで活動写真のおしまいのありふれた舞踏《ぶとう》か何かを使ってご勝手にご完成をねがうしだいであります。

注解

双子《ふたご》の星

ページ

七　*チュンセ童子とポウセ童子　賢治が大正十二年九月頃《ごろ》無署名で配布した「手紙四」では、「チュンセ」と「ポーセ」は幼い兄妹《きょうだい》で、明らかに賢治と亡妹トシの転位となっている。

*双子のお星さま　さそり座のちょうど毒針の位置にあるλ《ラムダ》星とυ《ユープシロン》星と考えるのが有力。いずれにしろ双子座のカストルとポルックスではないとされている。

*星めぐりの歌　賢治自身が作詞作曲した最も有名な歌曲（三八六頁参照）。ただし歌曲では、この第二連をまん中で切って前半を第一連末尾、後半を第三連冒頭《ぼうとう》に接続させ、六行ずつ二連の歌にしている。

九　*大烏《おおがらす》の星　からす座。他の「蠍《さそり》の星」「兎《うさぎ》の星」「鷲《わし》の星」「琴弾きの星」等も、いずれも実在の星座からモチーフを得たもの。

一六　*十町　一町は約一〇九・〇九m。つまり十町は約一〇九一m。

よだかの星

三五　＊よだか「ヨタカ *Caprimulgus indicus jotaka*」。体長20～30㎝。薄暮《はくぼ》や夜に活動。多く単独で生活し、昆虫類《こんちゅう》を食べる。

三六　＊美しいかわせみや、鳥の中の宝石のような蜂《はち》すずめの兄さん　詩篇《しへん》「花鳥図譜・七月」に、「あたいの兄貴はやくざもの、と／あしが弱くてあるきもできず、と／口をひらいて飛ぶのが手柄《てがら》／名前を夜鷹と申しますといふんだ」「それにおととも卑怯《ひきょう》もの／花をまはってみいみい鳴いて／蜜《みつ》を吸ふが…ええと…蜜を吸ふのが…（中略）蜜を吸ふのが日永の仕事／蜂の雀《すずめ》と申します」といった詩句があるので、ぜひお読みいただきたい。蜂すずめについては「黄いろのトマト」を参照。

四〇　＊僕は遠くの遠くの空の向うに行ってしまおう　「銀河鉄道の夜」の初期形（第三次稿）に、ジョバンニが「ぼくはもう、空の遠くの遠くの方へ、たった一人で飛んで行ってしまいたい」と心の中で呟《つぶや》くところ（夢《ゆめ》の銀河鉄道に乗る直前）がある。

四五　＊カシオピア座　Cassiopeia. 北空によく目立つW型の線図をもつ星座。童話「水仙月《すいせんづき》の四日」の中でも、「カシオピイア、／もう水仙が咲《さ》き出すぞ、／おまえのガラスの水車／きっきとまわせ。」と歌われている。

カイロ団長

四七　＊あまがえる　「アマガエル *Hyla arborea*」。体の色を変える能力が著《いちじる》しいという特徴《とくちょう》が、この作品でもよく生かされている。

四八　＊二千六百寸　一寸は約三・〇三㎝だから、二千六百寸は約七八・七八ｍ。しかしここは「二千六百」という数字が、蛙《かえる》の目から見ていかにも長大に実感される。

＊二厘半　「厘」は近代日本の最小貨幣単位。一八七一（明治四）年に制定された新貨条例による。十厘が一銭、百銭が一円。

＊とのさまがえる　「トノサマガエル *Rana nigromaculata*」は日本各地にいるが、「関東地方から仙台平野にかけての一帯と越後《えちご》平野にはいない。従ってこれまで関東地方などでトノサマガエルと呼ばれていた蛙はダルマガエルの東日本型である」（『原色日本両生爬虫類図《はちゅうるいず》鑑《かん》』）。

六〇　＊九百貫　一貫は約三・七五キログラム。つまり九百貫は約三三七五キログラム。

六六　＊すずめのかたびら　「スズメノカタビラ *Poa annua*」はイネ科イチゴツナギ属、各地に自生する一年または越年草《えつねんそう》で、茎《くき》の高さは10〜25㎝。花《か》穂《すい》の形からこの名がついた。

＊すずめのてっぽう　「スズメノテッポウ *Alopecucurus aequalis*」はイネ科スズメノテッポウ属。田圃《たんぼ》や湿《しめ》った畑地に群生する二年草。この名も花穂の形に由来《ゆらい》している。

黄いろのトマト

六七　＊博物局十六等官　賢治の創作した官職名。「ポラーノの広場」には「十八等官でしたから役所のなかでもずうっと下の方でしたし、俸給《ほうきゅう》もほんのわずかでした」とある。
＊キュステ　童話「ポラーノの広場」の語り手は「前十七等官　レオーノキュースト」となっている。
＊蜂雀　「よだかの星」にも出てきたこの鳥はおそらく蜂鳥《ハミングバード》のことであろう。ハチドリ科（*Trochilidae*）は世界で三一九～三三〇種が知られるが、いずれも体長六・五～二一・五㎝で、鳥の中でも最小型。翼《つばさ》を高速度で動かす。花蜜の他《ほか》にも昆虫、クモ類などを捕食する。中南米、北米の一部に分布。

六八　＊ネリ　「グスコーブドリの伝記」に出てくるブドリの妹の名も「ネリ」であった。賢治における妹的なるものを象徴する名前。

六九　＊浅黄　文字通りならうすい黄色。しかし「浅葱《あさぎ》」を「浅黄」と書くこともあり、「浅葱」ならかすかに緑色をおびたうすい青をいう。ここでは後者か。（「ひのきとひなげし」の場合も同じ。九一頁一五行）
＊グレン　grain. 重さの単位。一グレンは〇・〇六四八グラムだから、四百グレンは約二六グラム。

七〇　＊おとなはすこしもそこらあたりに居なかった　これは六八頁の「ペムペルとネリは毎日お父さんやお母さんたちの働くそばで遊んでいたよ」と矛盾《むじゅん》する。原稿が自筆稿と筆写稿のいりまじった未整理稿のため。

七四　＊ポンデローザ　Ponderosa. トマトのアメリカ系品種の一つ（一八九一年に最初に育成された）。日本では明治末期から大正時代にかけて流行の品種となり、各地で栽培《さいばい》された。実が大きくて肉質がよく、桃色《ももいろ》であることも人々の嗜好《しこう》に合ったため。

＊レッドチェリイ　Red Cherry. トマトの小果種の代表品種。

八〇　＊オート　oat. 燕麦《エンバク》。イネ科カラスムギ属。はじめはムギ畑の雑草だったのが、作物として独立した。古くは主食または救荒食糧《きゅうこうしょくりょう》。飼料《しりょう》用としてはとくに軍馬や競走馬用に重要。普通種 *Avena sativa* の他に、アカエンバク *Avena byzantina* などがある。

ひのきとひなげし

八五　＊ひなげし　「ヒナゲシ *Papaver rhoeas*」はケシ科ケシ属。虞美人草《ぐびじんそう》ともいう。江戸時代に日本に渡来し、観賞用として栽培されている越年草。高さは50㎝位で、花は初夏。

＊ひのき　少年時代から賢治はこの樹《き》に特別の牽引を感じていて、多くの短歌に詠《よ》みこんでいる。〔ひのきの歌〕の連作（大正六年一月）は特に重要（「雪降れば／今さはみだれしくろひのき／菩薩《ぼさつ》のさまに枝垂《しだ》れて立つ」など）であるが、その中に「ひのき、ひの

き、まことになれはいきものか　われとはふかきえにしあるらし…以下略…」という独白が挿入《そうにゅう》されている。

九〇　＊あたしの頭に亜片《あへん》ができる　実から阿片《あへん》がとれるのは「ケシ *Papaver somniferum*」であって、ヒナゲシではない。ここは童話的虚構《きょこう》とみるべき。

九二　＊セントジョバンニ様　「銀河鉄道の夜」のジョバンニの項を参照。

＊こうらにせ医者。まてっ。　初期形ではここでひのきの叫《さけ》ぶ言葉は「はらぎゃあてい」となっていた（「波羅羯諦《はらぎゃてい》」は『般若心経《はんにゃしんぎょう》』の一節）。

九三　＊レオーノ様　Leone は、エスペラント語で獅子《しし》座のこと。

＊あめなる花をほしと云い　土井晩翠《どいばんすい》の詩「星と花」（明治三十二年刊の詩集『天地有情《うじょう》』所収）第一連からのやや不正確な引用。正しくは「み空の花を星といひ／わが世の星を花といふ。」

九四　＊銀いろの一つ星　不詳。「烏の北斗七星」に「マシリイと呼ぶ銀の一つ星」とあり、「マシリイ」は水星（マーキュリー）のこととみられている。しかし水星が暮れ方には西の空に現われるのに対して、ここ（「ひのきとひなげし」）では「東の雲の峯はだんだん崩れて、そこから」出るとあるから、水星ではない。「またたき」とあるのは、水星のような惑星ではなく、むしろ恒星であることを示すように思われる。

シグナルとシグナレス

九五　＊さそりの赤眼　さそり座のα《アルファ》星アンタレス（赤色巨星、一等星）。星座上ではさそりの心臓の位置。吉田源治郎『肉眼に見える星の研究』に「眼玉として赤爛々たるアンタレス」とあるのが出所かとみられている（草下英明氏）。この星が夜明け前にこのように見えるのは、季節（冬、一月頃）の指標の一つである（斎藤文一氏による）。

九六　＊軽便鉄道　歌の中に「遠野の盆地」とあることから、岩手軽便鉄道（現在の釜石線《かまいしせん》）であることは明らか。

九七　＊シグナレス　「シグナル signal」に女性形接尾辞《せつびじ》「-ess」を付けた造語。

一〇六　＊環状星雲《フィッシュマウスネビュラ》　こと座のβ《ベータ》とγ《ガンマ》二星の中間にあるリング状の星雲M57。いわゆる惑星《わくせい》状《じょう》星雲として最も有名なもの。（英語でFish's mouthというのは、みなみのうお座のα星でここは無関係）

一一五　＊ジョウジスチブンソンさま　蒸気機関車の発明者George Stephenson（1781-1848）を、前出の「メリケン国のエジソンさま」（一一三頁）と並んで鉄道関係の神様とする諧謔《かいぎゃく》的《てき》設定。なお賢治が習った盛岡中学校国語教科書目次一覧（『校本宮澤賢治全集』第十四巻）によると、中等国語読本巻一目次に「二〇、トマス、エヂソン」、中等国語読本巻三目次に「五、ジォルジ、スチブンソン」の題が見出《みいだ》される。

一二〇　*十三連なる青い星　おうし座のプレアデス星団（和名「スバル」）をさすか。詩篇「そのとき嫁《とつ》いだ妹に云ふ」に、「十三もある昴《すばる》の星を／汗に眼を蝕まれ／あるひは五つや七つと数え／或いは一つの雲と見る（…）」とある。スバルは地上からは肉眼ではふつう六つ星にしか見えず、「六連星《むつらぼし》」とも呼ばれる。

マリヴロンと少女

一二五　*めくらぶどう　のぶどうの方言名（釜石では「メクラブド」、盛岡市では「メグラブド」、紫波郡《しわぐん》や秋田では「メクラブンド」などとも）。「ノブドウ *Ampelopsis brevipedunculata*」（ブドウ科ノブドウ属）は東アジア各地の山野に生える落葉・つる性の多年草。果実は小さな球形だが、たいていは昆虫が入って虫えいとなり、不規則にゆがんだ球形（色は白、紫、青）で、食べられない。

一二六　*マリヴロン女史　自筆原稿では「マリブロン」という表記も混用されている。Maria Felicità Malibran（1808-1836）はスペインのメゾ・ソプラノ歌手。有名なテノール歌手マヌエル・ガルシアの娘。一八二五年ロンドンでデビュー、プリマドンナとして人気を集めた。二六年にフランスの銀行家マリブランと結婚するがまもなく離婚。一八三六年に名バイオリニスト・作曲家のベリオと再婚したが、数ケ月後に急死した。賢治が中学時代に読んだと思われる英語読本、ニューナショナルリーダー第五巻第四課に「マリブランと若い音楽家」というテクストが入っている。ヨーロッパ最高の歌手マリブラン女史が貧しい少年の作った歌を演奏会で歌った次第《しだい》を語る美談。

オツベルと象

一三一　＊オツベル　自筆原稿は存在せず、初出誌は拗促音《ようそくおん》に半字を使用していないので、読みが「オツベル」か「オッベル」か決定し難い。谷川雁氏はドイツ語「ober」他に比較して「オッベル」説。G・メランベルジェ氏の仏訳は「Aubert」（オベール）、シャスティーン・ヴィデウス女史のスウェーデン語訳では「Otsuber」。自筆の自作題名列挙メモ二種にこの作品が挙がっているが、そこでも「ッ」はこころもち小さいように見えなくもないが、はっきり小字とは断定できない。今回はむしろはっきり小字にはしていないことを根拠《こんきょ》に「オツベル」とした。私の考えではこの「ツ」は明瞭《めいりょう》な tsu ではなくて、ロシヤ語の「ウオツカ」「カムチャツカ」の如《ごと》き子音のみの t、すなわち [otbɛr] あるいは [otbɛl] なのではあるまいか。

一三二　＊白象　ジャータカでは仏陀あるいは菩薩の前身または化身《けしん》。詩篇「北いっぱいの星ぞらに」の下書稿㈥裏面に「普賢菩薩――白象、」という書込みもある。

一四〇　＊沙羅樹　「サラノキ *Shorea robusta*」。インド原産、乾期に落葉する高木。釈迦が布教したヒマラヤ山麓《さんろく》から中部インドに広く分布している。

一四三　*〔一字不明〕　初出誌では一字分の黒四角■のまま（本によっては〓印）になっている。旧全集などでは推定して「君」という字を当てていたが、この推定に特に根拠はない。

猫《ねこ》の事務所

一四七　*ベーリング地方　実在の地名はベーリング海峡《かいきょう》（アラスカとシベリアの間の水深わずか50mの海峡）、ベーリング海など。詩篇「一本木野」に「電信ばしらはやさしく白い碍子をつらね／ベーリング市までつづくとおもはれる」、童話集『注文の多い料理店』の自筆広告文に「ベーリング市迄続々《ママ》電柱の列、それはまことにあやしくも楽しい国土」とあり、童話「氷河鼠《ひょうがねずみ》の毛皮」は「十二月の二十六日の夜八時ベーリング行の列車に乗ってイーハトヴを発《た》った人たち」の物語。すなわち「ベーリング」とは賢治の北方志向の一極点を表わす特権的・象徴的な地名である。

一四八　*トバスキー、ゲンゾスキー　「鳥羽源蔵」（当時岩手師《し》範教諭《はんきょうゆ》心得）の姓名を二分したもの。賢治のユーモラスな発想法の一例。

北守《ほくしゅ》将軍と三人兄弟の医者

一五九　*ラユーという首都　創作地名。先駆作品「三人兄弟の医者と北守将軍」では「グレッシャムの町」。

一六〇　＊北守将軍ソンバーユー　創作人名。初期形では「プーランポー」、さらにその前の先駆作品では「プランペラポラン将軍」などとなっていた。

一六四　＊みそかの晩とついたちは……　この軍歌は『唐詩選』巻六の盧綸《ろりん》「和張僕射塞下曲」、

月黒雁飛高　月黒くして雁の飛ぶこと高し
単于遠遁逃　単于《ぜんう》遠く遁逃す
欲将軽騎逐　軽騎を将《い》て逐わんと欲すれば
大雪満弓刀　大雪弓刀に満つ　（岩波文庫「唐詩選」下）

の自由奔放な訳詩というべきもの。

一六五　＊雪の降る日はひるまでも……　これも『唐詩選』巻七、張仲素《ちょうちゅうそ》「塞下曲二」の前半、

朔雪飄飄開雁門　朔雪飄飄として雁門開き
平沙歴乱捲蓬根　平沙歴乱として蓬根捲く　（同右）

を踏まえている。（倉田卓次氏による）

一六九　＊二丈　一〇〇mが三三丈。つまり、二丈はおおよそ六m。

一七二　＊砂鶻　クマタカ。モンゴル、インド、ヒマラヤ、中国南東部、台湾などに分布する「タイワンクマタカ *Spizaëtus nipalensis*」は日本産クマタカ（*Spizaëtus nipalensis orientalis*）より小型。

一七八　＊するとリンプー先生は　ここは初出誌では「するとバーユー将軍は」となっているが、

初期形草稿への最終手入れ（本篇に最も近い）でここが「するとリンポー《ママ》先生は」となっているのを参照して校訂《こうてい》した。

一八二　＊国手　名医のことをいうが、ここでは宮廷の正式の指定医という意味あいをふくむ。

銀河鉄道の夜

一八五　＊カムパネルラ　ユートピア物語『太陽の都 *La Città del Sole*』（一六〇二）で知られるイタリアの哲学者、トマーゾ・カンパネルラ Tommaso Campanella（1568-1639）の名からとったものと想像されている。また、このトマーゾの幼名がジョヴァンニ・ドメニコ Giovanni Domenico であったことも見逃しえない。次項参照。

＊ジョバンニ　Giovanni はイタリアのありふれた洗礼名の一つで、英語の John、フランス語の Jean、スペイン語の Juan などと同じくラテン語の Joannes が変形したもので、聖書の「ヨハネ」を源としている。『キリスト教人名辞典』を繙《ひもと》くと、ジョヴァンニ・カピストラーノ Giovanni Capistrano（1386-1456）をはじめ、この名をもった聖人や宗教芸術家が並んでおり、また「ひのきとひなげし」に「セントジョバンニ様」ともあって、この作品が〝ある聖人（または宗教芸術家）の少年時代の物語〟という隠《かく》れた意味をもつことを暗示するごとくである。また、前項で記したように、トマーゾ・カンパネルラの幼名がジョヴァンニであることをもし賢治が知っていたとすれば、カムパネル

ラ＝ジョバンニのいわば隠れた双子性も注目されよう。事実、草稿を見ると賢治は何度か「カムパネルラ」と「ジョバンニ」を混同ないし混同しかけている。

一八八　*今日の銀河の説　世界の天文学・宇宙論はとりわけ、この物語を賢治が書いていた一九二〇年代から三〇年代にかけて、膨張《ぼうちょう》宇宙の発見（一九二九）など飛躍的な展開をみせつつあった。あくまでこれは「今日の」説であることを強調しているところに、賢治の認識がよく示されている。

一八九　*烏瓜　「カラスウリ *Trichosanthes cucumeroides*」はウリ科、つる性の多年草で、日本各地に生え、晩秋に赤熟する果実が印象的であるが、その大きさ5〜7 cmは「青いあかりをこしらえて川へ流す」には小さすぎる気がする。岩手県二戸《にのへ》郡《ぐん》・紫波郡では「キカラスウリ *Trichosanthes kirilowii*」のことも「からすうり」と称しており、この実（黄熟する）は長さ10 cmになる。

一九一　*ケール　kale. 和名「ハゴロモカンラン（羽衣甘藍）」。キャベツの一種だが結球しない。葉をゆでて食用にするが、大形の葉は観賞用に供される。賢治の花《か》壇《だん》設計メモ（「布製手帳」など）にも kale はしばしば用いられている。

一九四　*ザウエル　ドイツ語 sauer は「酸《す》っぱい」の意。

一九六　*銅の人馬　「人馬」というのはギリシャ・ローマ神話に出てくる半人半馬の怪物的半神すなわちケンタウルスのこと。

一九八　*ケンタウルス　前項の半神。およびこの名のついた星座 Centaurus。さらにこの物語では銀河鉄道沿線の村名にもなっている。また、物語全体が、「ケンタウル祭」という星祭の夜に設定されている。星座ケンタウルス座は南天にあって日本では見られない。ジョバンニたちがこの夜、旅の終りに近づく「南十字」も「石炭袋」もこの星座の懐《ふところ》に抱かれているのである。

*マグネシヤ magnesia は酸化マグネシウム MgO で、耐火煉瓦《たいかれんが》などの材料。しかしここでは、花火や写真撮影《さつえい》用のマグネシウム（閃光《せんこう》を放って燃え酸化マグネシウムとなる）のことであろう。

二〇〇 *天気輪 不詳《ふしょう》。具体的に何をさすかについては、太陽柱説（根本順吉氏）をはじめ諸説があるが、ここに完全には合致しない。文語詩「病技師〔二〕」に「あへぎてくれば丘《おか》のひら、地平をのぞむ天気輪」とあり、この「天気輪」のところは下書稿では「五輪塔」となっているのだが、仏教的な五輪塔のイメージをそのまま物語の舞台である南欧《なんおう》イタリアの丘に立てるわけにもいくまい。要するに作者はこの語を説明抜きで読者の想像に委《ゆだ》ねているという他《ほか》はない。

二〇二 *琴の星 こと座 Lyra（三八七頁参照）の α《アルファ》 星ヴェガは、わし座のアルタイル、はくちょう座のデネブとともにいわゆる夏の大三角を形成して、夏の夜空の天頂近くにひときわ目立つ星である。また、ヴェガは中国では「織女星《しょくじょせい》」とされ、旧暦七月七日に「牽《けん》牛星《ぎゅうせい》」と相接近する、年一度の逢瀬《おうせ》の伝説によって、この星が注目をあつめることは、「ケンタウル祭」が七夕祭をモデルの一つとしているとみられることにつながっている。

二〇二　＊三角標　測量の際に三角点の上に置いて用いる角錐形《かくすいけい》の標識。

二〇三　＊かくして置いた金剛石を……ばら撒いた　これとほぼ同じ表現による比喩《ひゆ》が、詩篇「北いっぱいの星ぞらに」（春と修羅《しゅら》・第二集）の下書稿に用いられている――「四方の天もいちめんの星／東銀河の聯邦《れんぽう》の／ダイヤモンドのトラストが／かくしておいた宝石を／みんないちどに鋼青いろの銀河の水に／ぶちまけたとでもいったふう」。

二〇四　＊白鳥　はくちょう座 Cygnus（三八七頁参照）は天の川に身をひたして泳ぐように横たわっているが、とくに、γ《ガンマ》星を中心にα―β、δ《デルタ》―ε《イプシロン》をむすぶ二本の線が形成する十字形は「南十字」に対する「北十字」として知られる。

二〇七　＊月長石　英名 Moonstone．きらきらした光を放つ氷長石（正長石《オーソクレース》の一種。「楢《なら》ノ木大学士の野宿」参照）。

　　　　＊りんどう「リンドウ *Gentiana scabra*」。紫色の筒形《つつがた》の花を茎の上部に群立させる。山野の乾いたところにはえる多年草。

二〇八　＊北十字「白鳥」の項および別掲図を参照。白鳥座のα星デネブからγ、η《イータ》を経てβ星アルビレオにいたる線と、δ、γ、εを結ぶ線がつくる十字。

　　　　＊プリオシン海岸「プリオシン Pliocene」は、新生代第三紀最新世にあたる鮮新世（約五〇〇〇万年前から二〇〇〇万年前まで）。詩篇「薤露青」に「プリオシンコーストに反射して崩れてくる波は／ときどきかすかな燐光をあげる」という詩句がある。

二一二　＊鋼玉　酸化アルミニウム Al_2O_3 を主成分とする鉱物。このうち青色透明のものがサフアイア、紅色透明のものがルビー。

二一三　＊黒い細長いさきの尖ったくるみ　北上川の小舟渡付近〝イギリス海岸〟（賢治による命名）で賢治が発見したバタグルミの化石は、東北大助教授早川一郎氏の論文により学界に報告された。

二一四　＊ボス「ウシ（牛）」は偶蹄目《ぐうていもく》ウシ科で、学名を *Bos taurus* という。

二二二　＊かわらははこぐさ「カワラハハコ *Anaphalis yedoensis*」。川原の砂地に生える多年草。高さ60㎝くらい。八月から十月にかけてやせた感じの褐色《かっしょく》の茎の先端に乾いた白っぽい黄色の小さな花が群生する。

二二四　＊アルビレオ　Albireo. はくちょう座のβ星。白鳥のくちばしに位置する重星。「オレンジ色の三・二等星と青味がかった色の五・四等星で、全天で最も美しい二重星として著名なもの」（斎藤文一氏の文による）。

二二五　＊かくし　和服の衣嚢《いのう》・洋服のポケットのこと。

二三〇　＊ツインクル、ツインクル、リトル、スター　原曲は童謡ではなく、一七七〇年頃パリで流行したシャンソン「ねえ、ママ、聞いてよ……Ah! Vous dirai-je, Maman」で、モーツァルトによる変奏曲（ピアノ練習用）がよく演奏される。童謡「きらきら星」（Twinkle, Twinkle, little star……）は後に創作された英語歌詞。

二三一　＊氷山にぶっつかって船が沈み　海難史上最も有名なタイタニック号の遭難（一九一二年四月十四日夜十一時四十分頃、北大西洋で氷山に激突沈没《げきとつちんぼつ》）を素材としている。

星めぐりの歌

Allegretto

出典；「校本宮澤賢治全集」第六巻（筑摩書房）

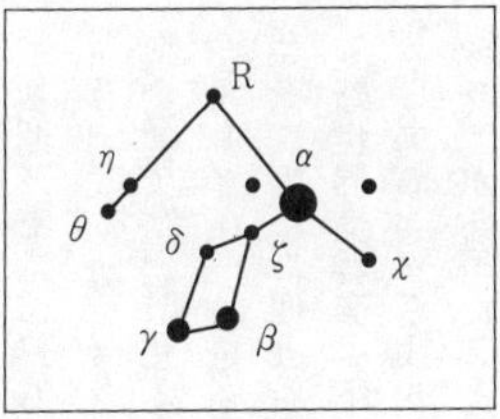

こと座

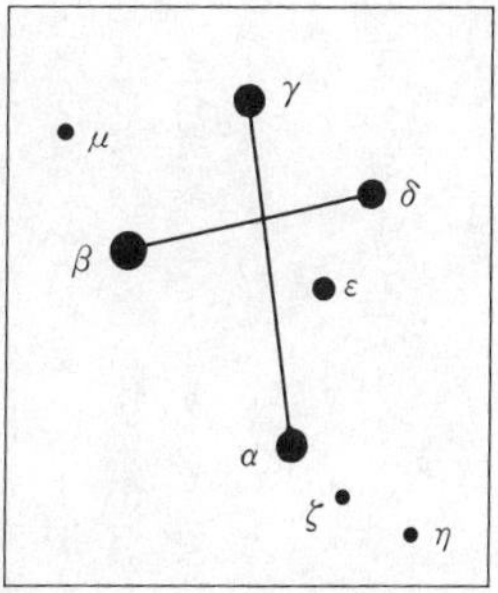

みなみじゅうじ座

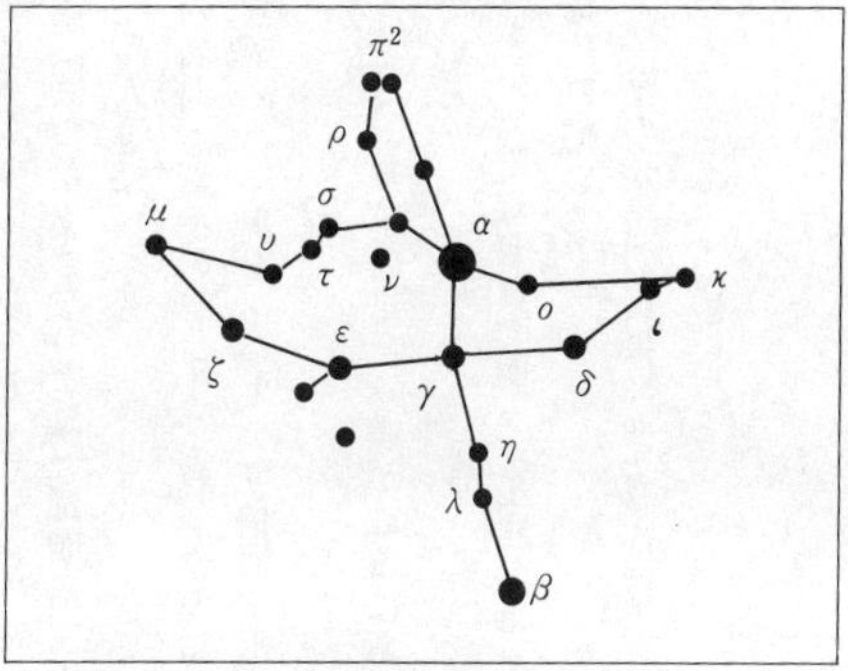

はくちょう座

出典；「天文・宇宙の辞典」（恒星社厚生閣）

二三二　＊〔約二字分空白〕番　二三八頁三行にも「〔約二字分空白〕番の讃美歌のふしが」とある。
初期形では二三八頁八行の次に「主よみもとにちかづかん《ニヤラーマイゴッドツジーニーラーツゼー》」ではじまる四行の歌詞が書かれていた。タイタニック遭難を報じた東京朝日新聞の記事（四月二十一日付）にも《最後の端艇発するや同船の楽隊は大広間に集り一同茲《ここ》に「ニヤラーマイゴツト、ツ、ソ《マ》レイー《マ》」の歌を奏したり》とある。この「主よみもとに」は明治三十六年版『讃美歌』では二四九番、昭和六年版では三〇六番。

二四二　＊新世界交響楽　ドボルシャック作曲の名曲。賢治のレコードコレクションの中にコロンビアの「ヅヴオルジヤク・新世界交響楽・ハミルトンハーティ指揮、ホールオーケストラ」があったことが知られている。

二四七　＊双子のお星さま　さそり座のλ《ラムダ》とυ《ユープシロン》。「双子の星」参照。ここにあの童話「双子の星」のお話全体が暗黙裡《あんもくり》に引用されている。

二五一　＊サウザンクロス　南十字 Southern Cross（三八七頁参照）、星座名は Crux。すぐ傍に石炭袋。星座全体を銀河がおし浸《ひた》して流れている。

二五六　＊石炭袋　コールサック Coalsac。南十字座の α 星の真東にある暗黒星雲（星間物質の固体微粒子《びりゅうし》の雲）。

セロ弾《ひ》きのゴーシュ

二六三　*ゴーシュ　初稿ではただ「セロ弾き」で名前のなかった主人公に命名するに際して賢治はまず「テイシウ」とし、これを消して「ゴーバー」としたのをさらに消して「ゴーシュ」にしている。つまりこれはむしろ、音の感じを手がかりに推敲《すいこう》したものとも考えられ、フランス語で「下手な」の意味をもつ「ゴーシュ gauche」との一致は偶然かとも思われる。しかし詩篇「樺太鉄道」に、「山の襞《ひだ》のひとつのかげは／緑青のゴーシュ四辺形」とあって、賢治がこのフランス語形容詞（この場合は「歪《ゆが》んだ」の意が適合する）を知っていたことも確かである。

*活動写真館で　当時の映画（＝活動写真）は無声映画であったから、弁士の説明に合わせて楽団がオーケストラボックスで演奏して音楽を担当した。

*セロ　cello。楽器名。現在は「チェロ」とよぶのが普通。

*第六交響曲　賢治はベートーベンの交響曲を好んだが、特に第六番田園はお気に入りであった。

二六八　*トロメライ　「トロイメライ Träumerei」はシューマン作曲のピアノ組曲『子供の情景』（一八三八）十三曲の一つとしてあまりにも有名だが、これを「トロメライ」としたのは次の「ロマチック」（ロマンチック）と同じ〝故意の云《い》い落し〟の技法。

*ロマチックシューマン　ドイツロマン派を代表する作曲家シューマン Robert Alexander Schumann をしゃれて云ったつもり。この猫《ねこ》の気取り屋ぶりの巧みな表現である。

二六八　*印度の虎狩　昭和六年四月二十五日付けの東京朝日新聞及び岩手日報に、ビクター・レコード五月新譜の広告があり、「印度へ虎狩りに」のレコード名がのっていた。この曲の原題は「Hunting Tigers out in "Indiah" (Yah)――」(印度へ虎狩りにですって)で Comedy Fox Trot、エヴァンズ作曲。男声歌手が独唱し、虎の吠声や鉄砲の音が入っている。この曲は当時流行したダンス・レコードのうちの一つという(佐藤泰平氏による)。コミカルで軽快なダンス曲である。初稿ではここは「セロ弾きは譜のいちばんしまひから逆に前の方へ弾きはじめました」となっていた。

二七八　*愉快な馬車屋　不詳。架空の曲目か。

饑《き》餓《が》陣《じん》営《えい》

二八九　*特務曹長　旧陸軍の官階。のち「准尉《じゅんい》」と改称。曹長の上で少尉の下。准士官。

*曹長　旧陸軍の官階。下士官の最上位。

*マルトン原　創作地名。

二九三　*エボレット　フランス語のépaulette から。軍服の肩飾《かたかざ》り、肩章《けんしょう》。正しくは「エポレット」とすべきであろうが、外来語移入の際のP音とB音の交錯《こうさく》は日本語では珍らしいことではない(例・プロマイド／ブロマイド bromide)。次項も参照。

二九七　*ナポレオンポナパルド　正しくはナポレオン・ボナパルト Napoléon Bonaparte。P音とB音、T音とD音の、これは明らかに故意の取り違え。

三〇〇　*ジゴマ　Zigomar. 一九一一年のフランス映画で、怪盗《かいとう》ジゴマの活躍《かつやく》を描《えが》く。日本でも同年に公開されて大ヒット、子どもたちの間にジゴマごっこがはやった。

三〇四　*ションドイツ語の schön（よい、結構な）から。旧制高校生などの間で間投詞的にしばしば用いられた。

ビジテリアン大祭

三一一　*ニュウファウンドランド　Newfoundland. カナダ東端の島。英領、仏領、自治植民地時代などを経て一九四九年以後カナダ領となる。

*ビジテリアン　英語綴りは vegetarian〔vedʒətéəriən〕。最近では「ベジタリアン」などとも表記する。

三一三　*トリニテイの港　Trinity。カナダ、ニューファウンドランド島東部、トリニティ湾に面した漁村。人口六百。

三一七　*マルサスの人口論　イギリスの経済学者マルサス T. R. Malthus（1766-1834）が『人口論』（一七九八）で展開したもの。

三二四　*スナイダー　創作人名。盛岡高等農林得業論文中に賢治はスナイダアの著書 Harry Snyder, *Soils* 他からその実験結果を引用している。

三二五　*カーライルの云う通り　トマス・カーライル Thomas Carlyle（1795-1881）の著『衣服の哲学 Sartor Resartus, The Life and Opinions of Herr Teufelsdröckh』の第五章に「衣服なるものの第一の目的は、保温でも礼儀でもなく、装飾であった」（宇山直亮訳）云々《うんぬん》とある。この本はすでに一九一七年（栗原古城訳、高橋五郎訳）、および一九二四年（柳田泉訳）にわが国に訳出紹介《しょうかい》されている。賢治における衣服の主題の重要性については見田宗介氏の『宮沢賢治』（岩波書店）に鋭《するど》い指摘《してき》がある。

三三二　*ウィリアム・タッピング　創作人名であるが、「タッピング」という姓は、一九〇八年盛岡浸礼教会に赴任《ふにん》したアメリカ・バプテスト教会宣教師で、盛岡高等農林の英語講師もつとめたヘンリー・タピング Henry Topping（1857-1942）から借りたものにちがいない。タピング師一家のことは文語詩「岩手公園」にうたわれている。

三六六　*ジョン・ヒルガード　創作人名。盛岡高等農林得業論文にヒルガアドの著書 Hilgard, *Soils* からの表の引用がある。

〔付記・本注解の天文学関係項目はとくに斎藤文一氏に目を通していただき、御教示をえた。記して感謝の意を表したい。〕

天沢退二郎

宮沢賢治の宇宙像

斎藤文一

よく指摘《してき》されることだが、賢治文学には、〈死〉の世界に踏《ふ》みこんだ描写《びょうしゃ》に独自なものがあるといわれる。それは確かにそうなのだが、この人は、その一方で、あるいはそれ以上に、〈生〉の、具体的には生命の、その〈芽生え〉の世界を言葉にのせる上で、まったく豊かな才能に恵《めぐ》まれていたのではないかと思われる。

その時賢治にあっては、「みんなむかしからのきゃうだい」（詩「青森挽歌《ばんか》」）というように、広大な物質・生命観であったから、〈芽生え〉というものも、さらに無機性の物質そのものの分化・形成さえも含《ふく》むようであった。すなわち〈芽生え〉の宇宙像である。

例として「銀河鉄道の夜」の中で、最も美しいと言える個所《かしょ》、銀河の水の描写からその一部を引きたい。

――その天《あま》の川《がわ》の水を、見きわめようとしましたが、はじめはどうしてもそれが、はっきりしませんでした。けれどもだんだん気をつけて見ると、そのきれいな水は、ガラスよりも水素よりもすきとおって、ときどき眼《め》の加減か、ちらちら紫《むらさき》いろのこまかな波をたてたり、虹《にじ》のようにぎらっと光ったりしながら、声もなくどんどん流れて行き、野原にはあっちにもこっちにも、燐光《りんこう》の三角標が、うつくしく立っていたのです。（本文二〇五―二〇六頁）

ここでは、「水素よりもすきとおって」というように、今日の宇宙論においてさえ魅力的《みりょくてき》な表現にぶつかる。そしてさらに物理学的に、エネルギーだけの、透明《とうめい》な、物質未分化の原始世界の中で、微《かす》かな黎明《れいめい》のように物質界の活性化が始まった、というような、おさえがたい情感を湛《たた》えた世界に引きこまれるわけである。

さて作品「双子《ふたご》の星」の中の双子は、いわゆる星座の双子座のものとは全く別のもので、「すぎなの胞子《ほうし》ほどの小さな二つの星」という、素晴《すば》らしい存在が、物語の主人公である。

天の川の西の岸にすぎなの胞子ほどの小さな二つの星が見えます。あれはチュンセ童子とポウセ童子という双子のお星さまの住んでいる小さな水精《すいしょう》のお宮です。
このすきとおる二つのお宮は、まっすぐに向い合っています。夜は二人とも、きっとお宮に帰って、きちんと座《すわ》り、空の星めぐりの歌に合せて、一晩銀笛《ぎんてき》を吹《ふ》くのです。それがこの双子のお星様の役目でした。（本文七頁）

ここで文中に出てくる「星めぐりの歌」というのは、北極星を中心にして回転する、いわゆる星の日周運動をうたったものである。歌の中には「あかいめだまのさそり」と「あおいめだまの小いぬ」という表現が出てくるが、賢治が、星の世界にめだまの存在を意識せざるをえなかったのだと考えると、ここはやはり尋常な星座観察ではなかったのである。

そしてそれ以上に、「すぎなの胞子」のような星が二つ、「双子」になっているという指摘は、まさに非凡としか言いようのないものである。

今日、天の川中心部にも近く、暗黒星雲や散光星雲のひしめく時空で、周囲がくっきりとして丸く、まるで水滴《すいてき》のように美しい、高密度の小さな星間物質の固まりが観測される。グロビュール（小球体の意）と名づけられるのがそれだが、これは、星間空間で星が誕生《たんじょう》する前の、重力収縮直前の段階の天体と考えられ、星の「胞子」とも呼ばれているのである。〈芽生え〉の宇宙像の例だ。

ところで、このような「胞子」が、作品の中で、どうして「双子」なのかは、一つの謎《なぞ》ではあるが、また彼らが星の世界で背負う役割と、そこに示される彼らの心のやさしさこそ、一層、賢治世界のかなめであった。

物語は、まったく夢《ゆめ》のような話の内容である。だが、その中で交わされた言葉＝願いこそ、賢治にあって、確固とした拠点《きょてん》であったと考えねばならない。それは、全《すべ》て賢治の作品に登場する、とりわけ天界に生まれかわるべき小生物たち、「雁《かり》の童子」や「よだか」たちがひとしく背負うたのである。

それを一言であらわせば、「宇宙意志」というようなものである。以下に、「日付あて先不明」、「下書」とされた書簡を引きたい。


――たゞひとつどうしても棄《す》てられない問題はたとへば宇宙意志といふやうなものがあってあらゆる生物をほんたうの幸福に齎《もたら》したいと考へてゐるものかそれとも世界が偶然盲目的《ぐうぜんもうもくてき》なものかといふ所謂《いはゆる》信仰《しんこう》と科学とのいづれによって行くべきかといふ場合私はどうしても前者だといふのです。すなはち宇宙には実に多くの意識の段階がありその最終のものはあらゆる迷誤をはなれてあらゆる生物を究竟《くっきょう》の幸福にい

たらしめやうとしてゐるといふまあ中学生の考へるやうな点です。――(『校本宮澤賢治全集』第十三巻、四五三―四五四頁)

右の命題は、ついに賢治生涯《しょうがい》の課題ともなったのである。作品「銀河鉄道の夜」の隠《かく》れた主題ともいえ、この点を抜きにしては作品のほんとうの理解には達しえないだろう。

ここで一つ付け加えておきたいことは、本稿《ほんこう》で先に、賢治が、物質や生命の誕生の機構《メカニズム》に関心を寄せていたことを書いたのだが、さらに、本書簡によれば、〈意識〉の発生や段階についても、考えを進めていたという点である。

「宇宙意志」というのは、賢治自身もそう言っているように、信仰によってもたらされた要請《ようせい》であって、この時賢治にあっては、法華経《ほけきょう》からする明快な信仰的帰結であった。

しかしこのような帰結は、現段階にあって科学とは別次元のものというべきであり、そういう状況の下では確かに「漠然《ばくぜん》」とした概念《がいねん》であると指摘することもできよう。

だがしかし、科学次元におけるこの「漠然」さも、統一体としての人間の全体にわたってまでも、そうであってよいとは言えないだろう。ほんとうはそここそ火なのだ。

たとえば今日、個人々々にとって、「人類」の意識が、内面的に今なお明瞭《めいりょう》となりえず、「漠然」の域にとどまっているというような事態が、ますます社会をある種の閉《へい》塞状況《そくじょうきょう》に追いつめているのではなかろうか。

現代社会において、内に破壊力《はかいりょく》を秘《ひ》めつつ、そのような沈黙する「漠然」の存在が明らかにされつつあるように見える。このものこそ基本的な〝悲惨《ひさん》の質〟なのであり、とりわけ〝罪なきものの死〟をめぐって、まさに「人類」と「宇宙」とが、沈黙《ちんもく》する「漠然」を打ち破りつつあるのではないか。このような点が、今日賢治に対する関心を切実にしていると思われるわけである。

賢治が、「みんなむかしからのきゃうだい」といい、それは何やら遠く童話的な響きを持っていた。かつてそういう時代もあった。しかし今、あらゆる生命体の根底に、潜在的《せんざいてき》に伴侶《はんりょ》たるべき性格を見出《みいだ》し、彼ら自身、私たちの方へ向かって、存在者としての光を放っていることを、賢治が、作品に書きとどめて行ったことの意味は痛切なものである。

作品「セロ弾《ひ》きのゴーシュ」では、主人公のゴーシュが、郭公《かっこう》に合わせてセロを弾いてやるところがある。

――ゴーシュはにが笑いしながら弾きはじめました。するとかっこうはまたまるで本気になって「かっこうかっこうかっこう」とからだをまげてじつに一生けん命叫びました。ゴーシュははじめはむしゃくしゃしていましたがいつまでもつづけて弾いているうちにふっと何だかこれは鳥の方がほんとうのドレミファにはまっているかなという気がしてきました。――「えいこんなばかなことしていたらおれは鳥になってしまうんじゃないか。」（本文二七四頁、傍点引用者）

引用は短いが、この辺の呼吸こそ、賢治のものである。どうすれば人間は動物と会話することができるか？　そういう奇蹟《きせき》をさそうような問いに、おのずから作品は答えているわけだ――「こんなばかなことしていたらおれは鳥になってしまうんじゃないか。」

たぶんそれは、無限の〝やさしさ〟というようなものだろう。そしてそれこそ人間が宇宙性を手にする唯一《ゆいいつ》の方法なのだ。それは何か大それたことを手がけることではない、と賢治は言っているようにみえる。――人はめいめい自ら耕すべき土地を持っている。そのような人にあっては、自分が耕さなかったら地球全体が荒蕪《こうぶ》するとさえ思えるのだ。その土地は、あらゆる地上の樹々にもつながっている。そのような彼こそ、真に人類の運命にたいして責任を持っている人と呼ばれるのである。

ジョバンニはなんだかわけもわからずににわかにとなりの鳥捕りが気の毒でたまらなくなりました。鷺《さぎ》をつかまえてせいせいしたとよろこんだり、白いきれでそれをくるくる包んだり、ひとの切符をびっくりしたように横目で見てあわててほめだしたり、そんなことを一一考えていると、もうその見ず知らずの鳥捕りのために、ジョバンニの持っているものでも食べるものでもなんでもやってしまいたい、もうこの人のほんとうの幸《さいわい》になるなら自分があの光る天の川の河原《かわら》に立って百年つづけて立って鳥をとってやってもいいというような気がして、どうしてももう黙っていられなくなりました。（本文二二七頁）

「銀河鉄道の夜」の一節である。「見ず知らずの鳥捕り」の一々の懸命《けんめい》のしぐさ、それは少年のようにも、またさながら宇宙飛行士のそれのようにも思えるのだが、そういう彼の、歓喜にたいして、悲嘆《ひたん》にたいして、さらに苦悩《くのう》にたいして、深く〝忸怩《じくじ》として〟関与《かんよ》すること、そういうことがまた本作品の主調音なのである。そういう全く勇気のいる心情、それが賢治における宇宙性というものであったように思う。

ところで、右の鳥捕りもそうなのだが、賢治作品に登場する主人公たちには、通常世界の住人の歩調にはてんで合わない、およそこの世のものとも思われない奇行の持ち主が少なくない。彼らは、彼らだけにしか聞こえないていの、さながら宇宙的リズムのラッパに調子を合わせて行進しているようなところがある。たとえば「虔十《けんじゅう》公園林」の虔十がそうだし、「よだかの星」のよだかがそうだし、またあちこちで登場する山男たちがそうである。天から降り立ったような「風の又三郎」の主人公もそういうものだろう。

いったい彼らはどういうメッセージを携《たずさ》えてこの地に来たのか。どうにかして聞きたい。ほんとうにそのことが難しい点なのだ。彼らの性格に潜《ひそ》む〝火〟の宇宙性こそ、もっともっと掘《ほ》りさげるべき課題である。

よだかは、実にみにくい鳥です。

顔は、ところどころ、味噌《みそ》をつけたようにまだらで、くちばしは、ひらたくて、耳までさけています。

足は、まるでよぼよぼで、一間《いっけん》とも歩けません。

ほかの鳥は、もう、よだかの顔を見ただけでも、いやになってしまうという工合《ぐあい》

でした。(本文三五頁)

そういうよだかなのだが、彼が飛ぶ時は、空が二つに裂《さ》けたようになるという。よだかの嘆《なげ》きから。

夜だかが思い切って飛ぶときは、そらがまるで二つに切れたように思われます。一疋《ぴき》の甲虫《かぶとむし》が、夜だかの咽喉《のど》にはいって、ひどくもがきました。――その時、急に胸がどきっとして、夜だかは大声をあげて泣き出しました。泣きながらぐるぐるぐるぐる空をめぐったのです。

(ああ、かぶとむしや、たくさんの羽虫が、毎晩僕に殺される。そしてそのただ一つの僕がこんどは鷹《たか》に殺される。それがこんなにつらいのだ。――僕はもう虫をたべないで餓《う》えて死のう。――)(本文三九―四〇頁)

大地――そこには水もあるし風もある、そういう大地とはいえ、虚空《こくう》に浮かぶただ一つの星にすぎない私たちの地球だが、こうしたよだかの、まるで夢のような嘆きが把《とら》えられたことで、この星が奇蹟の星になった、といえそうな気がする。全ての生命にとって、ほんとうに一つの星、ホーム・プラネットになるという——。

（一九八九年四月、新潟大学理学部教授）

収録作品について

天沢退二郎

本書は、あらたに私が編むこととなった新潮文庫版宮沢賢治童話集三冊のうちの一冊であって（他の二冊は『風の又三郎』『注文の多い料理店』）、未整理箇所《かしょ》を多く残した遺稿《いこう》ながらその絢爛《けんらん》とした魅惑《みわく》、汲めども尽きぬ深遠さと悲痛さにおいて賢治童話の代表作である「銀河鉄道の夜」を中心に、ゴーシュやマリヴロン、ペムペルとネリ、チュンセとポウセ、オツベルやカイロ団長など、《あやしくも楽しい国土》イーハトーヴォの切なくも懐《なつ》かしい住人たちの物語をもって構成し、これに西域北方の韻《いん》律《りつ》を踏《ふ》む叙事詩的《じょじしてき》作品「北守将軍と三人兄弟の医者」、いわゆる〝限界芸術〟《鶴見俊《つるみしゅん》輔《すけ》》実践《じっせん》の重要な証言ともいうべき劇台本「饑餓陣営《きがじんえい》」、および菜食主義思想のユーモラスかつ徹底的《てっていてき》な、驚《おどろ》くべき開陳《かいちん》「ビジテリアン大祭」を配して、賢治童話世界の豊饒《ほうじょう》さの中心部へ読者の皆さんを御案内したいと考えた。

周知のように賢治作品はその殆《ほとん》どが生前未発表の未定稿であり、数年あるいは十余年にわたって、しかも数次におよぶ推敲《すいこう》・改稿・改作を経ているので、成立年代を定め難《がた》いが、現存稿から推定しうるかぎり、おおむね初期から晩年への順に（ただし「饑餓陣営」「ビジテリアン大祭」の二篇《へん》を巻末に置いたのは、別の理由による）作品を配列してある。

なお、いま述べたように、殆どの作品が、多少の差こそあれ未整理箇所を残す未定稿であったため、没年《ぼつねん》の翌年に刊行のはじまった最初の全集以来、編集責任者の方々は大変な苦労をしてテクストを校訂《こうてい》して来られたが、『校本宮澤賢治全集』（一九七三〜七七）がいったん自筆稿や初出誌・初版本にたち戻《もど》って本文を定め直し、校訂は最小限にとどめ、これをもとに『新修宮沢賢治全集』（一九七九〜八〇）が一般読者向けにさらに必要最少の校訂を加えた。本書の本文はこの新修全集本を底本としている。昔の全集本やそれをもとにした流布本《るふぼん》・文庫本などで賢治作品に親しまれた読者が、本書で今までと異なる箇所を見出《みいだ》されるのは、このためであるので御理解いただきたい（特に「銀河鉄道の夜」はこの点で異同《いちじる》が著しい。後出のこの作品の項《こう》を読まれたい）。

「双子《ふたご》の星」――「蜘蛛《くも》となめくじと狸《たぬき》」とともに、賢治童話の中で最も初期、一九一八年夏に書かれ、作者が弟妹《ていまい》に読みきかせたものといわれている。天《あま》の川《がわ》の西の岸の小さなお宮に住んでいる双子のお星さまが、第一章では乱暴な大烏《おおがらす》と蠍《さそり》のけんかに巻き込《こ》まれ、わがままな蠍に苦労させられるが、改心させて王様にほめられる。第二章ではやはり乱暴で邪悪《じゃあく》な彗星《ほうきぼし》に欺《だま》されて海へ堕《お》ちるが、海の王の厚意で無事天に戻り、王様に感謝とお詫《わ》びの祈《いの》りを捧《ささ》げる。ここでは、チュンセ童子とポウセ童子という双子の主人公は、性別もさだかでなく、両性的というより前性的であり、名こそ異なれ、性格等に差異もほとんどない、全く未分化な双子性と無罪性のうちに保護されている。のちの「手紙四」では、チュンセは男の子、ポウセはその妹というように分化し、妹を亡《うしな》ったチュンセは蛙《かえる》を惨殺《ざんさつ》したりするようになるし、「黄いろのトマト」のペムペル・ネリの兄妹《きょうだい》は、本書でごらんの通り、世界の掟《おきて》との異和から、じつに悲しい目にあうことになる。だからこそ賢治はこの「双子の星」の原稿表紙に「一層の無邪気さとユーモアとを有せざれば全然不適」と書いて厳しく自己批評しながら、この最初期童話を大切に保存し、「銀河鉄道の夜」に埋《う》め込みもしたのである。

「よだかの星」――主人公のよだかは「実にみにくい」という外見ゆえに小鳥たちから有形無形のいじめを受け、またその名前ゆえに猛禽《もうきん》中の猛禽である鷹《たか》から理不尽《りふじん》な改名を迫《せま》られる。名前を奪《うば》われるとは自分の本質的存在性を犯《おか》されることであり、また「みにくさ」は、よだかが羽虫や甲虫《かぶとむし》に対する惨殺者という自分の存在性へのはげしい嫌忌《けんき》と表裏をなしている。よだかのこの苦衷《くちゅう》は、地球という惑星上の全生物が置かれているいわゆる〝食物連鎖《れんさ》〟という宿命への意識であり、宮沢賢治がわが身にひき受けずにいられなかった大問題であった。本篇や、「二十六夜」「ビジテリアン大祭」「なめとこ山の熊《くま》」などで賢治が模索《もさく》している対処法は決して一様でない。中でもこのよだかの決意と行動は、きわめて純粋・悲痛であり、悲劇的である。また、この主人公の意識のありようは、「貝の火」のホモイや「銀河鉄道の夜」のジョバンニのそれに通じ合うものをもっている。

「カイロ団長」――自分たちの気の良さと、誘惑《ゆうわく》に負けやすい弱さとから、とのさまがえるの「カイロ団長」に搾取《さくしゅ》されるみじめな状態に陥《おちい》ったあまがえるたちが、「王様の御命令」のひとことで救われるのは、他力本願的な、安易な解決のように見えるかもしれない。しかしかりにそう云《い》って「安易だ」と決めつけてみると、この作品を理解しそこなったことに気づかれると思う。「主に虫仲間からたのまれて、紫蘇《しそ》の実やけしの実をひろって来て花ばたけをこしらえたり、かたちのいい石や苔《こけ》を集めて来て立派なお庭をつくったりする」という、このあまがえるたちのいかにも楽しそうな「職業《しょうばい》」、協同作業の暮らしは、さきほどのよだかの例に比べると、弱肉強食の地獄図《じごくず》とまるで無縁な、理想的な生き方のように思われる。確かにここには、賢治の夢想《むそう》した「生活則芸術の生がい」がある。しかしそれはまた、あまがえるたちの基本的な弱点と切り離せない表裏の関係にあるゆえに、この三十疋《びき》によせる作者のまなざしも、私たちへの囁《ささや》くような語りかけも、あくまで優《やさ》しく、悲しい暖かみにあふれているのだ。

「黄いろのトマト」――二人だけでしあわせに暮らしていた幼い兄妹が悲しいめにあう話を、博物館の剝製《はくせい》の鳥が幼時の話者に物語る。このいわゆる入れ子構造が物語のカギをにぎっている。賢治は少年時代から〝標本〟や〝標本採集〟という主題・行為に心をとらえられてきた。それは賢治の想像力の原点ともいえる。標本の中でも、鳥の剝製は悲しい。幼童の想像力を刺戟《しげき》して「たった今まできれいな銀の糸のような声で」話していたと思うと、「俄《にわ》かに硬《かた》く死んだようになってその眼もすっかり黒い硝子玉《ガラスだま》か何かになって」しまう。そしてその蜂雀《はちすずめ》が、ようやく機嫌《きげん》を直して話してくれたのは、悲しい兄妹の物語。「かあいそうなことをした」「かあいそうなことをした」と蜂雀は幾度も繰返して、事件のその後のことは語らない。それは、ペムペルとネリの悲しみがとりかえしようのないこと、、、、、、、、――とりかえしのなさが主題であることを暗示している。

「ひのきとひなげし」――夕方、息もつけないくらいの風に揺《ゆ》られながらの、ひなげしたちと若いひのきとのユーモラスなやりとりを序奏部として、悪魔《あくま》の登場、あやうくその呪文《じゅもん》にかかって頭を食われそうになるひなげしたちの危機、ひのきの一喝《いっかつ》による悪魔退散、そして再びひなげしたちとひのきの会話、夜の到来《とうらい》。まことに緩急《かんきゅう》の呼吸も冴《さ》えて鮮《あざ》やかに進行する一編の楽曲的作品として、一分の隙《すき》もないこの傑作《けっさく》が成立するのは賢治の最晩年、死の一、二ヶ月前のことであった。すでに一九二〇年代初めに成立していた初期形では、悪魔退散の後、ひのきがひなげしたちに、つつましい野の花が善業により黄薔薇《きばら》や青蓮華《しょうれんげ》に転生《てんしょう》したという二つの仏教説話を語りきかせることになっていた。《ああ、すべてうつくしいということは善逝《スガタ》に至り善逝からだけ来ます。善逝《スガタ》に叶《かな》い善逝に至るについて美しさは起るのです》と、そのときひのきは話を結んでいる。こうしたあからさまな思想表白を、最晩年の賢治は作品の表面からは消し去った。「銀河鉄道の夜」についても同じことがいえるのである。

「シグナルとシグナレス」――岩手毎日新聞に大正十二年五月十一日から二十三日まで、十一回にわたって断続的に連載されたもの。（一）から（十一）までの章立てはこのときのもので、原稿を一括《いっかつ》して受取った編集部が紙面の便宜上《べんぎじょう》このように分けた可能性もつよい。当時の花巻駅を舞台に、気が短かくおっちょこちょいな若者シグナルと、気弱で健気《けなげ》な、芯《しん》の強いところもあるシグナレスとの可憐《かれん》で悲痛な恋物語。停車場や鉄道線路は賢治の想像力の重要な発想源であった（『注文の多い料理店』序などを参照）。冒頭《ぼうとう》の愉快《ゆかい》な汽車の歌と、ラストの恋人たちのもらす「小さな息」とが忘れられない印象をのこす。夜の小駅の灯火と大空の星々との照応ぶりも注目すべきだ。

「マリヴロンと少女」――初期に属する花鳥童話の一篇「めくらぶどうと虹《にじ》」の原稿に一九三一、二年ごろ赤インクで手入れして改作したもの。初期作は、花巻の鳥谷ヶ崎城址《じょうし》（「四ッ角山」という固有名詞がその名残《なご》りである）を舞台に、めくらぶどうの藪《やぶ》と虹との間に交わされる会話から成る擬人法《ぎじんほう》の童話であったのを、作者はめくらぶどうも虹もそのまま据《す》え置きつつ、アフリカへ行く少女と名歌手マリヴロン女史の会話に転位し、かつ動詞を原則として現在形にする文体的改変を行ったもの。芸術と労働、美と永遠といった根源的問題がやさしく説かれている上に、少女小説的慕情《ぼじょう》の主題や、光と影の変幻《へんげん》・交錯《こうさく》が鮮やかに重ね合わせられている。セリフを与えられていない語らざる聴衆としての「もず」や最後に「調子はずれの歌」をうたう〝もうひとりの歌手〟「ひばり」の役割にも注目したい。

「オツベルと象」――ユニークな詩人であった尾形亀之助《おがたかめのすけ》編集の雑誌「月曜」創刊号

（大正十五年一月）に発表されたもの。原稿は残っていない。これを酷薄《こくはく》な雇用主《こようぬし》があるでかい図体《ずうたい》の雇用人を虐待《ぎゃくたい》しすぎて、その仲間に復讐《ふくしゅう》されるたんなる勧善懲悪譚《かんぜんちょうあくたん》と読むことはできない（資本家に対する労働者蜂起《ほうき》の寓意譚《ぐういたん》とみるのもこの類に属する）。「オツベルときたら大したもんだ」という語り手の素朴《そぼく》な讃嘆《さんたん》から物語ははじまる。そのオツベルのところへ白象がやってきたのは偶然《ぐうぜん》だろうか？「たぶんぶらっと森を出て、ただなにとなく来たのだろう」と語り手はこだわらず云ってのけているが、とてもそれだけとは思われない。オツベルの「大したもん」である、そのありようが、白象を引き寄せたのだ。「白象」は、ジャータカに釈迦《しゃか》の前身として出てくるとかいうことを私たちが知っていようといまいと関係なく、いわば、〝仏陀的《ぶっだてき》なるものの前身〟の顕現《けんげん》である。一方「オツベル」、この細心にして豪気《ごうき》、素早い判断と冷徹な実行によりつねに利益を引き寄せる術に長《た》けたこのヒーローは、人間的なるものの一本質としての「経済」の精霊であろう。「オツベル」との関《かか》わりのドラマが果てたあとに「白象」が「ありがとう。ほんとにぼくは助かったよ」というときのさびしいわらいには、賢治の深い諦《あきら》めの影《かげ》がある。

「猫の事務所」——これも「月曜」の大正十五年三月号に、「寓話」として発表されたもの。初期形の原稿が残っている。副題の「ある小さな官衙《かんが》に関する幻想」が示している通り、小役人たちの生態を通して人間なるものの本質が風刺されている。主人公かま猫の健気《けなげ》さにもかかわらず事務所は獅子《しし》によって閉鎖され、救いは何ら提示されぬままに終る。わずかに話者は「半分獅子に同感です」と結んで、結論を留保しているかに見えるが、初期形のラストは「釜《かま》猫はほんとうにかあいそうです。／それから三毛猫もほんとうにかあいそうです。／虎猫も実に気の毒です。／白猫も大へんあわれです。／事務長の黒猫もほんとうにかあいそうです。／立派な頭を有《も》った獅子も実に気の毒です。／みんなみんなあわれです。／かあいそうです。／かあいそう、かあいそう。」となっていて、ある意味ではるかにきびしい断念／断罪が示されていた。

「北守将軍と三人兄弟の医者」――佐藤一英《さとういちえい》編集の季刊誌「児童文学」第一冊（昭和六年七月）に発表されたもの。この物語の最初の形態《ヴァージョン》は最初期に属する「三人兄弟の医者と北守将軍（散文形）」（一九二〇年代初頭）であり、作者はさらにその韻文形、「北守将軍と三人兄弟の医者」初期形（韻文形）と、十年余にわたって改稿をくりかえし、上記韻文形に手入れすることによって律動的散文としての本篇を成立させた。この作品は〝土俗信仰《しんこう》と近代科学主義の対位〟〈菅谷規矩雄《すがやきくお》〉という賢治にとって切実なテーマを含《ふく》んでいるが、それが同時に、詩人賢治にとっての韻律研究の展開と連動していることに注意。

「銀河鉄道の夜」――貧しい孤独《こどく》な少年が夢《ゆめ》の中で親友と汽車の旅をする、と一言で要約するにはあまりにも深く悲しく、謎《なぞ》や魅惑にみちた物語。少年の貧しさと孤独の背後には、父の不在、母の病、同級生のいじめといった環境《かんきょう》ばかりでなく、先述したよだかと共通した、存在自体に根ざす苦悩《くのう》や、〈詩人〉の本質的孤独がひそんでいる。夢の旅というとかんたんだが、それは死者たちの乗る汽車、その線路はといえば夜の大空を、銀河の流れに沿ってどこまでもどこまでもめぐっていくのであり、同行する親友は級友を救おうとして溺《おぼ》れたすえの、死出の旅路にある……主人公はやがて「みんなのほんとうの幸福」を求める決意を獲得《かくとく》して夢と訣別《けつべつ》する。いくつものテーマやモチーフ、イメージの一一《いちいち》が、さまざまな象徴《しょうちょう》や解釈をよび起しては再び闇《やみ》へ突き戻す。

賢治は第一次稿からほぼ十年かけて、第四次稿にいたるまで、三度の大幅な改稿を試みた。三次稿までは、ジョバンニの入眠はブルカニロ博士による一種の催眠《さいみん》実験であり、旅の途中いくどもジョバンニは博士の「セロのような声」による説明や指示を聞き、最後にカムパネルラがいなくなったあと、博士自ら「黒い大きな帽子《ぼうし》をかぶった青白い顔の瘠《や》せた大人」の姿で車内に出現し、不思議な「地理と歴史の辞典」を示しながら、ジョバンニにものの見方・考え方や進むべき道を教えさとすことになっていた。このブルカニロ博士のいっさい登場しない第四次稿の成立を賢治が試みたのは、やはり一九三一、二年頃と考えられている。なお『校本全集』以前は、本作品の成立過程・原稿の構造が解明されていなかったため、第一次稿のときのラストや、ブルカニロ博士の講義も混入されたままの、また編集者によるつじつま合わせの手の多く入った合成本文が流布されていた。

「セロ弾きのゴーシュ」――楽団の中で一番下手だと評判のセロ弾きが、毎晩自分の小屋で猛練習をしているところへ、深夜訪《おとず》れてくる小動物たち。激励《げきれい》に来た子猫、ドレミファを教えてほしいカッコウ、太鼓《たいこ》をセロに合わせてもらいに来た子狸、病気を療《なお》してもらいにきた野ねずみ母子。創作メモでは他に「鷺《さぎ》のバレー」「栗鼠《りす》の感謝」などの章も構想されていた。これら小動物との夜毎《よごと》の交わりが綴《つづ》られた後に、演奏会の成功、ゴーシュが「一週間か十日の間にずいぶん仕上げたなあ」と楽長や仲間に賞讃・祝福される――と要約すれば幸福な成功譚に見えようが、果してそうか？　楽長らのかつての批難もこんどの賞讃も主として腕前――技術の側面に傾いている。佐藤泰平氏はこのラストで、「ゴーシュの技術も芸術観も、楽長や仲間の楽手たちの域を越えてしまっている」という見方を採り、「ゴーシュはみんなに認められた今でも孤独なのだ」と結論している（「『セロ弾きのゴーシュ』私見」）。また、ゴーシュの最後のセリフも意味深長に思えるが、原口哲也氏は「この作品が実質的に賢治の最後の童話作品であること、殆ど死の数日前まで推敲がおこなわれたこと等を考えあわせると、かっこうの飛んでいった遠くのそらを見あげるゴーシュ＝作者の眼には、あるいは迫りくる〈死〉の姿がうつっていたのかもしれない。そしてこの作品を書くことで作者は、挫折《ざせつ》にみちた自らの生涯《しょうがい》と目前に迫った〈死〉をそのまま肯定《こうてい》しようとしたのかもしれない」と述べて、この作品を「ハッピーな内容」をもつものとする見方に疑問を投げかけている（「試行」63号所収「賢治童話への一視角」）。なお本作品の自筆原稿（全）の複製が刊行されており、数次にわたる推敲、用紙のさしかえ、挿話《そうわ》順序の変更などを含めた成立過程の現場を細部まで目《ま》のあたりにすることができる。

「饑餓陣営」――賢治は四年間の花巻農学校在職中、毎年のように生徒たちを指導して自作の劇を上演、一般の人々にも見せたあと、校庭で大道具小道具を燃やして生徒らと輪舞した（のち鶴見俊輔氏はこのような活動を〈純粋芸術〉や〈大衆芸術〉に対する〈限界芸術〉の典型的実践として位置づけ、評価した）。中でも「饑餓陣営」は、しばしば「バナナン大将」の題で賢治の没後も児童劇団や学校演劇のレパートリーとなって全国的にくりかえし上演されている。「蜘蛛となめくじと狸」や「ペンネンネ

ンネンネン、ネネムの伝記」と共通した「饑餓」という極限状況の設定から、兵士らが大将の「勲章《くんしょう》」を食ってしまうという反軍的行為にいたる重い主題が童話的・ユーモラスに展開して暗から明への鮮かな転換が引き出される。兵士らの〝生産体操〟により果実が収穫《しゅうかく》されるラストは、「ネネムの伝記」での舞台上《ぶたいじょう》の麦の収穫シーンに照応している。

「ビジテリアン大祭」――難しい語も構わず使って大人たちが長大な議論また議論をくりひろげる、「童話」とよぶにはあまりに破天荒《はてんこう》な作品と見えようが、それは通念や「常識」にてらしてのことで、本篇の興趣《きょうしゅ》はまさしく童話のそれであり、賢治童話の精髄《せいずい》である。それはとにかくこれら論者たちの実に大まじめな、これでもかこれでもかと突き進む主張の展開が、たくまざるユーモアと音楽的なリズム・テンポをともなっており、それが丁々発止《ちょうちょうはっし》とやりあうさまは、まるで愉快なゲームに立ちあっている思いをさそうからだ。そしてその痛快さを通して、賢治が菜食主義の側に立った根《こん》拠《きょ》がよく納得《なっとく》できるしかけになっている。これは私たちを菜食主義へと折伏しようというような押しつけがましいものではないが、ここに盛られた思想が二十世紀の人間文明に警鐘《けいしょう》を鳴らし、二十一世紀への示唆《しさ》を含むものであることは確かであろう。

（一九八九年四月、詩人）

年譜

明治二十九年（一八九六）　八月二十七日、父政次郎（二十二歳）、母イチ（十九歳）の長男として岩手県稗《ひえ》貫郡花巻町大字里川口《ぬきぐんはなまきまちおおあざさとかわぐち》第一二地割字川口町《ちわりあざかわぐちまち》二九五番地（現花巻市豊沢町四丁目一一番地）に出生（戸籍簿《こせきぼ》では八月一日出生）。但《ただ》し実際に生れた場所は母の実家である宮沢善治方（川口町四二九番地）。家業は政次郎の父喜助が開いて発展させた質・古着商。イチも同じ宮沢一族の出で、その父善治は富商。この年の東北地方は三陸大津波《おおつなみ》や大洪水《だいこうずい》、陸羽《りくう》大地震《おおじしん》さらに秋にも豪雨禍《ごううか》にみまわれた。

明治三十一年（一八九八）二歳　十一月五日、妹トシ出生。

明治三十二年（一八九九）三歳　父の姉で結婚に破れ実家に戻《もど》っていたヤギ（当時三十歳）が子守歌のように賢治に「正信偈《しょうしんげ》」「白骨の御文章《おふみ》」をきかせ、賢治も唱えたという。

明治三十四年（一九〇一）五歳　六月十八日、妹シゲ出生。この年、豊作。

明治三十五年（一九〇二）六歳　九月、赤痢《せきり》を病《や》み隔《かく》離《り》病舎に入る。祖母の妹ヤソが付添《つきそ》って昔話《むかしこ》をきかせた。看病した父政次郎も感染《かんせん》して入院。この年東北地方凶作《きょうさく》。

明治三十六年（一九〇三）七歳　四月、町立花巻川口尋常《じんじょう》高等小学校（一九〇五年から花城《かじょう》尋常高等小学校と改称）一年入学。この年、前年の凶作のため東北地方飢饉《ききん》。

明治三十七年（一九〇四）八歳　四月一日、弟清六出生。この年二月日露《にちろ》戦争始まる。

明治三十八年（一九〇五）九歳　四月から担任の八木英三（当時十八歳）、教室で『まだ見ぬ親』（エクトル・マロ原作『家なき子』を、五来素川《ごらいそせん》が翻案《ほんあん》したもの）を読みきかせ、賢治らにつよい感銘を与えた。十二月、花城の新校舎に移る。八木によればこの年賢治は、長詩「四季」を書いたというが現存せず。東北地方大凶作。石川啄木《たくぼく》の『あこがれ』出版。

明治三十九年（一九〇六）十歳　八月、父及び有志運営の夏期仏教講習会（大沢温泉。講師暁烏敏《あけがらすはや》）に参加。この年鉱物・植物採集、昆虫《こんちゅう》標本作りに熱中。

明治四十年（一九〇七）十一歳　三月四日、妹クニ出生。鉱物採集にいよいよ熱中して「石コ賢さん」とよばれる。八月、夏期仏教講習会に参加、講師（多田鼎《かなえ》）の侍童《じどう》をつとめたという。この年盛岡高等農林の関豊太郎《せきとよたろう》教授（のち賢治を指導）、凶作と海流の関係を究明する論文を発表。岩手県豊作。

明治四十一年（一九〇八）十二歳　九月、綴方帳《つづりかたちょう》に「遠方の友につかわす」「皇太子殿下を拝す」を書く。

明治四十二年（一九〇九）十三歳　二月、綴方帳に「冬季休業の一日」を書く。三月、花城尋常高等小学校卒業。成績は六年間全甲であった。四月、県立盛岡中学校（現在の盛岡第一高等学校）入学、寄宿舎自彊《じきょう》寮《りょう》に入る。近くの山野を歩いては岩石標本採集に熱中。Helpという綽名《あだな》がつく。

明治四十三年（一九一〇）十四歳　六月、博物《はくぶつ》教師に引率《いんそつ》されてはじめての岩手登山。九月、同室の親友藤原健次郎病死。柳田国男『遠野物語』、啄木『一握《いちあく》の砂』出る。

明治四十四年（一九一一）十五歳　教師への反抗的態度を見せはじめる。この年あたりから短歌の制作をはじめる。エマソンの哲学書《てつがくしょ》を耽読《たんどく》。八月、北山願教寺《がんきょうじ》で島地大等《しまじだいとう》の講話をきく。

明治四十五・大正元年（一九一二）十六歳　五月、松島・仙台方面へ修学旅行。初めて海を見る。十一月、静座法《せいざほう》の佐々木電眼に指導を受ける。十二月、伯母ヤギ死去。この年、石川啄木死去。

大正二年（一九一三）十七歳　三月、祖母キン死去。三学期、新舎監排斥《はいせき》の動きあり、賢治も加担（?）、四、五年生全員退寮となる。盛岡市北山の清養院（曹《そう》洞宗《とうしゅう》）に下宿。五月、北海道修学旅行、帰盛後、徳玄寺（浄土真宗《じょうどしんしゅう》）に移った。ツルゲーネフなどロシア文学を読む。この年岩手県大凶作。

大正三年（一九一四）十八歳　三月、盛岡中学校卒業。成績は次第に下降していたが、四年修了時は九〇名中四二番、卒業時は八八名中六〇番であった。四月、肥《ひ》厚性《こうせい》鼻炎手術のため盛岡市内の岩手病院へ入院。手術後高熱がつづき、チフスの疑い。父も看病中また倒れる。看護婦に恋。五月末退院。貧しい農民から搾取《さくしゅ》する家業への嫌悪《けんお》や将来の希望のなさから悶々《もんもん》とした日々を送る。秋、島地大等編『漢和対照　妙法蓮華《みょうほうれんげ》経《きょう》』を読み激しく感動。父から進学許可も出て受験勉強に励《はげ》む。この年、第一次世界大戦。田中智学《たなかちがく》、国柱《こくちゅう》会《かい》創立。高村光太郎『道程』刊行。

大正四年（一九一五）十九歳　一月から北山の教浄寺（時宗）に下宿。四月、盛岡高等農林学校（現在の岩手大学農学部）農学科第二部に首席入学、寄宿舎自啓《じけい》寮《りょう》に入る。指導教授関豊太郎。（同じ四月妹トシは日本女子大学校家政学部予科へ入学）八月、願教寺で島地大等の歎異鈔《たんにしょう》法話を一週間聴《き》く。この年、片山正夫『化学本論』が刊行され、賢治の座右の書となる。また、盛岡教会でタピング牧師のバイブル講義をきいたりもした。この年、山村暮鳥《やまむらぼちょう》『聖三稜玻璃《せいさんりょうはり》』刊行。

大正五年（一九一六）二十歳　三月、修学旅行、東京・京都・奈良の各農事試験場等を見学。五月、自啓寮懇親会《こんしんかい》で保阪嘉内《ほさかかない》作「人間のもだえ」に出演。六月、報恩寺の尾崎文英について参禅《さんぜん》。七月、関教授の指導下に盛岡地方地質調査（翌年の「校友会会報」に調査報告文を共同発表）。八月、上京して東京独逸《ドイツ》学院でドイツ語夏期講習を受ける。九月、関教授指導の秩《ちち》父《ぶ》・長瀞《ながとろ》・三峰《みつみね》地方土性・地質調査見学に参加。「校友会会報」に「健吉」の名で短歌二九首を発表。

大正六年（一九一七）二十一歳　一月、家の商用で上京、明治座で一幕見。七月、小菅健吉《こすげけんきち》・河本義行《かわもとよしゆき》・保阪嘉内らと短歌中心の同人誌「アザリア」創刊、この年第四輯《しゅう》まで発行、短歌・小品文などを発表。「校友会会報」にも筆名「銀縞」で短歌を発表。八月、高橋《たかはし》秀松《ひでまつ》らと江刺郡《えさしぐん》地質調査。九月十六日祖父喜助死去。十月下旬、弟清六らと岩手登山の途次、深更《しんこう》に柳沢より山頂に白光を見る。この年萩原朔太郎《はぎわらさくたろう》『月に吠《ほ》える』刊行。影響をうける。

大正七年（一九一八）二十二歳　二月、「アザリア」（第五号に相当）に断章「復活の朝」発表。保阪嘉内、同号掲載の「社会と自分」中の「今だ、帝室をくつがえすの時は」等の表現がおそらく因となって除籍となる。二月、得業《とくぎょう》論文「腐蝕《ふしょく》質中ノ無機成分ノ植物ニ対スル価値」を提出、三月得業証書取得。四月から研究生となり、九月まで関教授指導下に神野助教授・小泉助教授（林学）と稗貫郡土性調査。この間、六月末に肋膜炎《ろくまくえん》、一ヵ月静養。自分のいのちもあと十五年もつまいと友人に語る。六月、「アザリア」六号に小品文「峯《みね》や谷は」（童話「マグノリアの木」の先駆形）発表。八月頃《ごろ》、童話「蜘蛛《くも》となめくじと狸《たぬき》」「双子《ふたご》の星」を弟妹《ていまい》に読みきかせる。童話制作のはじまりである。十二月末、トシ東大病院小石川分院に入院との報に母と上京、翌年三月まで看病のため滞京《たいきょう》。この年豊作、しかし米価暴騰《ぼうとう》、米騒動。

大正八年（一九一九）二十三歳　三月、退院したトシを伴《ともな》って帰花、家業に従事。「暗い生活を送っています」と手紙に書く。この年郡立農蚕講習所へ出講したらしいが未詳。岩手県豊作。

大正九年（一九二〇）二十四歳　五月、盛岡高等農林学校研究生を修了。関教授から助教授推薦《すいせん》の話があるが辞退する。七月頃、田中智学『本化摂折論《ほんげしょうしゃくろん》』や『日《にち》蓮上人御遺《れんしょうにんごい》文《ぶん》』の抜書きをつくる。十月、国柱会信行部に入会。父に改宗を迫り、しばしば激しい論争。トシ、花巻高女教諭《きょうゆ》心得となる。

大正十年（一九二一）二十五歳　一月二十三日夕、無断上京。国柱会本部を訪れ、高知尾智耀《たかちおちよう》に会う。本郷菊坂町七五稲垣方に間借り、赤門前の文信社で筆耕、午後は街頭布教や国柱会本部での奉仕活動など。高知尾との会話に示唆《しさ》を受け、猛然と童話を多作。四月、上京した父を迎え、共に六日間の関西旅行。八月、トシ病気の報に大トランク一杯の原稿を持って帰郷、「童子《わらし》こさえるかわりに書いたのだもや」と語る。「愛国婦人」九月号に童謡「あまの川」掲載。（トシは花巻高女教諭を九月に退職）。十二月、稗貫郡立稗貫農学校（翌々年県立に移管して花巻農学校となる）教諭に就任、代数・農産製造・作物・化学・英語・肥料・気象・土壌《どじょう》を担当。他に実習として水田耕作。「愛国婦人」十二月号及び翌年一月号に童話「雪渡り」を分載発表、稿料五円。生前得た唯一《ゆいいつ》の原稿料である。この冬、「冬のスケッチ」と題して多くの短詩を試作。

大正十一年（一九二二）二十六歳　一月六日の日付（取材または初稿）をもつ心象スケッチ「屈折率」「くらかけの雪」を書き、『春と修羅《しゅら》』収録詩篇《しへん》の制作始まる。二月、「花巻農学校精神歌」作詞。七月中旬《ちゅうじゅん》盛岡に毒蛾《どくが》大発生、童話「毒蛾」の題材となる。九月、生徒六人と岩手登山。農学校で生徒ら「饑餓《きが》陣営」上演。十一月二十七日夜、かねて療養中の妹トシ死亡、激しい衝撃を受け、これにより「永訣《えいけつ》の朝」他の「無声慟哭《どうこく》」詩群を生む。十一月、教室で童話「貝の火」を読みきかせ、生徒に感動を与える。

大正十二年（一九二三）二十七歳　一月、弟清六に童話原稿を東京社（婦人画報・コドモノクニ等を発行）へ持ち込ませるが不採用。四月〜五月、岩手毎日新聞に詩「外輪山」童話「やまなし」「氷河鼠《ひょうがねずみ》の毛皮」「シグナルとシグナレス」を発表。国柱会機関紙天業民報にも詩「角礫《かくれき》行進歌」「青い槍《やり》の葉（挿秧歌）」を発表。五月、花巻農学校開校記念行事として劇「植物医師」「饑餓陣営」を上演。七月末から教え子の就職依頼のため樺太《からふと》に旅行、この紀行より「青森挽歌《ばんか》」をはじめとする挽歌詩群生まれる。九月、「手紙四」を無署名で印刷、配布。

大正十三年（一九二四）二十八歳　二月、教え子に童話「風野又三郎」原稿筆写を依頼。二月二十日の日付をもつ「空明と傷痍《しょうい》」を書くことにより「春と修羅」第二集はじまる。三月、「反情」二号に詩「陽《ひ》ざしとかれくさ」発表。四月、心象スケッチ『春と修羅』一千部を関根書店から自費出版。花巻温泉・花巻共立病院の花壇《かだん》を設計。五月、白藤慈秀《しらふじじしゅう》と生徒を引率して北海道修学旅行、帰着後「修学旅行復命書」を提出。七月、読売新聞で辻潤《つじじゅん》が『春と修羅』を賞揚。八月、農学校で生徒らと「饑餓陣営」「植物医師」「ポランの広場」「種山《たねやま》ヶ原《はら》の夜」を上演一般公開。終演後、大道具小道具を燃して生徒らと乱舞した。九月、学校演劇禁止令。十二月、イーハトヴ童話『注文の多い料理店』刊行。この頃「銀河鉄道の夜」初稿を書く。

大正十四年（一九二五）二十九歳　二月から森佐一（荘已池《そういち》）、七月から草野心平と交渉はじまり、森編集「貌《かお》」、草野編集「銅鑼《どら》」の同人となり、詩を発表しはじめる。八月、森佐一らと花城小学校で開かれた詩の展覧会に出品。十一月、早坂一郎東北大助教授をイギリス海岸に案内してバタグルミ化石採集。十二月、「虚無思想研究」十二月号に詩「冬（幻聴）」を発表。この年岩手県豊作。

大正十五・昭和元年（一九二六）三十歳　一月、尾形《おがた》亀之助《かめのすけ》編集「月曜」創刊号に「オツベルと象」を発表、二月号に「ざしき童子《ぼっこ》のはなし」、三月号には「寓《ぐう》話《わ》・猫《ねこ》の事務所」を発表。「貌」「銅鑼」にも詩の発表つづく。三月末まで岩手国民高等学校で農民芸術論を講義。三月三十一日、花巻農学校依願退職、四月一日から下根子《しもねこ》桜で独居生活をはじめる。花壇作り、開墾《かいこん》、青年たちを集めてレコード鑑賞会や合奏練習など。八月、妹たちと八戸《はちのへ》へ小旅行。羅須地人《らすちじん》協会設立もこの頃か。近所の子どもたちに童話を読みきかせる。十一月から協会定期集会はじまる。十二月一日、労農党稗貫支部が発足、シンパとして協力。二日上京、図書館やタイピスト学校で勉強、エスペラント、オルガンやセロを習う。言語学者ラムステットの講演をきく。高村光太郎を訪問。二十九日に上野を発《た》って帰花。この年宮沢家は質・古着商を廃業。

昭和二年（一九二七）三十一歳　一月、「無名作家」二巻四号に詩「陸中国挿秧之図《りくちゅうこくそうおうのず》」発表。二月一日、岩手日報夕刊に羅須地人協会の紹介《しょうかい》記事が出たことから当局の取調べを受ける。十二月、「盛岡中学校校友会雑誌」のために「生徒諸君に寄せる」を下書するが完成せず、詩二篇を発表。五月から肥料設計・稲作指導。夏は天候不順のため東奔西走《とうほんせいそう》する。

昭和三年（一九二八）三十二歳　二月、「銅鑼」に「氷質のジョウ談」、三月、「聖燈」に「稲作挿話（未定稿）」発表。石鳥谷《いしどりや》で肥料相談に応じる。六月、大島に伊藤兄妹《きょうだい》訪問、東京で浮世絵《うきよえ》展を見、演劇鑑賞も。七〜八月、稲熱病《いもち》や旱魃《かんばつ》の対策に奔走、八月発熱病臥《びょうが》。十二月急性肺炎。

昭和四年（一九二九）三十三歳　病臥つづく。春、『銅鑼』同人黄瀛《こうえい》来訪。四月、東北砕石工場主鈴木東蔵《すずきとうぞう》来訪。この年「疾中」詩群成立、文語詩制作の契機《けいき》となる。

昭和五年（一九三〇）三十四歳　春、やや回復、園芸を始める。十一月、童話「まなづるとダァリヤ」他の原稿に朱《しゅ》を入れる。「文芸プラニング」三号に詩「空明と傷痍」他を発表。

昭和六年（一九三一）三十五歳　二月、東北砕石工場技師嘱託《しょくたく》となり、広告文起草や炭酸石灰の宣伝販売を受持ち、秋田・宮城にも出張。七月、岩手日報に稲作状況報告。佐藤一英編集の季刊雑誌「児童文学」第一冊に童話「北守《ほくしゅ》将軍と三人兄弟の医者」発表。九月初め童話「風の又三郎」の執筆進行。九月二十日、壁材料の宣伝販売のため上京直後に発熱、遺書を認《したた》める。帰宅病臥。十一月三日、手帳に「雨ニモマケズ」を記す。この年不況、岩手県は冷害豪雨のため凶作。満洲《まんしゅう》事変はじまる。

昭和七年（一九三二）三十六歳　三月、「児童文学」第二冊に「グスコーブドリの伝記」（棟方志功《むなかたしこう》さし絵）発表。四月、佐々木喜善《きぜん》来訪。「岩手詩集」第一集に「早春独白」発表。「女性岩手」創刊号に文語詩「民間薬《みんかんやく》」「選挙」、同四号にも「祭日」「母」「保線工手」、「詩人時代」に「客を停《と》める」を発表。

昭和八年（一九三三）三十七歳　二月、「新詩論」第二輯に詩「半蔭地《はんいんち》選定《せんてい》」発表。三月、「天才人」六号に童話「朝に就《つい》ての童話的構図」発表。「詩人時代」「女性岩手」等にも詩の発表つづく。『現代日本詩集（一九三三年版）』に「郊外」「県道」を発表。六月、石川善助遺稿集「鴉射亭随筆《あしゃていずいひつ》」に追悼文《ついとうぶん》掲載。七月、元「アザリア」同人河本義行が水死。八月、特製の詩稿用紙に「文語詩稿　五十篇」「文語詩稿　一百篇」を清書。九月、「北方詩人」に詩「産業組合青年会」を送稿（十月発行の二巻七号に掲載）。童話「ひのきとひなげし」に最終手入れ。九月二十日、病状悪化。短歌二首（絶詠《ぜつえい》）を書く。夜七時頃農民の肥料相談に一時間ほど応じる。翌二十一日、容態急変、喀血《かっけつ》。国訳法華経一千部を印刷して知己《ちき》に配付するよう遺言して午後一時半死亡。二十三日、安浄寺で葬儀《そうぎ》（昭和二十六年身照寺に改葬）。この年、東北地方豊作。

天沢退二郎編

〈編集部注〉

新潮文庫の宮沢賢治作品は、編集変えをいたしました。旧編と新編の異同は左の通りです。

風の又三郎

注文の多い料理店
どんぐりと山猫
オッペルと象
祭の晩
風の又三郎
貝の火
なめとこ山の熊
カイロ団長
北守将軍と三人兄弟の医者
鹿踊のはじまり
セロ弾きのゴーシュ

銀河鉄道の夜

虔十公園林
よだかの星
やまなし
雪渡り
銀河鉄道の夜
双子の星
ざしき童子のはなし
グスコーブドリの伝記
ポランの広場
植物医師
饑餓陣営

新編　風の又三郎

やまなし
貝の火
蜘蛛となめくじと狸
ツェねずみ
クンねずみ
蛙のゴム靴
二十六夜
雁の童子
十月の末
フランドン農学校の豚
虔十公園林
谷
鳥をとるやなぎ
祭の晩

新編　銀河鉄道の夜

双子の星
よだかの星
カイロ団長
黄いろのトマト
ひのきとひなげし
シグナルとシグナレス
マリヴロンと少女
オツベルと象
猫の事務所
北守将軍と三人兄弟の医者
銀河鉄道の夜
セロ弾きのゴーシュ
饑餓陣営

注文の多い料理店

「注文の多い料理店」(全)
　序
　どんぐりと山猫
　狼森と笊森、盗森
　注文の多い料理店
　烏の北斗七星
　水仙月の四日
　山男の四月
　かしわばやしの夜
　月夜のでんしんばしら
　鹿踊りのはじまり
雪渡り
ざしき童子のはなし
さるのこしかけ

本書は『新修　宮沢賢治全集』（筑摩書房刊）を底本とした。

表記について

新潮文庫の文字表記については、原文を尊重するという見地に立ち、次のように方針を定めました。

一、旧仮名づかいで書かれた口語文の作品は、新仮名づかいに改める。
二、文語文の作品は旧仮名づかいのままとする。
三、旧字体で書かれているものは、原則として新字体に改める。
四、難読と思われる語には振仮名をつける。

なお本作品集中には、今日の観点からみると差別的表現ととられかねない箇所が散見しますが、著者自身に差別的意図はなく、作品自体のもつ文学性ならびに芸術性、また著者がすでに故人である等の事情に鑑み、原文どおりとしました。

（新潮文庫編集部）

宮沢賢治著　新編 風の又三郎

谷川に臨む小学校に突然やってきた不思議な転校生——少年たちの感情をいきいきと描く表題作等、小動物や子供が活躍する童話16編。

宮沢賢治著　注文の多い料理店

生前唯一の童話集『注文の多い料理店』全編を中心に土の香り豊かな童話19編を収録。イーハトヴの住人たちとまとめて出会える一巻。

天沢退二郎編　新編 宮沢賢治詩集

自己の心眼と森羅万象との絶えざる交流と融合とによって構築された独創的な詩の世界。代表詩集『春と修羅』はじめ、各詩集から厳選。

宮沢賢治著　ポラーノの広場

つめくさのあかりを辿って訪ねた伝説の広場をめぐる顚末を描く表題作、ブルカニロ博士が登場する「銀河鉄道の夜」第三次稿など17編。

伊藤信吉編　高村光太郎詩集

処女詩集「道程」から愛の詩編「智恵子抄」を経て、晩年の「典型」に至る全詩業から精選された百余編は、壮麗な生と愛の讃歌である。

吉田凞生編　中原中也詩集

生と死のあわいを漂いながら、失われて二度とかえらぬものへの想いをうたいつづけた中也。甘美で哀切な詩情が胸をうつ。

新潮文庫の新刊

C・S・ルイス
小澤身和子訳
ナルニア国物語4
銀のいすと地底の国
いじめっ子に追われナルニアに逃げ込んだユースティスとジル。アスランの命を受け、魔女にさらわれたリリアン王子の行方を追う。

杉井光著
世界でいちばん透きとおった物語2
新人作家の藤阪燈真の元に、再び遺稿を巡る謎が舞い込む。メディアで話題沸騰の超話題作、待望の続編。ビブリオ・ミステリ第二弾。

乃南アサ著
家裁調査官・庵原かのん
家裁調査官の庵原かのんは、罪を犯した子どもたちの声を聴くうちに、事件の裏に潜む問題に気が付き……。待望の新シリーズ開幕！

沢木耕太郎著
いのちの記憶
―銀河を渡るII―
少年時代の衝動、海外へ足を向かわせた熱の正体、幾度もの出会いと別れ、少年時代から今日までの日々を辿る25年間のエッセイ集。

燃え殻著
それでも日々はつづくから
きらきら映える日々からは遠い「まーまー」な日常こそが愛おしい。「週刊新潮」の人気連載をまとめた、共感度抜群のエッセイ集。

D・E・ウェストレイク
木村二郎訳
うしろにご用心！
不運な泥棒ドートマンダーと仲間たちが企む美術品強奪。思いもよらぬ邪魔立てが次々入り……大人気ユーモア・ミステリー、降臨！

新編 銀河鉄道《ぎんがてつどう》の夜《よる》

新潮文庫 み-2-5

平成 元 年六月十五日 発 行
平成二十四年四月 十 日 五十九刷改版
令和 七 年三月二十日 八 十 三 刷

著 者 宮《みや》沢《ざわ》賢《けん》治《じ》

発行者 佐 藤 隆 信

発行所 株式会社 新 潮 社

郵便番号 一六二―八七一一
東京都新宿区矢来町七一
電話 編集部(〇三)三二六六―五四四〇
読者係(〇三)三二六六―五一一一
https://www.shinchosha.co.jp

価格はカバーに表示してあります。

印刷・錦明印刷株式会社 製本・株式会社植木製本所

Printed in Japan

ISBN978-4-10-109205-8 C0193